Windows 8 POUR LES NULS

Windows 8 POUR LES NULS

Andy Rathbone

Windows 8 pour les Nuls

Publié par Wiley Publishing, Inc.
111 River Street
Hoboken, NJ 07030-5774
USA

Edition française publiée en accord avec Wiley Publishing, Inc.
© Éditions First un département d'Édi8, 2013
12 avenue d'Italie
75013 Paris - France
Tél. 01 44 16 09 00
Fax 01 44 16 09 01
E-mail : firstinfo@efirst.com
Web : www.editionsfirst.fr
ISBN : 978-2-7540-5083-8
Dépôt légal : 2e trimestre 2013

Collection dirigée par Jean-Pierre Cano
Traduction : Bernard Jolivalt, Daniel Rougé et Philip Escartin
Mise en page : maged

Imprimé en Italie par «La Tipografica Varese S.p.A.», Varese

Sommaire

Introduction

Bienvenue dans *Windows 8 Pour les Nuls,* le plus vendu des livres sur Windows 8.

La popularité de ce livre découle du simple fait que beaucoup d'utilisateurs désirent connaître Windows à fond. Ils adorent interagir avec des boîtes de dialogue. Certains même appuient sur des touches un peu au hasard dans l'espoir de découvrir des fonctions cachées, non documentées. D'autres encore mémorisent d'interminables lignes de commandes en se lavant les cheveux.

Et vous ? Vous n'êtes pas un nul, c'est sûr. Mais quand il s'agit d'informatique, et plus précisément de Windows, ce n'est pas le grand amour. Vous attendez de l'ordinateur qui vous aide à faire votre travail, après quoi vous l'éteignez pour passer à autre chose de plus important. Vous n'avez pas l'intention d'y changer quoi que ce soit et ce n'est pas plus mal.

C'est là qu'intervient ce livre. Au lieu de faire de vous un as de Windows, il préfère vous enseigner ce qui est utile afin que vous puissiez en tirer parti au moment où vous en aurez besoin. Au lieu de devenir un expert de Windows 8, vous deviendrez un utilisateur avisé, accédant le plus naturellement du monde aux fonctions dont vous avez besoin.

Plutôt que de lire ce livre d'une seule traite, considérez-le comme un dictionnaire ou une encyclopédie. Allez directement à l'information dont vous avez besoin et lisez-la attentivement. Mettez-la ensuite en pratique.

Ne vous ennuyez pas à mémoriser tout le jargon de Windows 8, du genre « Sélectionnez l'option de menu dans la zone de liste déroulante ». Laissez cela aux allumés d'informatique. En fait, les informations techniques qui apparaissent dans ce livre sont signalées par un pictogramme. Selon votre humeur du moment, vous vous jetterez voracement dessus ou vous passerez dédaigneusement votre chemin.

Au lieu de se complaire dans du jargon technique, ce livre aborde les sujets suivant en français de tous les jours, y compris les dimanches et les jours fériés :

- Préserver la sûreté et la sécurité de votre ordinateur.
- Comprendre à quoi sert l'écran d'accueil.
- Trouver une application ou un programme, le démarrer et le quitter.
- Localiser les fichiers que vous avez enregistré ou téléchargé précédemment.
- Configurer l'ordinateur afin que toute la famille puisse l'utiliser.
- Copier des données depuis et vers un CD ou un DVD.
- Transférer et montrer vos photos.
- Imprimer votre travail.
- Créer un réseau d'ordinateurs afin de partager une connexion Internet ou une imprimante.
- Corriger Windows 8 quand il fait des siennes.

Il n'y a rien à mémoriser et rien à apprendre. Il vous suffit d'aller à la page idoine, de lire une brève explication et de vous mettre au travail. Contrairement à d'autres livres, celui-ci vous permet de laisser tout ce qui est technique de côté et de ne vous occuper que de vos tâches.

Comment utiliser ce livre

Certains points de Windows 8 vous laisseront sans doute perplexe. Si quelque chose vous paraît mystérieux, reportez-vous à l'index ou à la table des matières de ce livre. La table des matières vous permet de localiser une information d'après le titre des chapitres et des sections. Plus précis, l'index contient une liste de sujets suivis du numéro des pages où il en est question. D'une manière ou d'une autre, vous parviendrez toujours à l'information recherchée.

Si vous vous sentez en verve et voulez en savoir plus, lisez les paragraphes à puce à la fin de chaque section. Vous y trouverez des détails supplémentaires, des conseils ou des références croisées. Mais rien ne vous y oblige, si cela ne vous intéresse pas ou si vous n'avez pas le temps.

Les saisies à effectuer au clavier sont en gras, comme ici :

Saisissez **Lecteur Windows Media** dans le champ Rechercher.

Dans cet exemple, vous tapez les mots *Lecteur Windows Media* et vous appuyez sur la touche Entrée. La saisie étant parfois un peu compliquée, une description suit, et explique ce que montre l'écran.

Quand vous devez appuyer sur une combinaison de touche, cette action est mentionnée sous cette forme :

Appuyez sur Ctrl+P

Vous gardez le doigt sur la touche Ctrl, vous appuyez sur P – les deux touches sont alors enfoncées – puis vous les lâchez. Cette combinaison de touches est le raccourci clavier qui sert à imprimer.

Chaque fois qu'une adresse Internet ou un nom de fichier est mentionné, il est présenté sous cette forme :

`www.andyrathbone.com`

Ce livre ne vous envoie jamais balader par une formule du genre « pour plus d'informations, consultez le manuel ». Il ne contient pas, non plus, de renseignements concernant des logiciels spécifiques, comme Microsoft Office. Windows 8 est bien assez compliqué à lui seul. Fort heureusement, d'autres titres de la collection *Pour les Nuls* détaillent à foison les logiciels les plus connus.

Enfin, n'oubliez pas que ce livre est un *ouvrage de référence.* Il n'a pas été conçu pour vous apprendre à utiliser Windows 8 comme un expert, que nenni ! À la place, cet ouvrage qui en vient à reculer les tâches – il y en a deux, si vous appréciez *Le contrepet, témoin de son temps,* de Joël Martin, édité chez First – vous livre tout ce qu'il faut savoir afin que vous n'ayez justement pas à apprendre Windows.

Tablette et écran tactile

Windows 8 est préinstallé sur les ordinateurs récents, mais aussi sur les appareils dotés d'un *écran tactile,* autrement dit les tablettes et quelques ordinateurs qui sont alors véritablement digitaux : vous les commandez au doigt (mais pas à l'œil, sauf si on vous en a fait cadeau).

Vous n'avez pas d'écran tactile sous la main ? Pas de problème. Vous apprendrez quand même où il faut toucher, effleurer ou taper.

Si vous avez un écran tactile et que vous vous demandez comment il faut comprendre les instructions destinées à la souris, voici ce qu'il faut savoir :

- **Quand il est de *cliquer,* vous devez *taper* :** un rapide toucher sur l'écran équivaut à un clic avec la souris.
- **Quand il est dit de double-cliquer, vous devez *double-taper* :** deux touchers en rapide succession.
- **Quand il est question du *clic du bouton droit,* vous devez *maintenir le doigt* sur l'élément.** Dans les deux cas, un menu apparaît. Touchez ensuite l'option de menu qui vous intéresse.

Si l'écran tactile vous paraît peu commode, connectez un clavier et une souris à votre tablette. Elles fonctionnent souvent mieux sur le Bureau de Windows que l'écran d'accueil.

Et vous ?

Il se peut que vous possédiez déjà Windows 8 ou que vous comptiez l'acquérir. Vous seul savez ce que vous voulez faire avec votre ordinateur. Le problème, c'est d'obtenir de l'ordinateur qu'il fasse ce que vous attendez de lui. Vous y parvenez d'une manière ou d'une autre, peut-être avec l'aide d'un passionné d'informatique, ou aidé par le type qui s'y connaît, au bureau, ou par un copain de fac.

Mais si vous n'avez personne sous la main, vous serez sans doute content d'avoir ce livre.

Comment ce livre est organisé

Tout ce qui trouve dans ce livre a été passé au peigne fin. Il est divisé en sept parties contenant chacune des chapitres thématiques. Avec un peigne encore plus fin – le peigne à puces de Joe mon cocker – j'ai divisé chaque chapitre en sections encore plus petites qui vous dévoileront quelques-unes des étrangetés de Windows. Vous trouverez parfois ce que vous recherchez dans un petit encadré, ou alors, vous devrez parcourir toute une section ou tout un chapitre. Cela dépend de vous et de la tâche en cours.

Voici les diverses parties (vous pouvez maintenant me graisser la patte).

Première partie : Les éléments de Windows 8 que vous êtes censé déjà connaître

Cette partie dépiaute l'ossature de Windows 8 : son nouvel écran d'accueil dans lequel vous chargez les applications et les programmes. Vous apprendrez aussi comment aller sur le traditionnel Bureau de Windows qui existe toujours. Vous apprendrez comment déplacer des fenêtres, et cliquer sur les bons boutons au bon moment. Cette partie détaille les éléments de Windows que tout le monde croit que vous connaissez déjà.

Deuxième partie : Programmes et fichiers

Windows 8 est accompagné d'un certain nombre de programmes (des logiciels, si vous préférez). Les trouver et les démarrer n'est pas toujours facile. Vous apprendrez ici comment les mettre en œuvre. Si un important fichier ou programme a disparu dans la nature, vous verrez comment faire pour que Windows 8 le recherche dans tout l'ordinateur et vous le ramène dare-dare. Vous apprendrez aussi à imprimer votre travail.

Troisième partie : Personnaliser Windows 8 et le mettre à jour

Si Windows a besoin qu'on lui secoue les puces, corrigez-le à l'aide d'une des commandes nichées dans le Panneau de configuration, lequel est décrit là. Un autre chapitre explique comment procéder soi-même à certaines tâches de maintenance, ce qui vous fera faire des économies. Vous découvrirez aussi comment partager l'ordinateur avec plusieurs membres de la famille ou de la colocation, sans que personne ne puisse farfouiller dans les données d'autrui.

Et si d'autres ordinateurs arrivent, reportez-vous au chapitre sur les réseaux pour savoir comment les relier afin qu'ils partagent la connexion Internet, les fichiers et l'imprimante.

Quatrième partie : Musique, photos et films

C'est ici que vous trouverez les informations pour écouter de la musique et regarder des vidéos. Achetez quelques CD vierges et réalisez vos propres compilations avec vos morceaux préférés. Ou faites-en une copie pour que le CD original ne risque pas d'être rayé dans la voiture.

Cinquième partie : Place nette pour Internet

Vous vous familiariserez ici avec le fabuleux outil de communication et d'information qu'est l'Internet. Vous apprendrez à échanger du courrier électronique et surfer sur le Web. Mais surtout, tout un chapitre explique comment faire tout cela en toute sécurité.

Une section est consacrée aux outils de sécurité d'Internet Explorer. Ils détectent les infects sites contrefaits et empêchent les parasites du Web de s'introduire dans votre ordinateur.

Sixième partie : Les dix commandements

Vous découvrirez ici avec délices les dix points les plus exaspérants de Windows 8, et comment les corriger. En prime pour ceux qui ont une tablette ou un ordinateur portable, j'ai réuni les dix outils les plus utiles aux voyageurs – les vrais aussi bien que ceux qui voyagent dans leur chambre –, que j'ai placés dans un chapitre, avec des instructions pas-à-pas pour les tâches les plus fréquentes.

Les pictogrammes de ce livre

Il suffit de feuilleter ce livre pour constater qu'il est truffé de pictogrammes, qui sont un peu dans la littérature ce que les icônes sont à la micro-informatique. Voici à quoi ils correspondent :

Attention les yeux ! Ce pictogramme signale des informations techniques. Passez au large si vous êtes technophobe.

Ce pictogramme indique une information qui facilite la vie. Par exemple : comment ne pas prendre froid en ouvrant une fenêtre dans Windows.

N'oubliez pas de vous souvenir de vous rappeler de ce qui est écrit à ce paragraphe. Ou au moins, écornez la page pour ne pas oublier de vous en rappeler.

Ce pictogramme signale une manœuvre risquée. Eh non, l'ordinateur n'explosera pas, mais vous risqueriez de perdre des données, ou du temps...

Vous passer à Windows 8 depuis une version antérieure de Windows ? Ce pictogramme signale une fonctionnalité à présent complètement différente. C'est ça, l'évolution...

L'écran tactile remplace le clavier et la souris. Ce pictogramme signale une fonctionnalité véritablement digitale.

Et maintenant ?

Vous voilà prêt à passer à l'action. Feuilletez le livre pour vous en faire une idée. N'oubliez pas qu'il est votre arme contre les allumés d'informatique qui ont concocté ce programme affreusement compliqué qu'ils vous infligent sans vergogne. N'hésitez pas à souligner les passages intéressants, à entourer au crayon ceux qui le sont plus encore, à surligner les notions clés et coucher dans la marge les éclaircissements sur toutes ces complications.

Plus vous annoterez votre livre, plus il vous sera facile de retrouver les informations dont vous avez vraiment besoin.

Première partie

Les éléments de Windows 8 que vous êtes censé déjà connaître

"J'annonce B7 !"
"- Coulé !"

Dans cette partie...

Beaucoup de gens se retrouvent avec Windows 8 sans avoir eu le choix, parce qu'il est installé dans leur nouvel ordinateur. Ou alors, l'entreprise à opté pour Windows 8 et tout le monde a dû suivre le mouvement, excepté le patron qui n'a toujours pas d'ordinateur. Ou alors, vous avez cédé aux sirènes (marketing) de Microsoft.

Quelle que soit votre situation, cette partie vous rappelle les bases de Windows, notamment l'étrange écran d'accueil et comment accéder au bon vieux Bureau, ainsi que des notions aussi élémentaires que le glisser-déposer, copier, couper et coller, et comment utiliser un écran tactile.

Bref, cette partie explique à quels niveaux Windows 8 s'est amélioré, et vous prévient aussi de ce qui ne va pas du tout dans cette version.

Chapitre 1

C'est koâ, Windows 8 ?

Dans ce chapitre :

- Faire connaissance avec Windows 8.
- Découvrir les nouvelles fonctionnalités de Windows 8.
- Trouver de bonnes raisons de passer à Windows 8 ?
- Déterminer si votre PC est assez puissant pour Windows 8.
- Connaître la version de Windows 8 dont vous avez besoin.

Il est plus que probable que vous connaissez déjà Windows : les boîtes de dialogue et les fenêtres, et aussi le pointeur de la souris qui apparaissent quand l'ordinateur est allumé. Tandis que vous lisez ces lignes, des millions de gens de par le monde découvrent la version 8 en pianotant sur leur clavier. Presque tout nouvel ordinateur vendu actuellement l'est avec Windows préinstallé.

Windows 8 c'est quoi et pourquoi l'utiliser ?

Édité et vendu par Microsoft, Windows n'est pas comme les logiciels que vous utilisez pour écrire le roman morose de votre besogneuse vie ou envoyer un message dégoulinant de mots roses à l'élue de votre cœur qui les supprime au fur et à mesure en grignotant des chips. Eh non, car Windows est un système d'exploitation, autrement dit le programme qui régit votre ordinateur. Il existe depuis une trentaine d'années et sa dernière mouture, nommée *Windows 8,* est visible à la Figure 1.1.

Windows, qui signifie « fenêtres » en anglais, doit son nom aux panneaux, appelés fenêtres, qui apparaissent à l'écran. Chacune contient des données : le logiciel que vous utilisez, une photo ou un épou-

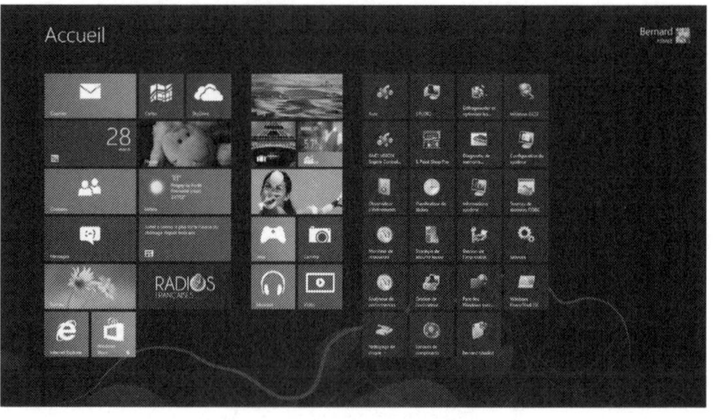

Figure 1.1 : Windows 8, la toute dernière version de Microsoft Windows, est préinstallé dans la plupart des nouveaux PC.

vantable message d'alerte qui vous signale que quelque chose ne va pas. Plusieurs fenêtres peuvent être ouvertes simultanément et vous pouvez passer de l'une à l'autre et changer ainsi de programme et/ou de tâche. Vous pouvez aussi agrandir une fenêtre afin qu'elle emplisse tout l'écran.

Pourquoi utilisez-vous Windows 8 ? Probablement parce que, comme la plupart des gens, vous n'avez guère le choix car depuis l'automne

Séparer la pub des fonctionnalités

Microsoft a beau clamer que Windows est le compagnon idéal de votre ordinateur, et qu'il se soucie de votre intérêt, ce n'est pas tout à fait vrai. En fait, c'est l'intérêt de Microsoft que Windows défend. Vous vous en rendrez compte rapidement le jour où vous aurez besoin d'aide pour que Windows fonctionne correctement. Au Etats-Unis, l'appel téléphonique coûte plus de 100 dollars de l'heure.

Microsoft se sert aussi de Windows pour mettre en avant ses propres produits et services. Par exemple, Internet Explorer s'ouvre par défaut sur le site Internet MSN qui appartient à Microsoft, et ses favoris – l'emplacement où vous mémorisez les sites que vous désirez revisiter – sont truffés de sites appartenant à Microsoft. L'application Cartes utilise le service de cartographie Bing, plutôt que Google Maps ou un autre concurrent. Cette liste n'est pas exhaustive.

Bref, Windows ne fait pas que contrôler votre ordinateur. Il s'en sert aussi comme d'un vaste support publicitaire pour Microsoft. Traitez sa pub comme vous le faites des prospectus qui envahissent votre boîte aux lettres.

2012, la plupart des ordinateurs sont vendus avec Windows 8 préinstallé. Quelques utilisateurs de Windows ont fait une infidélité en passant au Mac – plus design mais un peu plus cher –, une minorité utilise des ordinateurs sous Linux, mais en ce qui vous concerne, il y a de bonnes chances pour que vos voisins, vos collègues de travail, vos enfants à l'école et des millions d'autres personnes dans le monde utilisent Windows.

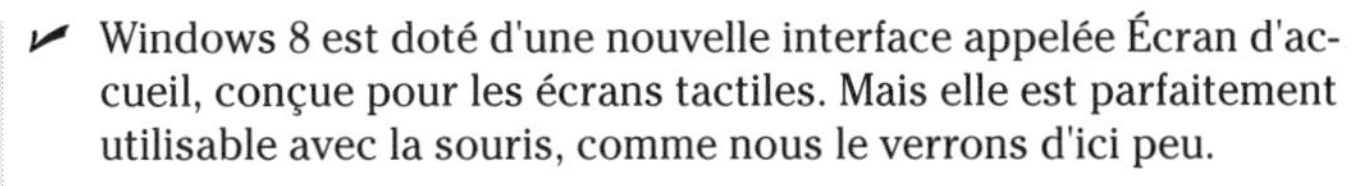

- Windows 8 est doté d'une nouvelle interface appelée Écran d'accueil, conçue pour les écrans tactiles. Mais elle est parfaitement utilisable avec la souris, comme nous le verrons d'ici peu.

- Le nouveau logiciel de sauvegarde de Windows 8, appelé *Historique des fichiers,* simplifie considérablement une tâche que vous devriez effectuer régulièrement : la copie en lieu sûr de vos fichiers les plus importants. Comme cette fonctionnalité est désactivée par défaut, vous découvrirez comment l'activer au Chapitre 10.

Quoi de neuf dans Windows 8 ?

Si vous avez déjà utilisé des versions antérieures de Windows, vous risquez d'être quelque peu dépaysé. Pourquoi ? Parce que Windows 8 reprend tout à zéro. Ou plus exactement, il s'adresse à deux types d'utilisateurs.

Certaines personnes sont en effet des *consommateurs.* Elles lisent des courriers électroniques, regardent des vidéos, écoutent de la musique, vont sur l'Internet, et ne se servent pas forcément, pour cela, d'un ordinateur.

D'autres sont surtout des *producteurs.* Ils écrivent des articles, publient sur des blogs, font du montage vidéo ou font plus prosaïquement le travail que leur supérieur hiérarchique leur demande de faire.

Pour complaire à ces deux marchés, Microsoft à scindé Windows 8 en deux parties très différenciées :

- **L'écran d'accueil :** destiné à ceux qui tiennent à suivre l'information en temps réel, l'écran d'accueil occupe la totalité de l'écran. Il contient de grandes vignettes multicolores, qui affichent en permanence les dernières nouvelles, la météo, le courrier, les notifications de Facebook, les cours de la Bourse et autres informations. Visibles dans la Figure 1.1, ces informations apparaissent sans même que vous ayez touché à quoi que soit. Et quand je dis « toucher », c'est à prendre au pied de la lettre car l'écran d'accueil est fait pour l'écran tactile des tablettes et de certains ordinateurs.

- **Le Bureau :** pour y accéder, cliquez sur la vignette Bureau, dans l'écran d'accueil. C'est le classique Bureau, représenté à la Figure 1.2, avec ses icônes, ses fenêtres, ses menus et tout le reste.

Figure 1.2 : Le Bureau de Windows 8 ressemble beaucoup à celui de ses prédécesseurs, mais il ne possède plus de bouton Démarrer.

Certaines personnes aiment bien disposer de deux interfaces à la fois. D'autres trouvent cela plutôt agaçant.

- D'une certaine manière, Windows 8 offre le meilleur des deux mondes : la possibilité de rester dans l'écran d'accueil pour une navigation rapide puis, au moment de travailler, l'utilisation du classique Bureau de Windows.

- L'inconvénient, c'est la disparition du bon vieux bouton Démarrer, et du menu Démarrer qui lui était associé et qui apparaissait dans le coin en bas à gauche. À présent, il faut aller dans l'écran d'accueil, démarrer un programme en cliquant sur sa vignette, après quoi vous

  vous retrouvez sur le Bureau où le programme en question s'est ouvert.

- Bienvenue dans la double-personnalité de Windows 8. Nous reviendrons sur l'écran d'accueil au Chapitre 2, et nous présenterons le Bureau au Chapitre 3.

Dois-je vraiment passer à Windows 8 ?

À vrai dire, non. La plupart des gens s'en tiennent à la version de Windows installée dans leur ordinateur. Ils évitent ainsi les affres des nouvelles habitudes à prendre avec une nouvelle version. Or, Windows 8 exige une approche assez différente de l'ancienne version en raison de ses nouveautés.

De plus, les changements les plus significatifs de Windows 8 s'adressent plutôt à ceux qui utilisent un écran tactile, comme ceux équipant les tablettes, les smartphones et quelques ordinateurs portables récents. Quel que soit l'appareil, Windows 8 se présente et régit de la même manière, que soit de manière digitale ou avec un clavier et une souris.

L'aspect positif est que, dès lors que vous maîtrisez Windows 8, vous pouvez l'utiliser avec tous les appareils tournant sous Windows : un téléphone Windows, un ordinateur portable, un ordinateur de bureau et peut-être même un téléviseur à écran tactile. Et corollairement, ce qui n'est pas au point dans Windows vous fera des misères sur tous les appareils tournant sous Windows.

Inutile donc d'effectuer une mise à niveau juste parce que Windows 8 est sorti. En revanche, quand vous achèterez un nouvel ordinateur, la dernière version de Windows sera installée dedans.

Windows 8 se supporte pas le mode Windows XP, comme son prédécesseur. Si vous utilisiez le mode Windows XP sous Windows 7, abstenez-vous de passer à Windows 8.

Windows 8 tournera-t-il sur mon PC ?

Si votre PC est déjà équipé de Windows 7, il s'accommodera probablement de Windows 8. En fait, Windows 8 fonctionnera mieux encore, surtout sur un ordinateur portable.

Si votre PC tourne sous Windows XP, il tournera probablement sous Windows 8, mais peut-être pas avec les meilleures performances. Si vous avez un passionné d'informatique dans votre entourage, demandez-lui de vous traduire le contenu du Tableau 1.1.

En langage clair, ce tableau nous apprend que presque tous les ordinateurs de moins de cinq ans peuvent passer à Windows 8 sans trop de problèmes.

Tableau 1.1 : Le matériel requis pour Windows 8.

Architecture	x86 (32 bits)	x86 (64 bits)
Processeur	1 GHz	1 GHz
Mémoire vive (RAM)	1 Go	2 Go
Carte graphique	DirectX 9 avec pilote graphique VDDM 1.0 ou supérieur	
Espace libre sur le disque dur	16 Go	20 Go

Windows 8 s'accommode de quasiment tous les programmes qui tournaient sous Windows Vista et sous Windows 7. Il parvient même à exécuter des logiciels conçus pour Windows XP. Mais quelques programmes plus anciens ne fonctionneront pas, notamment ceux axés sur la sécurité, comme les antivirus, les pare-feu et les suites, ou ensembles de logiciels, destinés à sécuriser l'ordinateur. Vous devrez installer une version récente.

Vous vous intéressez à un nouveau PC équipé de Windows 8, dans une boutique, et vous vous interrogez sur ses performances ? Dirigez le pointeur de la souris vers le coin inférieur gauche, cliquez du bouton droit et, dans le menu, choisissez Système. Le panneau qui apparaît contient un indice de performances Windows qui s'étend de 1 (poussif) à 9,9 (ça plane).

Vous ne savez pas quelle version est installée ? Dirigez la souris vers le coin inférieur gauche : si une vignette Accueil apparaît, et que cliquer dessus affiche l'écran d'accueil avec ses innombrables vignettes de toutes les couleurs, c'est bien Windows 8 qui est installé. Pour connaître l'édition de Windows, allez dans le panneau Système comme cela est expliqué au paragraphe précédent et consultez la rubrique Édition Windows.

Les quatre éditions de Windows 8

Windows 8 est décliné en quatre éditions, mais vous n'en voulez peut-être qu'une seule : celle fort opportunément intitulée Windows 8.

La grande majorité des consommateurs choisira l'Édition Familiale Premium et la plupart des professionnels opteront pour Windows 8 Professionnel. Mais pour que tout soit clair, ces quatre éditions sont détaillées dans le Tableau 1.2.

Tableau 1.2 : Les quatre éditions de Windows 8.

Version de Windows 8	Fonctionnalités
Windows RT	Conçue pour économiser la batterie des ordinateurs portables, cette version est préinstallée de préférence dans les tablettes et dans les ordinateurs portables. Elle contient l'écran d'accueil et les applications, mais son Bureau bridé n'exécutera pas vos logiciels pour Windows. Pour compenser, Windows RT est livré avec une version de Word, Excel, PowerPoint et One Note.
Windows 8	Destinée au grand public, cette version contient l'écran d'accueil, les applications et un Bureau Windows en bonne et due forme. La plupart des logiciels pour Windows sont utilisables.
Windows 8 Pro	Visant le marché des petites entreprises, elle possède toutes les caractéristiques de l'édition Windows 8, avec en plus des outils intéressant les utilisateurs professionnels, comme le cryptage des données, des fonctions de réseau perfectionnées, *etc.* Le Media Center Pack, vendu en option, permet d'enregistrer la télévision avec le Windows Media Center et de lire des DVD (pour obtenir le Media Center, vous devez acheter le Pro Pack pour Windows 8).
Windows 8 Entreprise	Cette édition est vendue par lots aux grands comptes.

Dans le tableau, chaque édition contient toutes les fonctionnalités de l'édition à la ligne précédente.

Voici quelques recommandations pour choisir l'édition dont vous avez besoin :

- Si vous envisagez l'achat d'une tablette tournant sous **Windows RT,** sachez qu'*il vous sera impossible d'installer des logiciels Windows conventionnels.* Vous ne pourrez utiliser que les programmes Office livrés avec cette édition ainsi que les applications téléchargées depuis Windows Store.
- Pour un usage à la maison, choisissez **Windows 8** ou **Windows 8 Pro.**
- Si vous devez vous connecter à un domaine au travers d'un réseau d'entreprise, il vous faudra **Windows 8 Pro.**

  Vous voulez utiliser Windows 8 Pro pour lire des DVD ou enregistrer des émissions de télévision avec le Windows Media Center ? Dégainez votre carte bancaire et optez pour la mise à jour par téléchargement du Media Center Pack (pour installer le Windows

Media Center dans l'édition grand public Windows 8, achetez le Pro Pack pour Windows 8).

- Si vous êtes un professionnel de l'informatique, vous opterez pour **Windows 8 Pro** (destiné aux petites entreprises) ou pour **Windows 8 Entreprise** (destiné aux grandes entreprises).
- Si vous êtes un technicien travaillant pour une entreprise, discutez avec votre directeur pour avoir s'il doit opter pour **Windows 8 Professionnel** (petite société) ou pour **Windows 8 Entreprise** (grande entreprise).

La plupart des ordinateurs autorisent une mise à niveau vers une édition plus perfectionnée à partir de l'option Système et sécurité du Panneau de configuration (préparez votre carte bancaire).

Chapitre 2

Les mystères de l'écran d'accueil

Dans ce chapitre :

- Démarrer Windows 8.
- Activer Windows 8.
- L'écran d'accueil de style « métro ».
- Passer d'une application à l'autre.
- Trouver des raccourcis dans la barre d'icônes.
- Voir toutes les applications et tous les programmes.
- Personnaliser l'écran d'accueil.
- Éteindre l'ordinateur.

Windows 8 est doté du classique Bureau, mais c'est surtout le nouvel écran d'accueil qui intrigue. Ses vastes tuiles bigarrées permettent de vérifier rapidement l'arrivée du courrier, de connaître les nouvelles du monde, *etc*.

Avec une tablette, vous pourriez passer la journée à parcourir les applications de l'écran d'accueil du bout du doigt.

Mais sur un écran d'ordinateur, avec au bout de vos doigts les touches du clavier et la souris, vous serez plus enclin à afficher le Bureau et ne plus le quitter.

Si l'écran d'accueil vous paraît bien triste et confus, cliquez du bouton droit sur le fond d'écran ou dirigez le pointeur de la souris jusque dans un coin de l'écran. Ces actions font apparaître d'intéressants menus cachés.

Si l'écran de votre ordinateur est tactile, substituez le mot *toucher* lorsqu'il s'agit de *cliquer*, et *double-toucher* pour *double-cliquer*. Quant au terme *clic du bouton droit*, remplacez-le par *le doigt maintenu sur l'écran*. Relevez le doigt lorsque le menu associé à cette action apparaît.

Bienvenue dans le monde de Windows 8

Windows 8 apparaît sitôt l'ordinateur allumé. Mais avant de pouvoir l'utiliser, il vous confronte à un écran qui fait barrage : l'écran de verrouillage que montre la Figure 2.1.

Figure 2.1 : Pour passer l'écran de verrouillage, touchez, cliquez ou appuyez sur une touche du clavier.

Dans les versions antérieures de Windows, vous deviez saisir le mot de passe dès le démarrage de Windows. Avec Windows 8, vous devez d'abord déverrouiller un écran. De quelle manière ? Cela dépend, selon que vous utilisez la souris, le clavier ou un écran tactile :

- **Souris :** cliquez avec n'importe quel bouton.
- **Clavier :** enfoncez n'importe quelle touche.
- **Écran tactile :** effleurez vers le haut.

Après avoir franchi le bien nommé écran de verrouillage, vous arrivez à l'écran où vous devez saisir votre mot de passe (Figure 2.2).

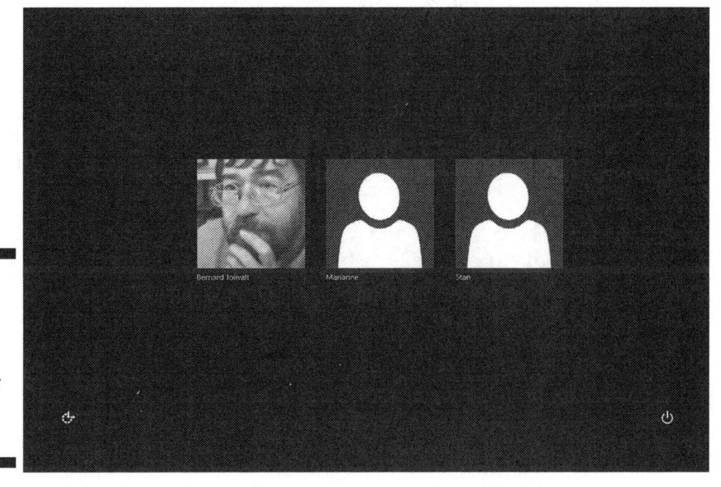

Figure 2.2 : Saisissez votre mot de passe pour arriver à l'écran d'accueil.

Si Windows vous fait quelques misères au moment de saisir votre mot de passe, voici ce que vous pouvez faire :

- **Vous ne voyez pas votre nom, mais vous avez pourtant un compte sur cet ordinateur :** cliquez sur le bouton rond avec une flèche pointant vers la gauche. Windows 8 affiche la liste de tous les comptes d'utilisateur. Vous devriez voir le nom du propriétaire de l'ordinateur, ainsi qu'un compte Administrateur et un compte Invité.
- **Vous venez d'acheter l'ordinateur :** utilisez le compte Administrateur. Il autorise la création d'autres comptes d'utilisateur, l'installation de programmes, l'établissement d'une connexion Internet et l'accès à *tous* les fichiers présents dans l'ordinateur, même ceux appartenant à d'autres utilisateurs. Dans Windows 8, une personne au moins doit être Administrateur.
- **Utilisez le compte Invité :** il est destiné à vos visiteurs (famille, amis, baby-sitter...) qui utilisent temporairement l'ordinateur.
- **Pas de compte Invité ?** Essayez de savoir à qui peut bien être cet ordinateur puis demandez à cette personne de bien vouloir vous créer un compte d'utilisateur, ou au moins d'activer le compte Invité.

Ces histoires de comptes d'utilisateur vous passent par-dessus la tête ? Eh bien, vous apprendrez tout à leur sujet au Chapitre 11.

Vous n'avez pas l'intention de saisir le mot de passe ? Vous avez alors le choix entre les options suivantes :

- **Le bouton évoquant un fauteuil à roulettes,** en bas à gauche de l'écran, donne accès aux fonctions destinées aux personnes handicapées, comme nous le verrons au Chapitre 9. Si vous avez cliqué dessus par erreur, cliquez sur le fond d'écran pour faire disparaître le menu de configuration.

- **Le bouton en bas à droite** permet d'arrêter l'ordinateur, le mettre en veille ou le redémarrer.

Même lorsque vous n'avez pas encore saisi le mot de passe, l'ordinateur affiche des informations. Selon la manière dont vous l'avez configuré, vous verrez, sur l'écran de verrouillage, la date et l'heure, la force du signal Wi-Fi (ou l'icône de la connexion filaire), la charge de la batterie (plus la couleur de l'icône est intense, plus la charge est élevée), vos prochains rendez-vous, le nombre de courriers électroniques non lus, et bien d'autres informations.

Comprendre les comptes d'utilisateur

Windows permet à plusieurs personnes d'utiliser le même ordinateur tout en séparant nettement leurs activités. Mais pour cela, il doit savoir qui l'utilise actuellement. Quand vous saisissez votre mot de passe après avoir éventuellement cliqué sur votre nom d'utilisateur, vous vous connectez à votre compte d'utilisateur. Vous faites ensuite ce que vous voulez.

Quand vous cessez d'utiliser l'ordinateur, vous vous déconnectez, ce qui met fin à votre session. Quelqu'un d'autre peut alors se connecter à son compte d'utilisateur et se servir de l'ordinateur. Quand vous vous reconnecterez par la suite, vous retrouverez l'ordinateur tel que vous l'aviez laissé, avec tous vos fichiers.

Même si mettez la pagaille dans l'ordinateur, c'est *votre* pagaille. Un autre utilisateur ne peut pas accéder à votre session. Votre conjoint ou votre rejeton ne peut pas avoir effacé vos fichiers par erreur, car il n'y a pas accès. Il lui est également impossible de fureter dans votre messagerie.

Tant que vous n'avez pas associé votre photo à votre compte d'utilisateur, vous n'être représenté que par une silhouette sur l'écran du mot de passe, comme celle visible dans la Figure 2.2. Pour la remplacer par une photo de vous, cliquez sur votre nom d'utilisateur, en haut à droite de l'écran d'accueil puis, dans le menu, cliquez sur Modifier l'avatar du compte. Cliquez ensuite sur l'icône Caméra pour prendre une photo de vous avec la Webcam intégrée à votre ordinateur. Il n'en a pas ? Dans ce cas, cliquez sur Parcourir et recherchez une photo de vous.

Protéger votre compte par un mot de passe

Comme Windows permet à plusieurs personnes d'utiliser le même ordinateur, il est important que les uns n'aillent pas farfouiller dans les documents et la messagerie des autres. De quelle manière ? En protégeant les comptes par un mot de passe.

En fait, l'usage d'un mot de passe est plus important que jamais sous Windows 8 car il peut stocker des informations de cartes bancaires. En saisissant un mot de passe, comme à la Figure 2.3, vous indiquez à l'ordinateur que c'est bien vous qui accédez au compte. Quand vous avez défini un mot de passe, personne d'autre que vous ne peut accéder à votre compte. Et donc, personne ne pourra consulter vos fichiers ou vos courriers, effectuer des achats ou utiliser des services payants à vos frais.

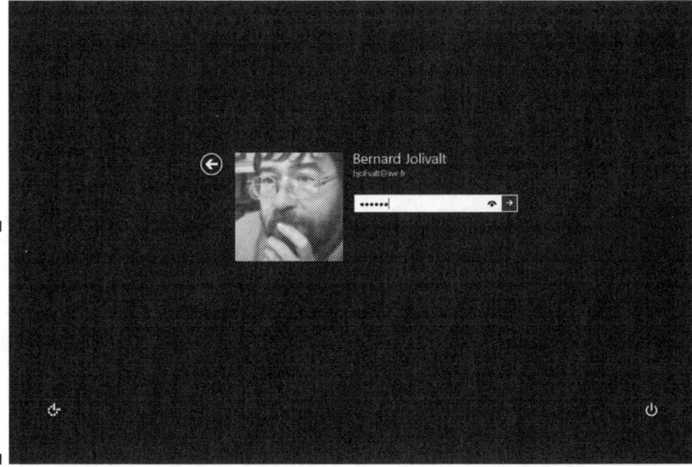

Figure 2.3 : Le mot de passe protège votre confidentialité et votre compte bancaire.

Voici comment définir ou modifier votre mot de passe :

1. **Activez la barre d'icônes puis cliquez sur l'icône Paramètres.**

Utiliser Windows 8 la première fois

Si vous avez déjà utilisé Windows auparavant, vous risquez de ne pas vous y retrouver dans Windows 8. Au démarrage, il ne s'ouvre pas sur le bon vieux Bureau. À la place, vous avez droit à un écran plein de vignettes multicolores. Qui plus est, certaines d'entre elles changent d'aspect au fil du temps.

Mais dès que vous cliquez sur la vignette nommée Bureau, vous accédez au classique Bureau de Windows. Bien que l'écran d'accueil et le Bureau semblent être deux entités distinctes, ils sont en réalité interconnectés de bien des manières. Mais il est difficile de découvrir ces connexions car elles sont bien cachées.

C'est pourquoi je vous recommande d'exécuter les quelques actions qui suivent la première fois que vous utilisez Windows 8. Elles peuvent être effectuées indifféremment depuis l'écran d'accueil ou depuis le Bureau :

- **Dirigez le pointeur de la souris jusque dans un coin de l'écran :** amenez-le dans un coin à droite, et vous verrez apparaître la barre d'icônes, un élément décrit plus loin dans ce chapitre. Dirigez le pointeur jusque dans le coin supérieur gauche, et vous verrez la vignette de la dernière application utilisée, prête à redémarrer d'un clic. Dirigez le pointeur jusque dans le coin en bas à gauche, et vous verrez apparaître une vignette Accueil ; cliquez dessus pour accéder à l'écran d'accueil. Éloignez le pointeur d'un coin, et l'élément disparaît.
- **Cliquez du bouton droit sur une application, dans l'écran d'accueil :** une barre d'application apparaît en bas de l'écran. Elle contient des icônes correspondant à diverses actions. Cliquez de nouveau du bouton droit sur la même application, et la barre disparaît.

Ces manipulations à la souris fonctionnent aussi bien avec un ordinateur (portable ou de bureau) qu'avec une tablette.

Mais si vous utilisez Windows 8 sur une tablette, ces mêmes manipulations peuvent être faites de manière digitale :

- **Effleurez du bord droit vers l'intérieur :** la barre d'icônes apparaît. Pour la faire disparaître, touchez ailleurs sur l'écran.
- **Effleurez du bord supérieur vers le bord inférieur :** l'application actuellement utilisée suit le mouvement et finit par devenir une vignette. Lorsque le doigt arrive tout en bas, l'application disparaît et se ferme. Continuez ainsi avec d'autres applications et il ne restera plus que le seul élément qui ne puisse pas être fermé : l'écran d'accueil.
- **Effleurez du bord gauche vers l'intérieur :** la dernière application utilisée est tirée sur l'écran, prête à être utilisée. Répétez cette action et vous

aurez tour à tour activé tous les programmes et applications ouverts, y compris le Bureau lui-même.

N'hésitez pas à cliquer, tirer ou effleurer dans tous les coins et à tous les bords. Découvrir les menus cachés est la première étape pour comprendre l'étrange univers de Windows 8.

Le contenu de barre d'icônes est décrit un peu plus loin dans ce chapitre. Vous la faite apparaître de l'une ou l'autre de ces manières :

- *Souris :* dirigez le pointeur de la souris jusque dans le coin supérieur droit ou inférieur droit de l'écran.
- *Clavier :* appuyez sur les touches Windows+C.
- *Écran tactile :* effleurez du bord droit de l'écran vers l'intérieur.

Dans la barre d'icônes, cliquez sur l'icône Paramètres. Le volet Paramètres apparaît.

2. **En bas du volet Paramètres, cliquez sur Modifier les paramètres du PC.**

   L'écran Paramètres du PC apparaît.

3. **Dans le volet de gauche, cliquez sur la catégorie Utilisateurs, puis cliquez sur Changer votre mot de passe (ou, pour un définir un, cliquez sur Créer un mot de passe).**

   Vous devrez saisir votre mot de passe actuel pour continuer.

4. **Saisissez le nouveau mot de passe.**

   Choisissez par exemple le nom de votre légume ou fruit préféré, ou la marque de votre dentifrice. Pour renforcer la sécurité, incorporez un chiffre au mot de passe, comme dans **6tron** ou **salle2bain**.

5. **Saisissez-le une seconde fois dans le champ Entrez de nouveau de mot de passe, afin de le confirmer.**

6. **Dans le champ Indication de mot de passe, saisissez un pense-bête qui vous permettra à vous – et à personne d'autre – de vous souvenir du mot de passe.**

   Windows ne vous autorise pas à utiliser le mot de passe lui-même comme pense-bête. Soyez un peu plus créatif.

Supprimer le mot de passe

Windows demande le mot de passe uniquement s'il lui est indispensable de savoir qui utilise l'ordinateur, pour les raisons suivantes :

- L'ordinateur est connecté à un réseau. Votre identité détermine vos droit d'accès à tel ou tel élément.
- Le propriétaire de l'ordinateur désire limiter vos actions.
- L'ordinateur est utilisé par plusieurs personnes, et il est exclu qu'elles puissent l'utiliser en votre nom et modifier vos fichiers et vos paramètres.
- Vous possédez un compte Microsoft, ce qui est obligatoire pour certaines applications.

Si tous ces points ne s'appliquent pas à vous, supprimez le mot de passe en choisissant l'option Changer votre mot de passe, à l'étape 3 de la manipulation précédente. Laissez le champ Nouveau mot de passe vide puis cliquez sur Suivant.

Sans mot de passe, n'importe qui peut accéder à votre compte d'utilisateur et visualiser, modifier ou supprimer vos fichiers. Dans un bureau, cela peut poser un sérieux problème. Si un mot de passe vous a été attribué, il vaut mieux le conserver.

7. **Cliquez sur le bouton Suivant puis sur Terminer.**

Après avoir défini un mot de passe, il sera exigé pour utiliser l'ordinateur. Voici quelques informations utiles supplémentaires :

- Un mot de passe est *sensible à la casse typographique.* Les mots *Caviar* et *caviar* sont différents.
- Vous avez complètement oublié votre mot de passe ? Reportez-vous au Chapitre 11 où vous apprendrez comment réaliser un *disque de réinitialisation du mot de passe.*

- À l'étape 3, Windows propose l'option Créer un mot de passe image. Vous devrez alors tirer la souris ou le doigt sur une photo, dans un ordre établi. Au lieu de saisir le mot de passe, vous répétez les gestes. Le mot de passe image convient bien mieux aux écrans tactiles qu'à ceux qui ne le sont pas.

- Une autre option, à l'étape 3, a pour nom Créer un code confidentiel. Il s'agit d'un code à quatre chiffres comparable au code PIN des téléphones mobiles ou au code d'une carte bancaire.
- Un trou de mémoire ? Lorsque le mot de passe est erroné, Windows affiche votre pense-bête, si vous l'avez bien sûr défini.

Veillez à ce qu'il ne soit pas trop explicite. En dernier recours, insérez le disque de réinitialisation du mot de passe, comme expliqué au Chapitre 11.

Vous découvrirez bien d'autres informations sur les comptes d'utilisateur au Chapitre 11.

Ouvrir un compte Microsoft

Quand vous utilisez Windows 8 pour la première fois, ou quand vous essayez d'accéder à certaines applications de l'écran d'accueil, ou quand vous tentez seulement de modifier un paramètre, vous risquez de voir apparaître un écran comme celui de la Figure 2.4.

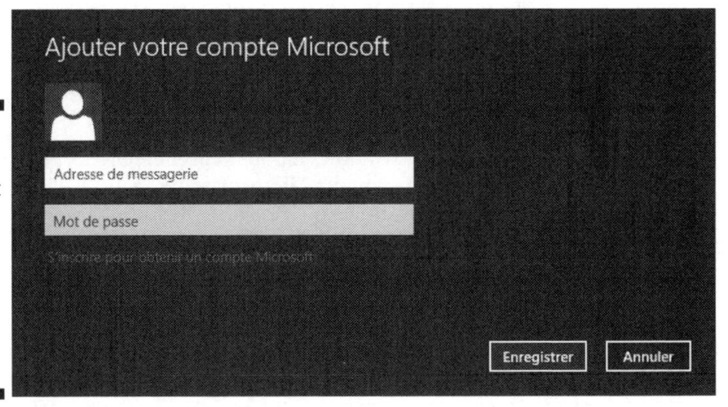

Figure 2.4 : Un compte Microsoft est indispensable pour accéder à certaines fonctionnalités de Windows 8.

Cet écran apparaît parce que Windows 8 fait à présent la différence entre deux types de comptes d'utilisateur : vous pouvez vous connecter avec un *compte Microsoft* ou avec un *compte local.* Chacun a ses spécificités :

- **Compte local :** ce compte convient aux personnes utilisant des logiciels pour Windows à partir du classique Bureau. Le titulaire d'un compte local peut exécuter bon nombre des applications de Windows 8, y compris l'application Courrier. Mais il ne peut pas télécharger de nouvelles applications à partir de Windows Store.

- **Compte Microsoft :** il nécessite une adresse de messagerie et un mot de passe. Un compte Microsoft permet de télécharger des applications depuis Windows Store et d'utiliser toutes les applications livrées avec Windows 8. Vous pouvez lier un compte Microsoft aux réseaux sociaux que vous fréquentez, et placer automatiquement dans votre carnet d'adresses vos amis de Facebook, Twitter et autres sites. Et en plus, vous pouvez accéder à la fois à vos photos et à celles de vos amis sur Facebook.

L'utilisation de l'ordinateur avec un compte Microsoft peut être effectuée de deux manières :

- **Utiliser un compte Microsoft déjà existant :** si vous êtez déjà un utilisateur de Hotmail, de Xbox Live ou de Windows Messenger, vous détenez déjà un compte Microsoft. Saisissez son adresse de messagerie et le mot de passe dans le formulaire visible à la Figure 2.4, puis cliquez sur le bouton Enregistrer.
- **Ouvrir un compte Microsoft :** cliquez sur S'inscrire pour obtenir un compte Microsoft, sous le formulaire de la Figure 2.4. Un formulaire vous est présenté, qui vous permettra de transformer votre actuelle adresse de messagerie en compte Microsoft. Notez qu'il est cependant préférable d'opter pour une nouvelle adresse Microsoft, car elle permet d'utiliser l'application Courrier de Windows 8.

Quand vous utilisez Windows 8 pour la première fois et que vous ne désirez par ouvrir de compte Microsoft, cliquez sur le bouton Annuler. Vous pourrez ensuite opter pour un compte local.

Mais tant que vous n'aurez pas ouvert de compte Microsoft, le panneau de la Figure 2.4 viendra vous narguer chaque fois que vous tenterez d'accéder à une fonctionnalité exigeant un compte Microsoft.

Le nouvel écran d'accueil de Windows 8

L'écran d'accueil de Windows 8 n'a rien de commun avec le classique Bureau. Ce dernier n'a d'ailleurs plus de bouton Démarrer, ni par conséquent de menu Démarrer.

En fait, l'écran d'accueil (Figure 2.5) apparaît chaque fois que vous allumez l'ordinateur. Alors que les versions précédentes de Windows étaient dotées d'un petit menu Démarrer, dans Windows 8, c'est l'écran d'accueil qui occupe la totalité de la surface. Chaque vignette représente un programme installé dans l'ordinateur.

Quand vous utilisez l'ordinateur, vous passez constamment de l'écran d'accueil au Bureau décrit au prochain chapitre, et inversement.

L'écran d'accueil permet notamment d'ajuster la configuration de Windows, de trouver de l'aide dans les situations problématiques, et mettre Windows en veille ou éteindre l'ordinateur.

Figure 2.5 : Cliquez sur une vignette pour démarrer une application ou un programme.

Certaines vignettes affichent leur contenu en permanence. Par exemple, la vignette Calendrier montre toujours la date du jour ainsi que les prochains rendez-vous. L'application Courrier affiche tour à tour les premiers mots des messages qui viennent d'arriver.

L'aspect de l'écran d'accueil change en fonction des applications et des programmes que vous ajoutez. C'est pourquoi, il n'y a jamais deux écrans d'accueil identiques.

Voici quelques conseils qui facilitent l'usage de l'écran d'accueil :

- Cliquez sur la vignette Bureau pour accéder au classique Bureau de Windows décrit dans le prochain chapitre.
- Si vous préférez éviter l'écran d'accueil et rester plutôt sur le Bureau, vous apprendrez aussi comment, au prochain chapitre.

- Cliquez sur la vignette Bureau pour accéder au classique Bureau de Windows décrit dans le prochain chapitre.

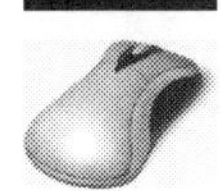

- Votre souris est équipée d'une molette ? Actionnez-la pour faire défiler horizontalement le contenu de l'écran d'accueil.

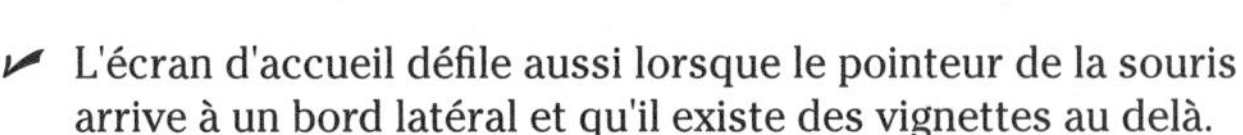

- L'écran d'accueil défile aussi lorsque le pointeur de la souris arrive à un bord latéral et qu'il existe des vignettes au delà.
- Lorsque des vignettes se trouvent hors de l'écran, à droite ou à gauche, actionnez la barre de défilement, en bas de l'écran, pour les voir.

- Tirez le contenu d'un écran tactile du bout du doigt, vers la droite ou vers la gauche.

- Les touches fléchées Droite et Gauche font aussi défiler l'écran d'accueil lorsqu'il s'étend au delà de ce qui est visible. Appuyez sur la touche Fin pour arriver à l'extrémité droite de l'écran. Appuyez sur la touche Origine pour réafficher l'écran d'accueil comme normalement.
- Windows 8 contient quelques passages secrets cachés dans les coins de l'écran, ainsi que quelques raccourcis-clavier (voir Tableau 2.1).

Tableau 2.1 : Les commandes cachées de Windows 8.

Pour faire ceci...	...avec cela,	Faites ceci
Accéder à l'écran d'accueil.	Souris	Dirigez le pointeur jusque dans le coin inférieur gauche. Dès que la vignette Accueil apparaît, cliquez dessus.
	Clavier	Appuyez sur la touche Windows (en bas à gauche du clavier).
	Écran tactile	Appuyez sur la touche Windows en bas de l'écran.
Passer à une autre application ouverte.	Souris	Placez le pointeur dans le coin supérieur gauche de l'écran puis tirez vers le bas. Cliquez ensuite sur la vignette de l'application à utiliser.
	Clavier	La touche Alt enfoncée, appuyez à répétition sur la touche Tab. Relâchez les touches lorsque l'application à utiliser est sélectionnée.
	Écran tactile	Effleurez l'écran du bord gauche vers l'intérieur, puis en sens inverse. Touchez ensuite l'application désirée.

Démarrer une application ou un programme depuis l'écran d'accueil

Dans Windows 8, les applications – qui sont en fait des logiciels exécutant des tâches simples – sont stockées dans l'écran d'accueil. Dans Windows 8, tous les programmes et logiciels sont appelés « applications ». Même le Bureau est devenu une « application Bureau ».

Chaque vignette de l'écran d'accueil est un bouton qui démarre une application ou un classique logiciel sous Windows. Vous avez pour cela le choix entre plusieurs procédés :

- **Souris :** cliquez sur la vignette (avec l'habituel bouton gauche).
- **Clavier :** appuyez sur les touches fléchées jusqu'à ce qu'un liseré entoure la vignette désirée. Appuyez ensuite sur la touche Entrée.
- **Écran tactile :** touchez la vignette du bout du doigt.

Quelle que soit la technique adoptée, l'application emplit l'écran, prête à vous informer, vous divertir et parfois même les deux.

Nous reviendrons plus loin dans ce chapitre sur les applications de Windows 8. Si vous le désirez, vous pouvez en ajouter en cliquant sur la vignette Windows Store. Le téléchargement des applications est expliqué au Chapitre 6.

Ouvrir et fermer une application

Une application occupe tout l'écran sans qu'aucun menu ne soit visible. Ceci complique leur utilisation et rend aussi plus difficile le passage de l'une à l'autre.

Comment passer de l'un à l'autre des programmes ou applications récemment utilisés ? En procédant de la manière suivante :

1. **Dirigez le pointeur de la souris jusque dans le coin inférieur gauche.**

   La vignette de la dernière application utilisée apparaît. Cliquez dessus pour l'ouvrir. Pour accéder à d'autres applications que vous venez d'utiliser, passez à l'étape suivante.

2. **Quand l'icône Bureau apparaît, déplacez le pointeur de la souris le long du bord gauche.**

   Ainsi que le montre la Figure 2.6, une barre apparaît. Elle contient la vignette de toutes les applications ouvertes.

3. **Pour réutiliser une application, cliquez sur sa vignette.**
4. **Pour fermer une application, cliquez du bouton droit sur sa vignette, dans la barre de gauche, et choisissez Fermer.**

Les quelques astuces qui suivent vous aident à accéder aux applications ouvertes et aussi à les fermer :

Pour activer une application récemment utilisée, cliquez sur sa vignette

Pour voir l'application utilisée en dernier, dirigez la souris jusque dans ce coin

Pour voir les applications utilisées dernièrement, déplacez la souris le long du bord, à partir du coin en bas à gauche

Figure 2.6 : Pour voir les applications actuellement ouvertes, déplacez le pointeur de la souris le long du bord gauche, à partir du coin en bas à gauche.

- Pour passer d'une application ouverte à une autre, maintenez la touche Windows enfoncée et appuyez à répétition sur la touche Tab. La même barre que celle de la Figure 2.6 apparaît sur le bord gauche. Chaque fois que vous appuyez sur Tab, une autre application est sélectionnée. Pour utiliser l'application sélectionnée, relâchez les deux touches.

- La barre des applications récemment utilisées peut être affichée aussi bien depuis l'écran d'accueil que depuis le Bureau, et de la même manière.
- Après avoir fermé une application à l'étape 4, la barre reste affichée. Vous pouvez fermer d'autres applications en cliquant dessus du bouton droit et en cliquant ensuite sur le bouton Fermer.

- Pour fermer l'application en cours, dirigez le pointeur de la souris vers le bord supérieur de l'écran. Quand il se transforme en main, tirez-le jusque tout en bas de l'écran. L'application est alors fermée. Cette astuce fonctionne même avec le Bureau.

C'est quoi, une application ?

Le terme « application » est emprunté à l'univers des smartphones capables d'exécuter des petits programmes (NdT : le terme « application » est aussi et surtout emprunté à l'univers du Mac, où il est l'équivalent de « programme ». Dans les deux cas, ce sont des logiciels). Les applications diffèrent des traditionnels programmes Windows sous ces aspects :

- Les applications Windows ne peuvent provenir que d'un seul endroit : la boutique Windows Store. Sitôt téléchargées, les applications sont automatiquement installées. Beaucoup d'applications sont gratuites, d'autres sont payantes.
- Seules des applications Windows peuvent tourner sous Windows. Celles destinées aux iPhone et aux smartphones Android ne sont pas utilisables avec Windows. Certaines applications sont déclinées pour les différents systèmes d'exploitation (iOS, Android, Windows...) mais ces versions peuvent différer les unes des autres.
- Une application en cours d'utilisation occupe la totalité de l'écran. Windows 8 propose cependant un moyen assez peu commode d'en juxtaposer deux, comme nous le verrons d'ici peu dans ce chapitre.
- Les applications sont généralement assez faciles à utiliser, mais cette simplicité s'accompagne de restrictions. Beaucoup d'application ne permettent pas de copier du texte, des images ou des liens. Il n'existe souvent aucun moyen de partager le contenu d'une application avec des amis, ou de laisser un commentaire public. La plupart des applications sont loin d'être aussi puissantes que les classiques logiciels.

Bien que pour Windows 8, les logiciels soient aussi des applications, une grande différence demeure : un logiciel pour Windows ne fonctionne que sur le Bureau alors que les applications ne fonctionnent que dans l'écran d'accueil.

Trouver une application ou un programme dans l'écran d'accueil

Vous pouvez parcourir l'écran d'accueil dans toute sa largeur – qui peut-être vaste lorsqu'il est bien rempli – et vous fier à votre regard d'aigle pour trouver le programme ou l'application dont vous avez besoin, mais parfois, c'est fort laborieux. Windows 8 propose fort heureusement quelques raccourcis :

- Cliquez du bouton droit sur le fond de l'écran d'accueil. Une barre apparaît en bas de l'écran avec, à gauche, une icône nommée Toutes les applications. Cliquez dessus pour accéder à une liste alphabétique de tous les programmes et applications présents dans l'ordinateur. Cliquez sur l'un d'eux pour l'ouvrir.
- Saisissez le nom de l'application directement au clavier. Au fur et à mesure, Windows 8 affiche toutes les applications dont le nom commence par les lettres saisies.
- Effleurez l'écran tactile vers le bas puis, dans la barre qui apparaît au pied de l'écran, touchez l'icône Toutes les applications.

Ajouter ou ôter des éléments dans l'écran d'accueil

Ôter un élément de l'écran d'accueil est facile ; c'est pourquoi nous commencerons par là. Il suffit en effet de cliquer du bouton droit sur la vignette devenue inutile puis de cliquer sur Détacher de l'écran d'accueil, dans la barre inférieure qui vient d'apparaître. La vignette disparaît aussitôt.

Mais vous serez plutôt enclin à ajouter des éléments à l'écran d'accueil, pour la raison que voici : il est facile de s'échapper de l'écran d'accueil en cliquant sur la vignette Bureau. Mais une fois sur le Bureau, comment démarrer un programme sans être obligé de retourner dans l'écran d'accueil ?

Pour éviter ces pénibles va et viens, placez dans l'écran d'accueil vos éléments favoris, comme les programmes, les dossiers et les réglages. Ensuite, au lieu de surcharger le Bureau au risque de ne plus s'y retrouver, vous accéderez à l'élément directement depuis l'écran d'accueil.

Après avoir ainsi rempli l'écran d'accueil, reportez-vous à la section « Personnaliser l'écran d'accueil », plus loin dans ce chapitre, pour placer vos éléments dans des groupes distincts.

Voici comment ajouter des programmes ou des applications à l'écran d'accueil :

1. **Cliquez sur le bouton Toutes les applications.**

   Cliquez du bouton droit sur le fond de l'écran d'accueil, ou appuyez sur Windows+Z. Le bouton Toutes les applications se trouve à droite.

Sur un écran tactile, effleurez du bas de l'écran vers le haut puis touchez le bouton Toutes les applications.

Dans les deux cas, la liste alphabétique de tous les programmes et applications est affichée.

2. **Cliquez du bouton droit sur l'élément à placer dans l'écran d'accueil et, dans la barre en bas de l'écran, choisissez Épingler à l'écran d'accueil.**

3. **Répétez l'étape 2 pour tous les éléments à ajouter.**

   Il est hélas impossible de sélectionner plusieurs éléments à la fois.

4. **Cliquez sur la vignette Bureau.**

   Le Bureau apparaît.

5. **Cliquez du bouton droit sur un élément et, dans le menu, choisissez Épingler à l'écran d'accueil.**

   L'élément en question peut être une bibliothèque, un dossier, un fichier, *etc.* Il devient aussitôt une vignette visible parmi les programmes, dans l'écran d'accueil.

Après avoir épinglé bon nombre d'éléments dans l'écran d'accueil, ce dernier sera bien rempli.

La barre d'icônes et ses raccourcis cachés

La barre d'icône que montre la Figure 2.7 contient cinq icônes permettant d'exécuter diverses actions. Par exemple, quand vous avez visité un site Web et que vous désirez le faire connaître à un ami, faites apparaître la barre d'icônes, choisissez Partager, puis sélectionnez la personne à qui vous désirez montrer ce site.

La barre d'icône peut être affichée aussi bien depuis l'écran d'accueil, le Bureau, et même depuis une application ou un logiciel, en procédant ainsi :

- **Souris :** dirigez le pointeur jusque dans le coin supérieur droit ou inférieur droit.
- **Clavier :** appuyez sur les touches Windows+C.
- **Écran tactile :** effleurez du bord droit de l'écran vers l'intérieur.

Cinq icônes apparaissent à droite, prêtes à être utilisées. Voici à quoi elles servent :

Figure 2.7 : La barre d'icônes de Windows 8, à droite, donne accès à de nombreuses fonctions.

- **Rechercher :** lorsque vous cliquez dessus, Windows présume que vous désirez rechercher parmi les éléments actuellement visibles. Pour préciser la recherche, cliquez sur l'une des options proposées : Applications, Paramètres ou Fichiers (la recherche est expliquée au Chapitre 7).

- **Partager :** cette icône sert à partager ce qui est actuellement affiché. Par exemple, quand une page Internet est affichée, cliquer sur l'icône Partager permet de choisir l'application Courrier pour envoyer le lien de la page à un ami.

- **Accueil :** donne accès au Bureau. La touche Windows de votre clavier en fait autant.

- **Périphériques :** choisissez cette icône pour envoyer le contenu de l'écran vers un autre périphérique, comme une imprimante, un second écran, voire un smartphone. La liste n'énumère que les périphériques actuellement connectés à l'ordinateur et capable de recevoir le contenu de l'écran.

- **Paramètres :** donne accès aux six principaux réglages de l'ordinateur : le réseau, le volume sonore, la luminosité de l'écran, les notifications, le bouton marche/arrêt et le type de clavier. Cela ne vous suffit pas ? Dans ce cas, cliquez sur Modifier les paramètres du PC, tout en bas de la barre. Vous accédez ainsi à l'écran Paramètres du PC expliqué au Chapitre 9.

Le Tableau 2.2 présente quelques raccourcis clavier de la barre d'icônes.

Tableau 2.2 : Les raccourcis clavier de la barre d'icônes.

Pour faire ceci...	...appuyez sur ces touches
Afficher la barre d'icônes	Windows+C
Rechercher des applications, des fichiers ou des paramètres	Windows+Q
Partager ce qui est affiché à l'écran	Windows+H
Passer de l'écran d'accueil au Bureau et inversement	Windows
Voir les périphériques connectés	Windows+K
Modifier les paramètres	Windows+I

Les applications livrées avec Windows

Windows 8 est livré avec des applications, représentées chacune par une vignette rectangulaire ou carrée. Chacune d'elles étant légendée, vous ne pouvez pas vous tromper.

La vignette de certaines applications, appelée *vignette dynamique,* change constamment. La vignette Finance, par exemple, est régulièrement mise à jour avec les deniers cours de la Bourse. La vignette Météo indique le temps qu'il fait.

L'écran d'accueil ne montre que quelques unes des applications. Pour les voir toutes, cliquez du bouton droit sur le fond d'écran et à droite dans la barre inférieure, choisissez Toutes les applications.

Toutes ou certaines de ces applications se trouvent dans l'écran d'accueil, prête à être utilisée d'un seul clic dessus :

- **Actualités :** présente une revue de presse des journaux, magazines et agences.
- **Bureau :** donne accès au classique Bureau de Windows, auquel tout le Chapitre 3 est consacré.
- **Calendrier :** permet de noter des rendez-vous ou de récupérer ceux déjà définis sur les comptes Google ou Hotmail.

- **Caméra :** cette application permet de prendre une photo avec la webcam de votre ordinateur.
- **Cartes :** commode pour préparer un déplacement, cette application utilise la cartographie de Bing, qui appartient à Microsoft.
- **Connexion Bureau à distance :** conçue pour les environnements professionnels, cette application permet de se connecter à un PC distant et le commander comme si vous étiez installé devant.
- **Contacts :** la particularité de cette application, est qu'après entré vos comptes sur Facebook, Twitter, Google et d'autres, elle récupère tous les contacts qui s'y trouvent ainsi que leurs informations.
- **Courrier :** cette application permet d'échanger du courrier électronique. Si vous entrez un compte Hotmail ou Google, l'application la prend automatiquement en compte et récupère la liste des contacts.
- **Finance :** présente, avec un décalage de trente minutes, les cours du CAC 40 ainsi que l'actualité financière et les performances des marchés.
- **Internet Explorer :** cette mini-version du navigateur Internet affiche une page Internet en plein écran, mais sans menu ni onglet. Appuyez sur la touche Windows pour la quitter.
- **Jeux :** donne accès aux jeux vidéos. Beaucoup peuvent être jouées à plusieurs, *via* l'Internet.
- **Lecteur :** cette application sert à lire les documents au format PDF (*Portable Document Format,* format de document portable). Elle est activée sitôt que vous ouvrez un document PDF.
- **Messages :** cette application permet d'envoyer des messages *via* Facebook, Instant Messenger (la messagerie instantanée de Microsoft) et d'autres messageries du même genre.
- **Météo :** cette application fournit des prévisions détaillées à dix jours ainsi que des statistiques. À condition de l'autoriser à vous localiser, elle indique la météo là où vous vous trouvez. Ou plus précisément, dans un lieu plus ou moins à proximité, sauf si votre tablette est équipée d'un GPS.
- **Musique :** cette application sert à écouter la musique stockée dans votre ordinateur, mais aussi à acheter des morceaux sur la boutique virtuelle de Microsoft.

- **Photos :** cette application affiche les photos présentes dans l'ordinateur, ainsi que celles que vous avez placées sur Facebook, Flickr ou SkyDrive.
- **SkyDrive :** c'est l'espace de stockage que Microsoft met à la disposition des utilisateurs. Ce stockage distant, aussi connu sous le nom d'« informatique en nuage » ou d'« informatique dématérialisée » vous permet d'accéder à vos fichiers où que vous soyez dans le monde, dès lors que l'ordinateur peut accéder à l'Internet. Nous y reviendrons au Chapitre 5.
- **Sport :** vous trouverez ici l'actualité sportive, le calendrier des matches et la possibilité d'ajouter vos équipes préférées.
- **Vidéo :** cette application fonctionne plutôt comme une boutique de location de films. Il est possible de visionner des extraits.
- **Voyage :** cette application qui ressemble à la vitrine d'une agence de voyage propose des destinations, recherche des hôtels et des vols et fournit des informations pratiques.
- **Windows Defender :** ce détecteur de menaces informatiques vérifie les données en provenance de l'Internet afin d'empêcher les intrusions néfastes.
- **Windows Store :** décrite au Chapitre 6, la boutique Windows Store est le seul endroit d'où vous pouvez télécharger des applications supplémentaires pour l'écran d'accueil. Les logiciels que vous installez à partir du Bureau, comme expliqué au Chapitre 3, placent automatiquement un raccourci dans l'écran d'accueil.
- **Xbox LIVE Games :** conçue pour les possesseurs d'une console Xbox 360 de Microsoft, cette application permet de voir les scores, les amis et les jeux. Elle permet aussi de visionner les annonces des jeux et d'acheter des jeux.
- **Xbox SmartGlass :** cette application transforme une tablette ou un smartphone en télécommande pour la console de jeu Xbox 360.

Les applications de Windows 8 fonctionnent très bien à partir de l'écran d'accueil. Microsoft a malheureusement configuré le Bureau de Windows 8 pour utiliser les applications de l'écran d'accueil plutôt que les programmes standards du Bureau.

Vous découvrirez au Chapitre 3 comment choisir l'application ou le programme à utiliser. Mais voici déjà une astuce : sur le Bureau, cliquez du bouton droit sur un fichier et choisissez l'option Ouvrir avec. Le menu qui apparaît permet de choisir le programme qui doit toujours ouvrir ce type de fichier.

Personnaliser l'écran d'accueil

L'écran d'accueil est un réceptacle dont le contenu ne cesse de grandir au fur et à mesure que vous ajoutez des éléments. Au bout d'un moment, un minimum d'organisation s'impose. Autrement, comment pourriez-vous retrouver la vignette que vous recherchez parmi des dizaines et des dizaines de vignettes de toutes les couleurs ?

La solution réside dans la création de groupes de vignettes thématiques, comme Travail, Loisir, Internet... La Figure 2.11, plus loin, montre un écran après un sérieux ménage. Voici comment procéder :

1. **Ôtez les vignettes dont vous n'avez plus besoin.**

Pour ôter une vignette, cliquez dessus du bouton droit et, dans la barre en bas de l'écran, cliquez sur Détacher de l'écran d'accueil. Répétez la manœuvre jusqu'à ce que vous ayez ôté toutes les vignettes inutiles.

Ôter une vignette avec la commande Détacher de l'écran d'accueil ne supprime pas l'application ou le programme. Si vous en avez ôtée par inadvertance, vous pourrez facilement la remettre en place à l'étape 3.

2. **Repositionnez les vignettes les unes par rapport aux autres.**

Par exemple, réunissez les vignettes Cartes et Voyage. Pour déplacer une vignette, cliquez dessus et, bouton de la souris enfoncé, tirez-la jusqu'à l'emplacement désiré. Les vignettes en place s'écartent pour laisser passer celle que vous repositionnez.

Gagnez de la place en réduisant une vignette rectangulaire à un carré : cliquez dessus du bouton droit et, dans la barre en bas de l'écran, cliquez sur Réduire.

3. **Ajoutez les vignettes des applications, programmes, dossiers et fichiers dont vous avez besoin.**

Nous avons vu précédemment, à la section « Ajouter ou ôter des éléments dans l'écran d'accueil » comment faire.

Après avoir fait le ménage, l'écran est un peu plus ordonné. Mais il est fort possible que des éléments se trouvent hors de l'écran, vers la droite. Comment faire, dans ce cas, pour accéder aux éléments les plus importants ?

Quand il venait d'être installé, l'écran d'accueil de Windows 8 contenait plusieurs groupes de vignettes bien distincts, séparés par un petit espace. Microsoft n'a pas même cru bon de nommer ces groupes. Le groupe des applications est lui-même scindé en deux, ce qui nous amène à la prochaine étape.

4. **Observez la répartition des applications dans l'écran d'accueil.**

   Comme le montre la Figure 2.8, un espace plus large que celui entre les vignettes sépare les groupes.

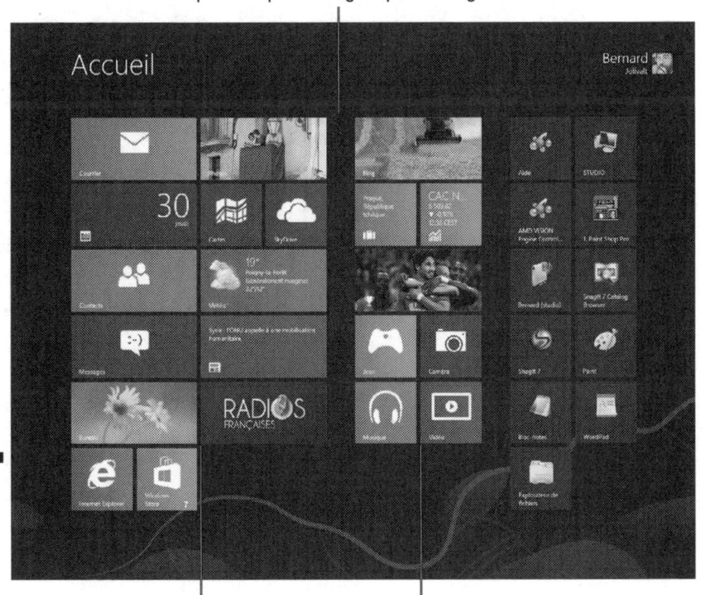

Figure 2.8 : Les groupes sont nettement séparés.

5. **Pour créer un nouveau groupe, tirez une vignette jusque sur l'espace entre deux groupes.**

   Une barre verticale apparaît (Figure 2.9) et l'espace entre les groupes s'élargit pour recevoir la vignette. Déposez la vignette : elle forme un nouveau groupe à elle seule.

6. **Pour ajouter d'autres vignettes dans le groupe qui vient d'être créé, tirez-les puis déposez-les dans le nouveau groupe.**

   Peut-être désirez-vous nommer les groupes que vous créez ? C'est ce que nous verrons à la prochaine étape.

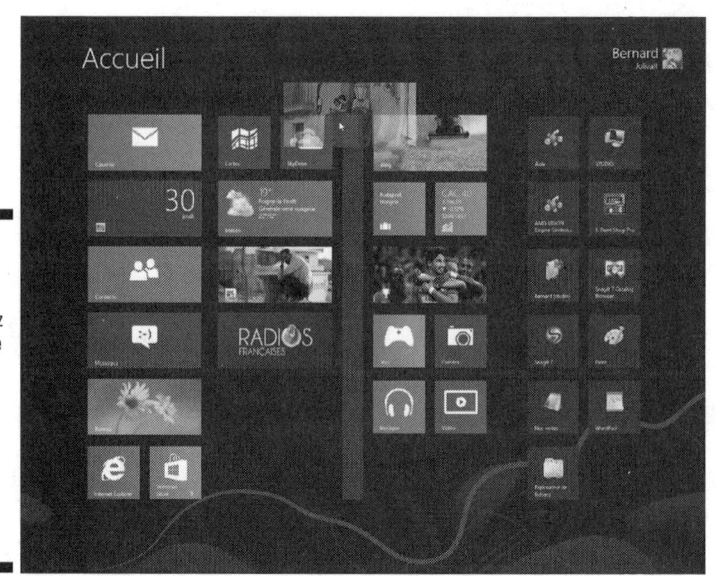

Figure 2.9 : Pour créer un nouveau groupe, tirez une vignette entre deux groupes existants. Déposez-la lorsque la barre verticale apparaît.

7. **Cliquez sur le bouton dans le coin inférieur droit pour voir vos groupes. Puis faites glisser les groupes dans l'ordre qui vous convient.**

   Les groupes peuvent être disposés dans l'ordre que vous voulez. Par exemple, vous pouvez placer un groupe important à gauche afin de l'avoir toujours sous les yeux.

   Pour redisposer vos groupes, cliquez sur le bouton « moins », en bas à droite de l'écran. Le contenu de l'écran est réduit comme à la Figure 2.10 afin que toutes les vignettes et leurs groupes soient visibles.

   Repositionnez les groupes à votre convenance.

8. **Nommez les groupes.**

   Dans l'écran réduit, cliquez du bouton droit sur le groupe à nommer. Dans la barre en bas de l'écran, cliquez sur Nommer le groupe. Saisissez le nom dans le petit panneau qui apparaît puis cliquez sur le bouton Nommer.

9. **Revenez à l'écran d'accueil.**

   Les groupes apparaissent sur l'écran d'accueil avec la disposition et les noms qui viennent d'être définis (Figure 2.11).

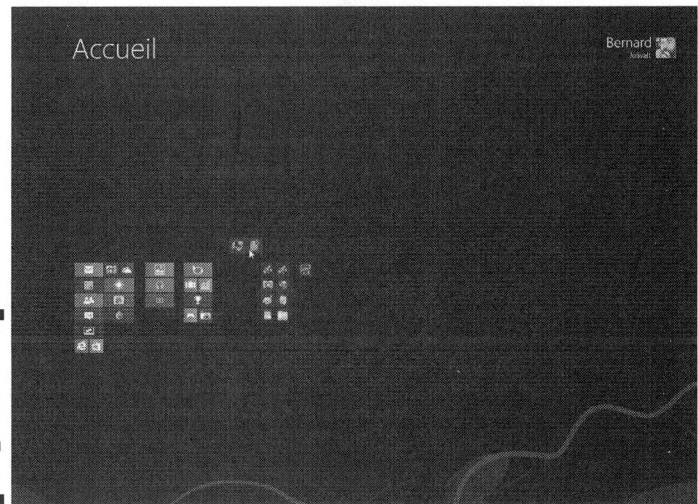

Figure 2.10 : Cliquez sur un groupe et repositionnez-le où bon vous semble.

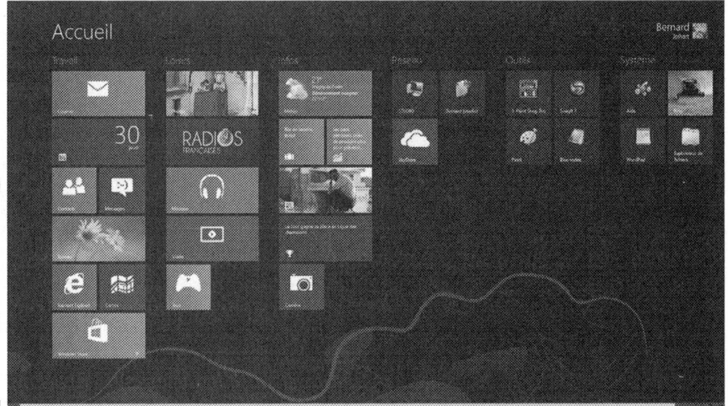

Figure 2.11 : Un écran d'accueil est beaucoup plus rationnel après l'avoir mis en ordre.

Voici quelques conseils en prime :

- Il n'existe pas de bonne ou de mauvaise manière d'organiser l'écran d'accueil. Comme dans le monde réel, cela ne dépend que de vous.

- Au fur et à mesure que vous installerez d'autres applications et des logiciels, vous devrez refaire le ménage parmi les nouvelles vignettes. N'attendez pas qu'elles soient très nombreuses pour vous y mettre.

- Créez aussi des groupes pour vos sites Internet préférés. Il vous sera plus facile d'y retourner que depuis les favoris d'Internet Explorer.

- Si passer de l'écran d'accueil au Bureau et inversement est pénible pour vos yeux, appliquez au Bureau la même couleur de fond que l'écran d'accueil, comme expliqué au Chapitre 9.

Quitter Windows

Quitter Windows n'est pas facile. Vous devez en effet vous décider entre plusieurs actions : vous déconnecter de votre compte d'utilisateur, mettre l'ordinateur en veille, redémarrer l'ordinateur ou l'arrêter.

La réponse dépend de la durée pendant laquelle vous n'utiliserez pas l'ordinateur : est-ce que vous vous en éloignez un instant, ou en avez-vous fini pour la journée ? Nous envisagerons les deux cas de figure.

Mais si vous voulez simplement éteindre l'ordinateur, le moyen le plus rapide est le suivant :

1. **Dirigez le pointeur de la souris jusqu'en bas à droite de l'écran pour faire apparaître la barre d'icônes (si l'écran est tactile, effleurez vers l'intérieur à partir du bord droit).**
2. **Cliquez sur l'icône Paramètres puis sur l'icône Marche/Arrêt.**
3. **Cliquez sur Arrêter.**
4. **Si l'ordinateur signale que des documents n'ont pas été enregistrés, cliquez sur Annuler. Recommencez l'opération mais choisissez cette fois Veille.**

Les deux sections qui suivent détaillent des opérations qui suscitent parfois une certaine perplexité.

Quitter momentanément l'ordinateur

Windows 8 propose trois manières de quitter momentanément l'ordinateur, selon que vous voulez seulement vous faire un café ou que vous êtes parti acheter des allumettes, ce qui pour certaines personnes équivalait à une très longue absence. Voici comment choisir entre les ces trois éloignements momentanés :

1. **Revenez dans l'écran d'accueil.**

Appuyez sur la touche Windows ou affichez la barre d'icônes puis cliquez sur l'icône Accueil.

2. **Cliquez sur le nom de votre compte d'utilisateur, en haut à droite de l'écran.**

   Ainsi que le montre la Figure 2.12, vous avez le choix entre trois options :

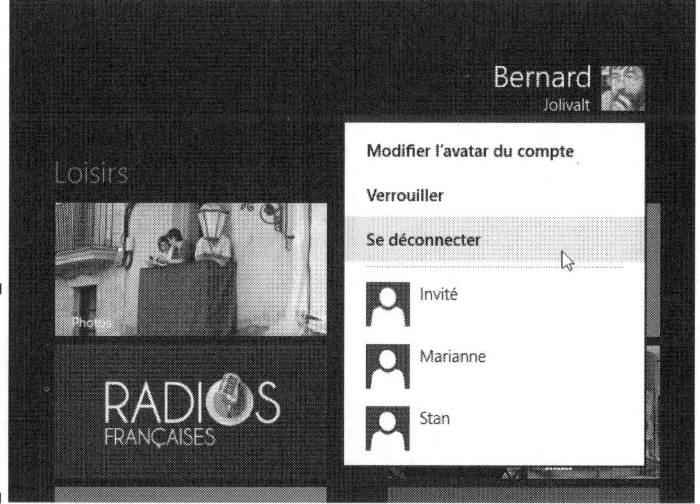

Figure 2.12 : Cliquez sur le nom de votre compte d'utilisateur pour accéder à ces options.

- **Verrouiller :** protège l'ordinateur des curiosités malsaines quand vous vous absentez un instant. De retour, vous devez saisir le mot de passe pour retrouver Windows dans le même état que vous l'aviez laissé.
- **Se déconnecter :** choisissez cette option lorsque vous avez fini d'utiliser l'ordinateur et que quelqu'un d'autre va l'utiliser. Windows enregistre vos travaux en cours, puis il affiche l'écran des comptes d'utilisateur.
- **Accéder à un autre compte :** si d'autres comptes d'utilisateur ont été définis, le nom de ces comptes apparaît dans la liste. Si l'un des utilisateurs désire emprunter l'ordinateur pendant quelques minutes, cliquez sur son nom et laissez-le taper son mot de passe. Lorsqu'il aura fini d'utiliser l'ordinateur et qu'il se sera déconnecté, vous pourrez vous reconnecter à votre compte et retrouver votre travail là où l'aviez laissé.

Chacune de ces trois options vous permet de vous éloigner de l'ordinateur pendant un petit moment, et retrouver votre travail où il en était.

En revanche, si vous avez fini d'utiliser l'ordinateur pour le restant de la journée, appliquez la procédure décrite ci-dessous.

Éteindre l'ordinateur pour la journée

Quand vous avez fini votre travail de la journée, ou quand vous désirez éteindre l'ordinateur pendant que vous êtes dans le métro ou en vol pour Rome, vous avez là encore le choix entre trois options. Vous y accédez à toutes de la manière suivante :

1. **Faites apparaître la barre d'icônes.**
2. **Cliquez sur l'icône Paramètres.**
3. **Cliquez sur l'icône Marche/Arrêt.**

   Cette action déroule le menu de la Figure 2.13.

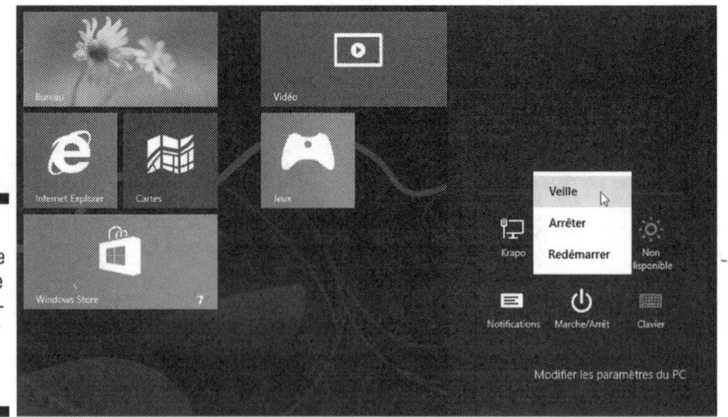

Figure 2.13 : Cliquez sur le nom de votre compte d'utilisateur pour accéder à ces options.

Voici à quoi correspondent ces actions :

- **Veille :** le travail en cours reste dans la mémoire vive de l'ordinateur, et dans le disque dur lorsque l'ordinateur passe en mode d'économie d'énergie. Quand vous revenez à l'ordinateur, Windows réaffiche tout comme auparavant, y compris les travaux non enregistrés. Si l'alimentation a été coupée, le contenu réapparaît quand même, mais il lui faut quelques secondes de plus.

- **Redémarrer :** choisissez cette option pour dépanner l'ordinateur lorsqu'il se conduit bizarrement (un programme se bloque, Windows fait n'importe quoi...) L'ordinateur s'arrête puis redémarre aussitôt. L'installation de certains programmes et certaines mises à jour exigent parfois le redémarrage de l'ordinateur.
- **Arrêter :** l'ordinateur est éteint.

Tout cela est déjà bien beau. Mais si vous avez un peu de temps, voici quelques autres points intéressants :

Il est inutile d'éteindre l'ordinateur tous les soirs. En fait, des gens qui s'y connaissent le laissent allumer en permanence, affirmant que c'est mieux pour sa longévité. D'autres affirment exactement le contraire. D'autres encore estiment que la mise en veille est un bon compromis. En revanche, tout le monde est d'accord sur la nécessité d'éteindre l'écran quand l'ordinateur n'est pas utilisé, car il peut ainsi refroidir, ce qui lui fait le plus grand bien.

Les ordinateurs un peu anciens ne proposent pas de mise en veille car leur mémoire vive limitée est incapable de stocker toutes les données à conserver. À moins d'augmenter la mémoire, vous ne pourrez qu'arrêter ou redémarrer l'ordinateur.

N'arrêtez jamais l'ordinateur à partir du bouton marche/arrêt car vous pourriez perdre des travaux non enregistrés. De plus, des dysfonctionnements pourraient apparaître au niveau de Windows lui-même, car il doit fermer correctement des fichiers qui lui sont propres avant d'éteindre l'ordinateur.

Vous voulez démarrer votre ordinateur ou votre tablette lors d'un vol en avion tout en évitant la connexion Internet ? Activez le mode Avion et utilisez l'option Veille plutôt que Arrêter. Lorsque l'ordinateur est réveillé, il est en mode Avion, déconnecté de l'Internet.

Chapitre 3

Le classique Bureau de Windows 8

Dans ce chapitre :

- Trouver le Bureau.
- Accéder à l'écran d'accueil.
- Travailler sur le Bureau.
- Récupérer des éléments supprimés.
- Comprendre la barre des tâches.
- Personnaliser le Bureau.
- Trouver plus facilement un programme.

L'écran d'accueil truffé d'applications de Windows 8 est parfait pour un usage à domicile. Depuis cet écran, vous pouvez en effet écouter de la musique, échanger du courrier électronique, regarder des vidéos marrantes et aller sur Facebook.

Mais le lundi matin arrive inévitablement. Il faut alors passer à autre chose, autrement dit abandonner l'écran d'accueil et utiliser des logiciels un peu plus compliqués. Les employeurs préfèrent voir leur personnel travailler sur des feuilles de calcul et des traitements de texte plutôt que jouer à des jeux vidéo.

C'est là que l'autre face de Windows, le Bureau, entre en jeu. Il est une métaphore d'un véritable bureau. C'est un endroit où vous travaillez et où vous rangez vos documents. Vous découvrirez comment dans ce chapitre.

Qu'est devenu le bouton Démarrer ?

Windows 8 a envoyé aux orties le petit bouton en bas à gauche du Bureau, qui se trouvait là dans toutes les versions depuis plus de dix ans.

Il a tout simplement été remplacé par l'écran d'accueil étudié au chapitre précédent. Désormais, au lieu de cliquer sur le bouton Démarrer, vous accédez à l'écran d'accueil de l'une ou l'autre de ces manières :

- **Souris :** dirigez le pointeur jusque dans le coin inférieur gauche. La vignette Accueil apparaît. Cliquez dessus pour accéder à l'écran d'accueil.
- **Clavier :** appuyez sur la touche Windows (elle se trouve à gauche de la barre Espace).
- **Écran tactile :** toutes les tablettes équipées de Windows 8 possèdent un bouton Windows, généralement centré sous l'écran. Appuyez dessus pour accéder à l'écran d'accueil. Appuyez de nouveau dessus pour retourner à l'écran précédent.

Pour revenir au Bureau après avoir accédé à l'écran d'accueil, cliquez sur la vignette Bureau (ou cliquez sur l'icône Accueil, dans la barre d'icônes).

Trouver le Bureau et l'écran d'accueil

Dans l'écran d'accueil de Windows 8, le Bureau n'est qu'une application parmi d'autres. Vous accédez donc au Bureau comme à n'importe quelle application, en cliquant sur la vignette Bureau.

La vignette Bureau est une miniature du Bureau lui-même, avec son arrière-plan et son contenu. Cliquez sur cette vignette, et vous vous retrouvez dans le traditionnel environnement de Windows.

Le Bureau de Windows 8 ressemble beaucoup à celui des versions précédentes. Celui que montre la Figure 3.1 ne diffère pas beaucoup du Bureau de Windows 7.

Avec ses petits boutons et sa mince barre des tâches, le Bureau de Windows 8 fonctionne surtout bien avec la souris et le clavier. Si vous utilisez une tablette, vous aurez sans doute intérêt à acheter une souris et un clavier pour l'utiliser plus confortablement.

Presque tous les logiciels pour Windows XP, Vista ou 7 peuvent être exécutés sur le Bureau de Windows 8. Les exceptions qui ne s'accommodent guère des changements de version de Windows sont les antivirus, les logiciels de sécurité Internet et quelques utilitaires.

Figure 3.1 : Le Bureau de Windows 8 ressemble beaucoup à celui des versions précédentes.

Utiliser le Bureau sur un écran tactile

Il est très facile de manœuvrer les grandes vignettes de l'écran d'accueil du bout des doigts. Mais sur le Bureau, ces manœuvres sont un peu plus délicates. Voici quelques conseils :

- **Sélectionner :** touchez l'élément du bout du doigt car la pulpe du doigt risque cependant d'être un peu trop grande.
- **Double-cliquer** : là encore, le double-toucher avec le bout du doigt est plus efficace.
- **Cliquer du bouton droit :** laissez le doigt sur l'écran tactile jusqu'à ce qu'un petit carré apparaisse. Ôtez le doigt ; le menu reste affiché. Touchez ensuite l'option désirée.

Si votre doigt est trop gros pour les délicates manœuvres sur le Bureau, achetez un clavier et une souris Bluetooth pour votre tablette. Utilisez ensuite l'écran d'accueil pour un usage courant et le Bureau pour travailler.

Travailler sur le Bureau

L'écran d'accueil occupe la totalité de l'écran, ce qui complique le multitâche. En revanche, plusieurs programmes peuvent être utilisés simultanément sur le Bureau. Chacun est placé dans sa propre *fenêtre,* ce qui permet entre autre de faire passer des données d'un logiciel à un autre.

Quand il est tout neuf, Windows 8 démarre avec l'écran presque vide de la Figure 3.1. Mais après l'avoir utilisé pendant quelques temps, il se remplit peu à peu d'icônes, ces petits boutons qui démarrent un logiciel d'un simple double-clic. Beaucoup de gens bourrent l'écran d'icônes.

D'autres sont plus organisés. Quand ils terminent un travail, ils stockent le fichier dans un dossier, une tâche décrite au prochain chapitre.

Voici quelques informations pratiques à propos du Bureau de Windows 8 :

- **La barre des tâches :** s'étirant paresseusement en bas de l'écran, la barre des tâches reçoit les icônes des logiciels et des fichiers actuellement ouverts. Immobilisez le pointeur de la souris sur une icône pour connaître le nom du logiciel, ou voir parfois une miniature de la fenêtre.

- **La Corbeille :** vous y envoyez ou déposez les fichiers et les dossiers dont vous n'avez plus besoin. Il est cependant possible de les récupérer.

- **L'écran d'accueil :** pour y accéder, dirigez le pointeur jusque dans le coin en bas à gauche, puis cliquez sur la vignette Accueil qui apparaît. Ou alors, appuyez sur la touche Windows.

- **La barre d'icônes :** elle est accessible en permanence dans Windows 8 en dirigeant le pointeur de la souris jusque dans le coin en bas à droite ou en haut à droite.

Ces icônes sont décrites plus loin dans ce chapitre et par ailleurs dans ce livre. Voici cependant quelques informations à leur sujet :

- Certaines activités peuvent être démarrées directement du Bureau. Cliquez du bouton droit sur le fond d'écran, et dans le menu, choisissez Nouveau. Cliquez ensuite sur l'une des options proposées, comme la création d'un document ou la compression d'un dossier.

- Vous vous demandez à quoi sert un élément sur le Bureau ? Immobilisez le pointeur de la souris dessus et une petite info-bulle vous renseignera. Cliquez du bouton droit sur cet élément et Windows 8 affichera un menu proposant diverses actions.

- Toutes les icônes du Bureau peuvent soudainement disparaître (c'est le côté un peu caractériel de Windows 8). Pour les faire réapparaître, cliquez du bouton droit sur le fond d'écran et dans le menu, choisissez Affichage puis Afficher les éléments du Bureau.

Accéder à l'écran d'accueil et ouvrir des applications

L'ancien bouton Démarrer n'existe plus dans Windows 8. Là où se trouvait, dans le coin inférieur gauche, la vignette de l'écran d'accueil apparaît lorsque le pointeur de la souris arrive. Cliquez dessus pour accéder à l'écran d'accueil.

Procédez comme suit pour visiter l'écran d'accueil à partir du Bureau, et aussi pour afficher une application récemment ouverte :

1. **Dirigez le pointeur de la souris jusqu'en bas à gauche de l'écran.**

   Une vignette représentant l'écran d'accueil apparaît (Figure 3.2). Cliquez dessus pour accéder à l'écran d'accueil.

   Ou alors, si vous désirez redémarrer une application récemment utilisée, passez à l'étape suivante.

Figure 3.2 : L'accès à l'écran d'accueil se trouve en bas à gauche.

2. **Une fois la vignette Accueil affichée, tirez le pointeur de la souris le long du bord gauche.**

   Ce faisant, une barre des applications apparaît. Vous avez alors le choix entre plusieurs actions :

   - Rouvrir l'une des applications : cliquez sur sa vignette. Le Bureau est remplacé par l'application. Elle s'ouvre telle qu'elle était quand vous l'aviez quittée. Par exemple, si vous avez cliqué sur Internet Explorer, vous verrez la page Web qui s'y trouvait.
   - Pour revenir au Bureau depuis une application, affichez l'écran d'accueil puis cliquez sur la vignette Bureau. Ou si vous avez repéré une vignette Bureau parmi les applications récemment utilisées, cliquez dessus pour réafficher le Bureau.
   - Pour fermer une application, cliquez dessus du bouton droit et choisissez Fermer. L'application disparaît de l'écran. Seul le Bureau est affiché.

Vous pouvez aussi accéder à l'écran d'accueil en appuyant sur la touche Windows du clavier ou de la tablette.

Modifier l'arrière-plan du Bureau

Windows 8 est livré avec des photos destinées à servir d'*arrière-plan* – ou de *fond d'écran*, si vous préférez – pour le Bureau.

Mais si vous préférez utiliser l'une de vos propres photos stockées dans votre ordinateur, procédez comme ceci :

1. **Cliquez du bouton droit sur le fond d'écran, choisissez Personnaliser puis, en bas à gauche de la fenêtre Personnalisation, cliquez sur Arrière-plan du Bureau.**
2. **Déroulez le menu Arrière-plans du Bureau Windows puis, dans le menu, choisissez Bibliothèque d'image.**
3. **Faites défiler les images puis cliquez sur la vignette de la photo à utiliser comme fond d'écran (Figure 3.3).**
4. **Cliquez éventuellement sur le bouton Parcourir pour accéder à des photos dans d'autres dossiers de l'ordinateur.**

   Les dossiers et la manière de les parcourir sont expliqués au Chapitre 4.

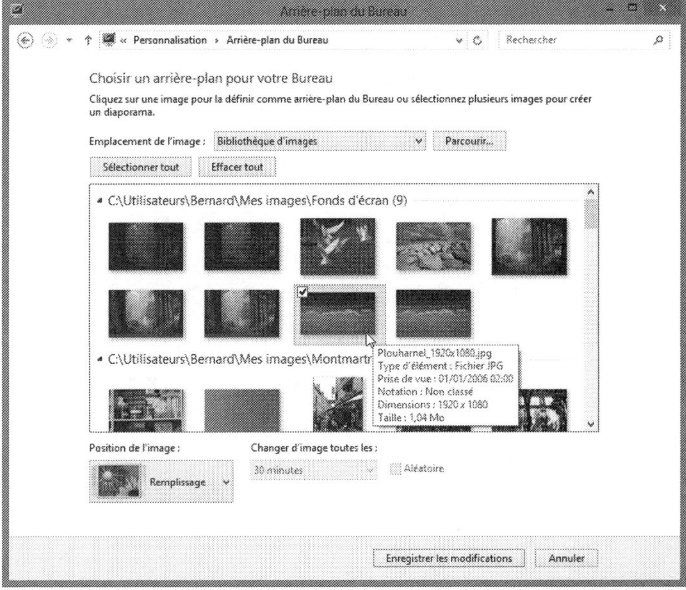

Figure 3.3 : Cliquez sur des vignettes de fond d'écran pour voir aussitôt l'effet. Cliquez sur le bouton Parcourir pour accéder à d'autres dossiers contenant des images.

5. **Cliquez sur le bouton Enregistrer les modifications, en bas de la fenêtre, pour conserver le fond d'écran que vous venez de choisir.**

Voici quelques conseils pour vos fonds d'écran :

- Le menu Position de l'image, en bas à droite de la fenêtre Arrière-plan du Bureau, permet de choisir si une photo qui n'est pas homothétique, c'est-à-dire aux mêmes proportions que l'écran, doit être étirée sans déformation, ou montrée entre des bandes noires, ou étirée, ou répétée pour remplir tout l'écran. Les options Remplissage, Ajuster et Mosaïque conviennent aux photos de petites dimensions, comme celles prises avec des téléphones mobiles.

- Avec Internet Explorer, il est très facile d'utiliser comme arrière-plan n'importe quelle photo trouvée sur l'Internet. Cliquez du bouton droit sur l'image dans son site puis, dans le menu, cliquez sur Choisir comme image d'arrière-plan.

- Si vous ne voyez pas bien les icônes du Bureau sur un fond d'écran, optez pour une couleur uniforme. À l'étape 2, dans la manipulation précédente, choisissez Couleurs unies. Sélectionnez ensuite l'une des couleurs proposées, ou cliquez sur Autres pour paramétrer un coloris personnalisé.

- Pour modifier complètement l'aspect de Windows 8, cliquez du bouton droit sur le Bureau, choisissez Personnaliser, puis sélectionnez un thème. Chaque thème change les couleurs des boutons, bordures et autre éléments, comme expliqué au Chapitre 9 (si vous téléchargez des thèmes depuis l'Internet, vérifiez-les avec un antivirus).

Attacher une application au bord du Bureau

En principe, Windows sépare nettement l'écran d'accueil et le Bureau. Vous agissez dans l'un ou dans l'autre, mais pas avec les deux à la fois. Or, il peut arriver que vous vouliez afficher le calendrier sur le Bureau pour ne pas manquer vos rendez-vous. Ou alors, vous voulez que Messenger soit affiché pendant que vous travaillez afin de rester en contact avec des personnes.

La solution consiste à *ancrer* une application en bordure du Bureau. L'application consomme relativement peu de place, comme le montre la Figure 3.4. Mais vous pouvez accorder plus de place à l'application, au détriment du Bureau.

Figure 3.4 : L'application Calendrier a été placée à droite dans un Bureau dont le fond d'écran a été personnalisé.

Procédez comme suit pour ancrer une application sur le Bureau :

1. **Ouvrez une application, dans l'écran d'accueil.**

Appuyez sur la touche Windows pour accéder à l'écran d'accueil, ou dirigez le pointeur de la souris jusque dans le coin en bas à gauche, puis cliquez sur la vignette Accueil.

Si vous utilisez une souris ou un écran tactile, passez à l'étape 3.

2. **Si vous utilisez le clavier, appuyez sur Windows+; (point-virgule).**

   L'application apparaît à gauche de l'écran. Appuyez de nouveau sur Windows+; pour placer l'application à droite. Si le Bureau n'est pas apparu, passez à la prochaine étape ; il finira par se montrer.

3. **Retournez dans le Bureau.**

   Pour cela, appuyez sur Windows+D ou cliquez sur la vignette Démarrer.

4. **Vous pouvez utiliser l'application depuis le Bureau.**

Ces étapes sont plus faciles à exécuter qu'à expliquer. Récapitulons :

- **Souris :** dirigez la souris jusque dans le coin inférieur gauche ou supérieur gauche de l'écran jusqu'à que la vignette de la dernière application utilisée apparaisse. Cliquez dessus du bouton droit et choisissez Ancrer à gauche ou Ancrer à droite.
- **Écran tactile :** effleurez doucement du bord gauche vers l'intérieur. Les applications récemment utilisées apparaissent selon la position de votre doigt. Quand une barre verticale apparaît près de l'application désirée, relevez le doigt : l'application s'ancre d'elle-même au bord gauche.

L'application ancrée est séparée du Bureau par une barre verticale noire. L'application reste en place même lorsque vous retournez dans l'écran d'accueil et même quand vous téléchargez d'autres applications.

Bien que l'ancrage ne pose aucun problème avec certaines tâches, pour d'autres, quelques règles doivent être respectées :

- Pour supprimer l'ancrage : tirez la barre de séparation vers le bord de l'écran. Ou alors, appuyez sur Windows+; jusqu'à ce que l'application disparaisse.
- Tirez la barre de séparation vers le milieu de l'écran afin d'élargir la zone réservée à l'application.

- Pour placer l'application de l'autre côté de l'écran, appuyez sur Windows+; (point-virgule). Recommencez et l'application se détache du bord du Bureau.
- Une application ne peut pas être ancrée sur un côté de l'écran d'accueil. Ce dernier occupe toujours la totalité de l'écran. Mais quand vous accédez à l'écran d'accueil, l'application ancrée dans le Bureau reste où elle est.
- Vous ne pouvez ancrer qu'une application à la fois.
- L'ancrage n'est possible que si la résolution de l'écran est d'au moins 1366 x 768 pixels, autrement dit sur un écran panoramique. C'est aussi la résolution de toutes les tablettes tournant sous Windows 8.

- Pour connaître la résolution de l'écran, accédez au Bureau en appuyant sur Windows+D. Cliquez ensuite sur le fond de l'écran et, dans le menu, choisissez Résolution d'écran. La résolution peut être modifiée avec la glissière verticale (ce n'est pas recommandé car, en règle générale, vous devez utiliser la résolution la plus élevée).

La Corbeille

La Corbeille de Windows fonctionne de la même manière qu'une véritable corbeille à papier : vous pouvez y jeter ce dont vous n'avez pas besoin, et récupérer les éléments qui sont finalement encore utiles.

Vous avez le choix entre ces trois manières :

- Cliquez du bouton droit sur l'élément à jeter puis, dans le menu, cliquez sur Supprimer. Windows demande prudemment de confirmer la suppression. Cliquez sur Oui et hop ! il part à la corbeille.
- Plus rapide encore : cliquez sur l'élément et appuyez sur la touche Supprimer.

Vous voulez récupérer un élément ? Double-cliquez sur l'icône Corbeille pour voir ce qu'elle contient. Cliquez du bouton droit sur l'élément à récupérer puis choisissez Restaurer. Il retourne aussitôt là où il se trouvait. Vous pouvez aussi faire glisser l'élément à récupérer jusque sur le Bureau ou jusque dans un dossier.

La Corbeille se remplit vite. Pour trouver rapidement ce que vous avez supprimé il n'y a pas trop longtemps, cliquez du bouton droit dans une partie vide de la Corbeille et, dans le menu, choisissez Trier par, puis Date de suppression.

Pour supprimer définitivement un élément, supprimez-le depuis la Corbeille. Pour cela, cliquez dessus et appuyez sur la touche Supprimer. Pour vider la Corbeille, cliquez du bouton droit sur l'icône Corbeille et choisissez Vider la Corbeille.

Pour supprimer un élément sans le faire transiter par la Corbeille, appuyez sur les touches Majuscule+Supprimer. C'est un moyen radical pour supprimer des documents confidentiels, comme une mise en demeure de payer ou une lettre d'amour torride.

- Lorsque la Corbeille contient ne serait-ce qu'un seul élément, son icône montre une corbeille pleine, débordant de papiers.
- La Corbeille conserve tous les fichiers supprimés tant que la limite de 5 % de la capacité du disque dur n'est pas atteinte. Ensuite, elle efface les fichiers les plus anciens pour faire de la place. Si votre disque dur est plutôt modeste, vous pouvez réduire la place allouée à la Corbeille. Pour cela, cliquez du bouton droit sur l'icône Corbeille et, dans le menu, choisissez Propriétés. Ensuite, dans Taille personnalisée, réduisez la taille maximale.

- La Corbeille ne conserve que les éléments supprimés sur l'ordinateur. Tout ce que vous supprimeriez sur une clé USB, dans la carte mémoire d'un appareil photo, dans un lecteur MP3 ou sur un CD réinscriptible, entre autres, est définitivement effacé.
- Vous avez bêtement vidé la Corbeille ? Il est néanmoins possible de récupérer son contenu avec la nouvelle fonction de sauvegarde nommée Historique de fichiers.

- Quand vous supprimez des fichiers dans l'ordinateur de quelqu'un d'autre, par le réseau informatique, il n'est plus possible de les récupérer. La Corbeille ne recueille que les fichiers effacés par l'utilisateur de l'ordinateur où se trouve la Corbeille. Sur un ordinateur distant, le fichier disparaît définitivement. Sachez-le et soyez prudent.

La barre des tâches

Dès que plusieurs fenêtres sont ouvertes simultanément, vous êtes confronté à un petit problème : les fenêtres ont tendance à se chevaucher, ce qui complique leur utilisation. Pire encore : des programmes comme Internet Explorer ou Word peuvent ouvrir de nombreuses fenêtres. Comment s'en sortir dans cette pagaille ?

La solution réside dans la *barre des tâches,* une zone spéciale dans laquelle se trouvent les icônes de tous les programmes ouverts et leurs fenêtres. Représentée à la Figure 3.5, elle se trouve tout en bas du Bureau.

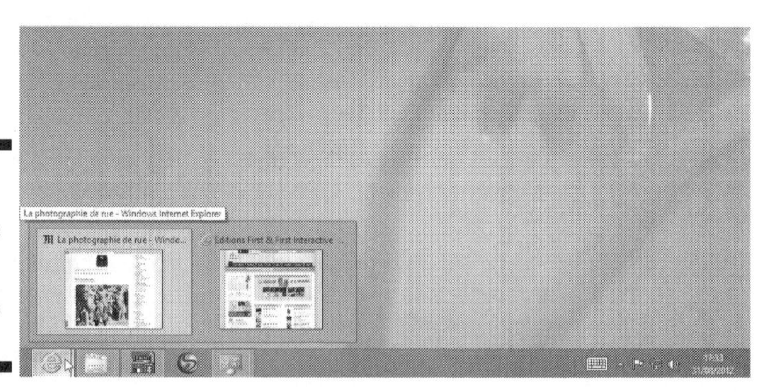

Figure 3.5 : Survolez le bouton dans la barre des tâches pour voir les vignettes.

La barre des tâches est aussi le lieu de prédilection pour démarrer vos programmes favoris. Elle évite le détour par l'écran d'accueil.

Vous vous demandez à quoi correspondent les icônes dans la barre des tâches ? Immobilisez le pointeur sur l'une d'elle et vous verrez, soit le nom du programme, soit une vignette montrant le contenu de ses fenêtres, comme à la Figure 3.5, qui montre deux fenêtres d'Internet Explorer contenant chacune une page Web.

La barre des tâches permet d'exécuter les tâches suivantes :

- **Démarrer un programme réduit dans la barre des tâches :** cliquez sur son icône et la fenêtre du programme se déploie aussitôt à l'écran, par-dessus celles qui s'y trouvent déjà, prête à être utilisée. Cliquer de nouveau sur la même icône réduit de nouveau le programme dans la barre des tâches.

- Chaque fois qu'un programme est ouvert sur le Bureau, son icône est visible dans la barre des tâches. Si vous ne trouvez pas une fenêtre sur le Bureau, parce qu'elle est recouverte par beaucoup d'autres, cliquez sur son icône dans la barre des tâches pour ramener la fenêtre au premier plan.

- **Fermer un programme :** cliquez du bouton droit sur son icône, dans la barre des tâches, et choisissez Fermer la fenêtre. Le programme se ferme exactement comme si vous aviez choisi la commande Quitter. Il vous sera demandé d'enregistrer le travail si cela n'a pas encore été fait.

- **Déplacer la barre des tâches :** elle se trouve traditionnellement en bas de l'écran, mais vous pouvez la tirer contre n'importe quel autre bord (si cela ne fonctionne pas, cliquez dessus du bouton droit et dans le menu, désactivez l'option Verrouiller la barre des tâches).
- **Masquer ou non la barre des tâches :** cliquez du bouton droit sur la barre des tâches et dans le menu, choisissez Propriétés. Dans la boîte de dialogue des propriétés, cochez ou décochez la case Masquer automatiquement la barre des tâches. Lorsqu'elle est masquée, elle réapparaît en approchant le pointeur de la souris du bord où elle se trouve.

- **Placer un programme dans la barre des tâches :** dans l'écran d'accueil, cliquez du bouton droit sur la vignette d'un programme et dans la barre en bas de l'écran, choisissez Épingler à la barre des tâches. Pour ôter le programme de la barre des tâches, cliquez du bouton droit sur l'icône et dans le menu, choisissez Détacher ce programme de la barre des tâches.

Réduire des fenêtres dans la barre des tâches et les réafficher

« Windows » se traduit par « fenêtres » et ce n'est pas pour rien. Quand vous écrivez un courrier, c'est dans une fenêtre que vous le faites. Quand vous vérifiez les coordonnées d'un contact, c'est dans une fenêtre qu'apparaît la liste. Quand vous désirez jeter un coup d'œil sur un site Internet, c'est dans une fenêtre que la page apparaît. En un rien de temps, l'écran est plein de fenêtres.

Pour éviter d'être débordé par ce déferlement de fenêtres, Windows 8 contient une fonctionnalité fort utile : la possibilité de placer les fenêtres dans la barre des tâches qui se trouve en bas de l'écran. Pour cela, vous devez cliquer sur le bouton Réduire.

Avez-vous remarqué les trois boutons qui se trouvent en haut à droite de presque chaque fenêtre ? Cliquez sur le bouton *Réduire* d'une fenêtre – celui avec un petit tiret – et elle disparaît aussitôt de l'écran tandis que l'icône de le fenêtre subsiste dans la barre des tâches.

Pour rétablir la fenêtre minimisée, cliquez sur son icône dans la barre des tâches.

- Vous vous demandez quelle peut bien être l'icône que vous recherchez, parmi toutes celles de la barre des tâches ? Survolez-les avec le pointeur de la souris et vous verrez apparaître une vignette de la fenêtre ainsi que le nom du programme.
- Quand vous réduisez une fenêtre, vous ne supprimez pas son contenu et vous ne fermez pas le programme. Quand vous rétablissez une fenêtre, elle s'ouvre à la même taille et avec le même contenu qu'au moment où vous l'aviez réduite.

Exécuter des actions à partir de la barre des tâches

La barre des tâches de Windows 8 ne sert pas qu'à ouvrir des programmes et passer d'une fenêtre à l'autre. Vous pouvez également exécuter diverses tâches grâce à un clic du bouton droit. Ainsi que le montre la Figure 3.6, le clic du bouton droit sur l'icône Internet Explorer affiche une liste des sites récemment visités. Cliquez sur l'un d'eux pour y accéder aussitôt.

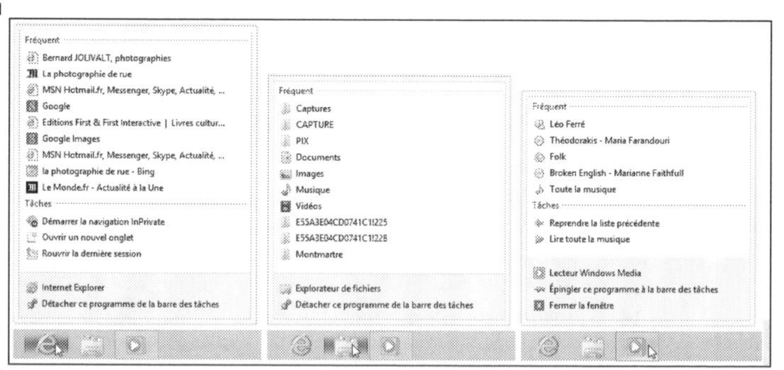

Figure 3.6 : De gauche à droite, les listes de raccourci d'Internet Explorer, de l'Explorateur de fichiers et du Lecteur Windows Media.

Ces *listes de raccourcis* permettent de répéter rapidement des actions effectuées précédemment.

La zone de notification de la barre des tâches

La barre des tâches recèle d'autres fonctionnalités. Elles se trouvent dans la partie droite, dans une parie appelée *zone de notification*. Les icônes qui s'y trouvent varient selon l'ordinateur et les logiciels qui y ont été installés, mais vous y trouverez sans celles-ci :

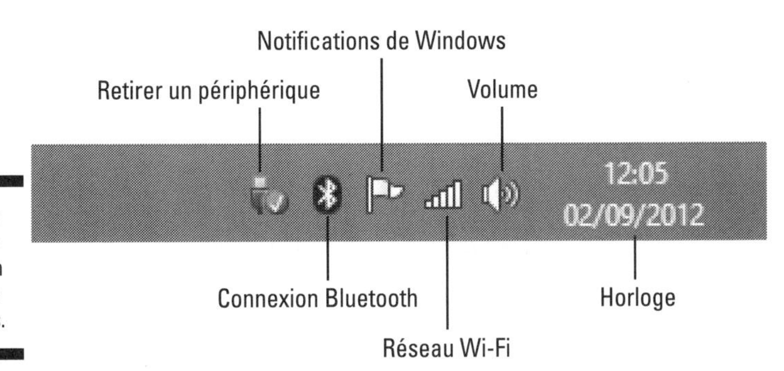

Figure 3.7 : La zone de notification de la barre des tâches.

- **Heure et date :** cliquez dessus pour afficher un calendrier et une horloge. Pour changer de date et d'heure, voire ajouter un fuseau horaire, cliquez sur Modifier les paramètres de la date et de l'heure, comme expliqué au Chapitre 9.

- **Retirer un périphérique en toute sécurité :** cliquez sur l'icône avant de retirer un périphérique comme une clé USB, un lecteur MP3, un disque dur externe, *etc.* Windows s'assurera qu'aucun fichier n'est en cours de lecture ou d'écriture avant de vous autoriser à ôter le périphérique.

- **Bluetooth :** cliquez sur cette icône pour configurer une connexion Bluetooth. Ce type de liaison radio est décrit au Chapitre 9.

- **Notifications de Windows :** ce drapeau devient rouge lorsque Windows détecte que l'antivirus ou le pare-feu ne sont pas configurés, ou lorsqu'il tient à signaler d'autres problèmes de sécurité informatique.

- **Réseau Wi-Fi :** apparaît lorsque la connexion Wi-Fi est établie. Une croix rouge par-dessus cette icône signale que l'ordinateur est déconnecté du réseau.

- **Réseau filaire :** apparaît lorsque la connexion au réseau est établie par un câble Ethernet. Une croix rouge signale que l'ordinateur est déconnecté.

- **Volume :** cliquez sur cette icône pour régler le volume de sortie du son, comme le montre la Figure 3.8.

- **Batterie :** indique que l'ordinateur portable fonctionne sur la batterie. Immobilisez la souris au-dessus de l'icône pour connaître le pourcentage de la charge.

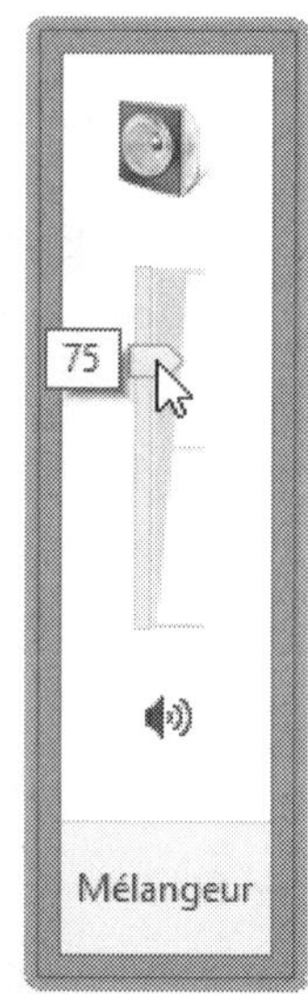

Figure 3.8 : La glissière de réglage du volume.

- **Secteur :** indique que l'ordinateur portable est alimenté par le courant secteur et que la batterie est en train d'être chargée.
- **Autres icônes :** cette flèche, à gauche des icônes de la zone de notification, donne accès aux icônes qui ne sont pas affichées dans la barre. Nous y reviendrons plus loin à la prochaine section, « Personnaliser la barre des tâches ».

Personnaliser la barre des tâches

La barre des tâches est personnalisable. Ceci est particulièrement utile dans Windows 8 car vous éviterez ainsi de multiples allers et venues entre le Bureau et l'écran d'accueil.

À l'origine, la barre des tâches ne contient que deux icônes : celle d'Internet Explorer, le logiciel vous permettant de visiter des sites Internet, et l'Explorateur de fichiers qui permet d'accéder à vos documents. Les icônes sont repositionnables les unes par rapport aux autres en les faisant glisser.

Lorsque vous repérer un programme, dans la page d'accueil, que vous aimeriez bien placer dans la barre des tâches du Bureau, cliquez dessus du bouton droit puis, dans la barre inférieure, cliquez sur Épingler à la barre des tâches. Vous pouvez aussi faire glisser l'icône d'un programme, sur le Bureau, directement sur la barre des tâches.

Pour personnaliser davantage la barre des tâches, cliquez sur une partie non occupée et dans le menu, choisissez Propriétés (Figure 3.9).

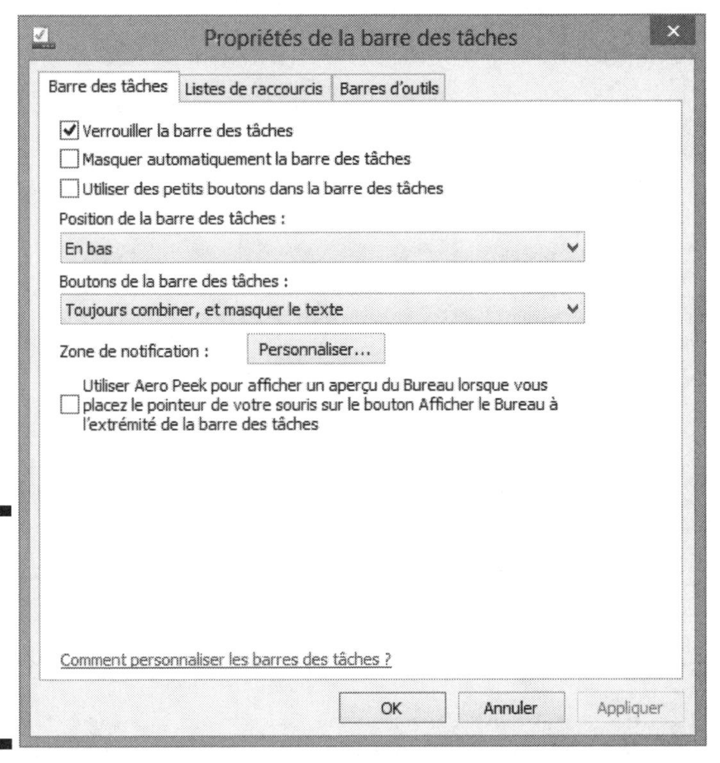

Figure 3.9 : Cliquez du bouton droit sur la barre des tâches afin de la personnaliser.

Le Tableau 3.1 explique les options de la boîte de dialogue et fournit quelques recommandations. Pour que certaines de ces options fonctionnent, vous devrez décocher la case Verrouiller la barre des tâches.

Essayez les diverses options des propriétés de la barre des tâches. Pour voir les effets de l'une d'elles, cliquez sur le bouton Appliquer. Le résultat ne vous convient pas ? Rétablissez l'option comme avant puis cliquez de nouveau sur Appliquer.

Après avoir configuré la barre des tâches à votre guise, cochez la case Verrouiller la barre des tâches.

Tableau 3.1 : Personnaliser la barre des tâches.

Commandes	Recommandations
Verrouiller la barre des tâches	Lorsque cette case est cochée, l'apparence de la barre des tâches n'est plus modifiable. Ceci évite les changements par inadvertance.
Masquer automatiquement la barre des tâches	Lorsque cette option est active, la barre des tâches disparaît en bas de l'écran lorsqu'elle n'est pas utilisée. Approchez le pointeur de la souris du bord inférieur pour la faire réapparaître.
Utiliser des petits boutons dans la barre des tâches	La hauteur de la barre des tâches ainsi que ses icones sont réduites à la moitié de leur taille. Cette option est commode pour les petits écrans.
Position de la barre des tâches	La barre des tâches peut être placée contre n'importe quel bord de l'écran. Choisissez le bord dans ce menu.
Boutons de la barre des tâches	Lorsque vous ouvrez de nombreux programmes et fenêtres, Windows évite d'encombrer la barre des tâches en groupant les boutons similaires sous un seul. Par exemple, toutes les fenêtres Word sont liées à un seul bouton Word. Pour cela, conservez l'option Toujours combiner, et masquer le texte.
Zone de notification	Le bouton Personnaliser permet de définir quelles icônes doivent apparaître dans la zone de notification. Je choisis systématiquement Afficher l'icône et les notifications.
Utiliser Aero Peek...	Normalement, immobiliser le pointeur de la souris dans le coin inférieur droit de l'écran rend toutes les fenêtres transparentes, ce qui permet de voir le Bureau. Pour désactiver cet effet, décochez l'option Passage furtif sur le Bureau.

L'onglet Liste des raccourcis, dans la boîte de dialogue Propriétés de la barre des tâches, contient une rubrique Confidentialité. Elle empêche la liste de raccourcis évoquée précédemment dans ce chapitre de se souvenir des fichiers récemment ouverts, afin que d'autres personnes ne puissent pas en prendre connaissance.

Faciliter la recherche d'un programme

Après avoir affiché le Bureau, vous voudrez peut-être éviter le fort encombré écran d'accueil. Pour cela, placez autant de raccourcis que nécessaire sur Bureau.

Les cinq icônes utiles sur le Bureau

La première fois que vous accédez au Bureau, vous n'y trouvez que trois icônes : la Corbeille dans le coin en haut de l'écran, Internet Explorer et l'Explorateur de fichiers dans la barre des tâches.

Pour tous les autres programmes, vous êtes obligé d'aller dans l'écran d'accueil. Voici comment vous dispenser de ce détour :

1. **Cliquez du bouton droit sur le fond du Bureau et choisissez Personnaliser.**

   La fenêtre Personnalisation apparaît.

2. **Dans le volet de gauche, cliquez sur le lien Changer les icônes du Bureau.**

   La boîte de dialogue Paramètres des icônes du Bureau apparaît.

3. **Cochez les cinq cases Ordinateur, Fichiers de l'utilisateur, Réseau, Corbeille et Panneau de configuration. Cliquez ensuite sur Appliquer.**

   Les icônes de ces cinq options sont à présent affichées sur le Bureau.

4. **Décochez la case Autoriser les thèmes à changer les icônes du Bureau.**

   Vous serez ainsi certain que toutes ces icônes restent sur le Bureau même si vous choisissez un autre thème décoratif, comme expliqué au Chapitre 9.

Disposez ces icônes où bon vous semble. Elles vous éviteront quelques déplacements vers l'écran d'accueil.

Créer des raccourcis pour vos programmes favoris

Quand vous installez un nouveau programme dans l'ordinateur, il vous est souvent demandé si vous désirez placer une icône sur le Bureau ou dans la barre des tâches. Acceptez cette proposition car elle vous évitera d'aller cliquer dans l'écran d'accueil pour cliquer sur la vignette appropriée.

Mais si aucune icône n'a été placée sur le Bureau ou dans la barre des tâches, créez-la vous-même de la manière suivante :

1. **Allez dans l'écran d'accueil et affichez la barre en bas de l'écran.**

   Cliquez du bouton droit sur le fond de l'écran d'accueil ou appuyez sur Windows+Z pour afficher l'écran d'accueil avec la barre inférieure.

2. **À droite dans la barre inférieure, cliquez sur l'icône Toutes les applications, pour voir toutes les applications et programmes.**

3. **Sur l'écran d'accueil, cliquez sur le programme ou l'application à placer sur le Bureau, puis cliquez sur Épingler à la barre des tâches.**

   Pour d'obscures raisons, le clic-droit est impossible avec un écran tactile. Pour sélectionner une vignette, maintenez le doigt appuyé dessus puis tirez-le de quelques millimètres seulement. Lorsqu'une coche apparaît en haut à droite de la vignette, ôtez le doigt. La barre apparaît en bas de l'écran, où vous pourrez toucher sur l'icône Épingler à la barre des tâches.

   Pour désélectionner une vignette, tirez de nouveau le doigt dessus, comme au paragraphe précédent. Cette fois, la coche disparaît.

4. **Répétez l'étape 3 pour tous les programmes ou applications à ajouter.**

   Il n'est hélas pas possible de sélectionner plusieurs éléments à la fois.

   Sur le Bureau, la barre des tâches contient les éléments que vous venez d'épingler.

Sur la barre des tâches, les icônes sont comme numérotées de gauche à droite. Appuyez sur Windows+1 pour ouvrir la première, sur Windows+2 pour ouvrir la deuxième, et ainsi de suite. Notez qu'il n'est pas nécessaire d'appuyer sur la touche Majuscule.

Chapitre 4

Les rouages de Windows

Dans ce chapitre :

- Les différents éléments de Windows.
- Boutons, barres et curseurs.
- Trouver les commandes sur le Ruban.
- Les volets de navigation et de visualisation.
- Parcourir un document dans une fenêtre.
- Déplacer des fenêtres et modifier leur taille.

L'écran d'accueil de Windows 8 paraît presque rudimentaire avec ses vignettes surdimensionnées, ses grands caractères et ses couleurs vives. En revanche, l'écran du Bureau contient de tout petits éléments, les caractères sont minuscules et les graphismes plutôt élaborés.

Dans ce chapitre, vous apprendrez à manœuvrer parmi les fenêtres du Bureau. Nous en décortiquerons chaque partie, qui sera minutieusement expliquée. Vous découvrirez le fonctionnement de chacune d'elles et apprendrez les procédures requises pour les exploiter.

Un pense-bête, à la fin du chapitre, reprend chaque bouton, boîte, fenêtre, barre, liste et autre éléments que vous serez susceptible de rencontrer lorsque vous utilisez Windows au quotidien.

Analyse d'une fenêtre typique

La Figure 4.1 montre une fenêtre typique : celle du dossier Documents – le lieu de stockage de la majeure partie de votre travail –, dont tous les éléments sont étiquetés.

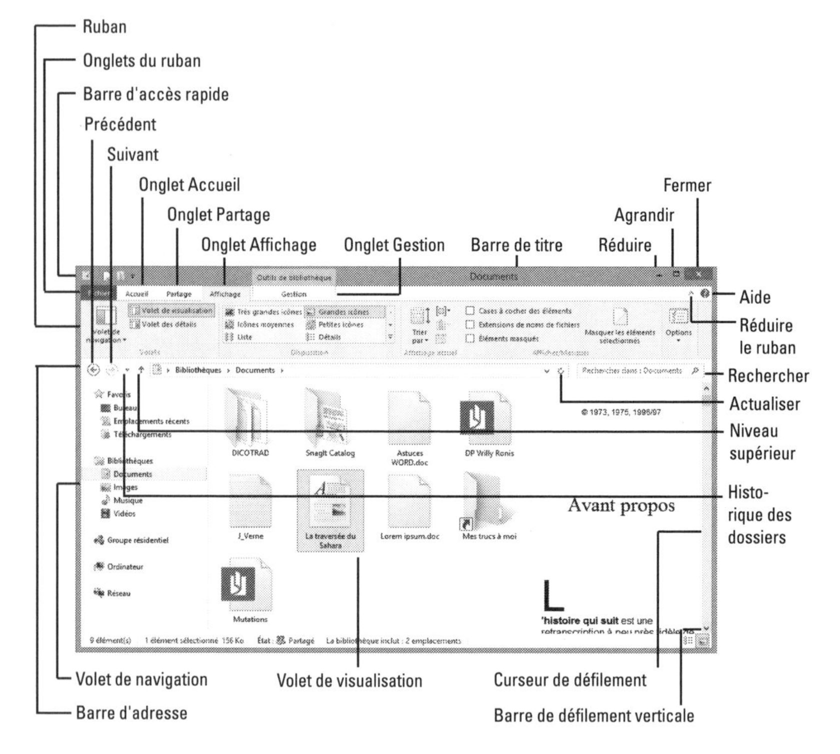

Figure 4.1 : Voici la terminologie des diverses partie d'une fenêtre de Windows.

Les fenêtres se comportent différemment selon l'endroit où vous cliquez. Les prochaines sections décrivent les principales parties du dossier Documents – celui de la Figure 4.1 –, comment et où cliquer, et comment Windows réagit en conséquence.

- Les anciens de Windows XP se souviennent du dossier Mes documents, où se trouvaient tous les fichiers. Windows Vista avait éliminé le mot « Mes » afin de ne proposer que « Documents », mais Windows 7 et Windows 8 ont rétabli « Mes documents ».

Finalement, peu importe le nom du moment que vous savez que c'est dans ce dossier que vous devez fourrer vos documents.

- Dans Windows 8, un *ruban* contenant des boutons et des commandes remplace la barre de menus en haut des dossiers.

- Dans Windows 8, le dossier Mes documents se trouve dans la *bibliothèque* Documents. Comme vous l'explique le Chapitre 5, une bibliothèque est une sorte de super dossier. Elle contient à la fois le dossier Mes documents et le dossier Mes documents publics. Tous les utilisateurs du PC voient le même dossier Documents publics, ce qui en fait un emplacement de choix pour le partage des fichiers.
- Windows 8 regorge de petits boutons, bordures et boîtes bizarroïdes. Il est inutile de retenir leurs noms, bien que cela puisse s'avérer utile lorsque vous aurez recours aux menus d'Aide. En cas de doute, reportez-vous à la Figure 4.1 et lisez les explications.
- Vous pouvez interagir avec la plupart de ces éléments en cliquant, en double-cliquant ou en cliquant du bouton droit (dans le doute, essayez toujours le clic droit).

- Vous utilisez un écran tactile ? Reportez-vous à l'encadré où il est question du toucher lors de l'utilisation d'une tablette tournant sous Windows 8.
- Après avoir cliqué de ci de là, vous vous rendrez compte combien il est facile d'obtenir les actions désirées. Le plus ardu est trouver la bonne commande la première fois (un peu comme les nouveaux boutons sur un téléphone mobile).

La barre de titre d'une fenêtre

Située en haut de presque chaque fenêtre, la barre de titre mentionne le nom du fichier et celui du programme. La Figure 4.2 montre celles de deux traitements de texte :

WordPad (en haut) et le Bloc-notes (en bas). Dans les deux cas, le fichier n'a pas encore été enregistré ; c'est pourquoi leur nom est respectivement Document et Sans titre.

En dépit de son aspect anodin, la barre de titre contient bon nombre de fonctionnalités intéressantes :

- La barre de titre permet de déplacer une fenêtre sur le Bureau. Cliquez dessus – ailleurs que sur une icône – puis, bouton de

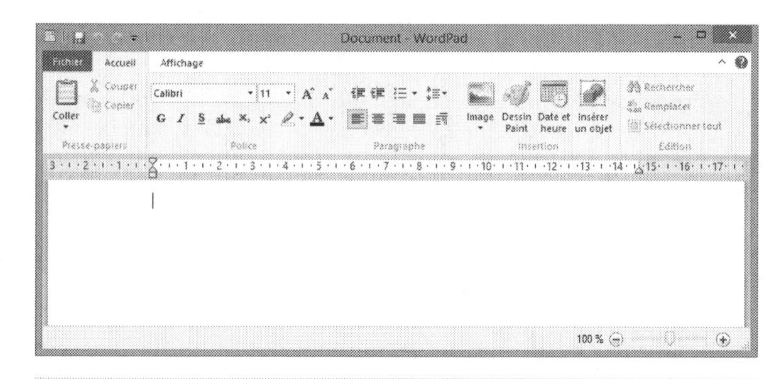

Figure 4.2 : La barre de titre de WordPad (en haut) et du Bloc-notes (en bas).

la souris enfoncée, tirez-la. La fenêtre suit le mouvement de la souris. Relâchez le bouton pour la déposer.

- Double-cliquez dans une partie vide de la barre de titre, et la fenêtre emplit tout l'écran. Double-cliquez de nouveau dessus, et elle reprend ses dimensions d'origine.
- Remarquez les petites icônes à gauche, dans la barre de titre de WordPad. Elles forment la barre d'outils Accès rapide et appartiennent à ce que Microsoft appelle une *interface à ruban.*
- Trois boutons rectangulaires se trouvent à droite, dans la barre de titre. Ce sont, de gauche à droite, les boutons Réduire, Agrandir et Fermer que nous avions vus au chapitre précédent.
- Pour savoir quelle est la fenêtre dans laquelle vous travaillez actuellement, repérez celle dont la barre de titre est la plus sombre et le bouton Fermer rouge, en haut à droite, comme la fenêtre WordPad, en haut de la Figure 4.2. Cette présentation différencie cette fenêtre *active* de celle que vous n'utilisez pas, comme le Bloc-notes, en bas de la Figure 4.2.

Glisser-déposer et démarrer

Le glisser-déposer est une action aussi vieille que Windows, qui sert à déplacer ou repositionner un élément, une icône par exemple.

Pour *faire glisser* – on dit aussi *tirer* –, placez le pointeur de la souris sur l'élément, enfoncez le bouton gauche ou droit (personnellement, je préfère le bouton droit) puis déplacez la souris. L'icône se déplace corrélativement à l'écran. Parvenue à destination, relâchez le bouton et l'icône est *déposée*.

Exécuter un glisser-déposer avec le bouton droit affiche un petit menu contextuel vous demandant, après avoir déposé l'icône, si vous désirez la Copier ici ou la Déplacer ici.

Une petite astuce : vous avez déplacé quelque chose et vous vous rendez compte, au cours de l'opération, que vous vous êtes trompé d'élément ? Ne relâchez pas le bouton de la souris mais appuyez sur la touche Échap pour annuler l'action. Vous avez déjà déposé l'élément ? Appuyez sur Ctrl+Z et il revient à sa place.

Naviguer parmi les dossiers avec la barre d'adresse de la fenêtre

Sous le ruban se trouve la *barre d'adresse* (voir Figure 4.3). Elle semblera familière à ceux qui connaissent déjà Internet

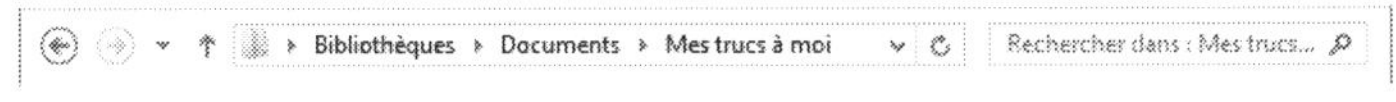

Figure 4.3 : La barre d'adresse d'un dossier.

Explorer, car elle rappelle furieusement la barre d'adresse de ce navigateur Web.

Les trois parties principales de la barre d'adresse – de gauche à droite dans les paragraphes qui suivent – ont chacune une fonction bien définie :

- **Boutons Précédent et Suivant :** ces deux boutons mémorisent votre itinéraire parmi les dossiers du PC. Le bouton Précédent vous ramène au dossier que vous venez de visiter (en amont). Le bouton Suivant vous ramène au dernier dossier (en aval).

Cliquez sur la minuscule flèche à droite des deux boutons pour accéder à une liste des emplacements que vous avez visités. Cliquez sur l'un d'eux pour y accéder aussitôt.

- **Bouton Niveau supérieur :** supprimé dans Windows 7, le bouton revient dans Windows 8. Cliquez dessus pour reculer d'un niveau dans l'arborescence des dossiers.

- **Barre d'adresse :** elle contient l'adresse du dossier actuellement ouvert. Cette adresse correspond plus exactement au *chemin* dans le disque dur : par exemple, à la Figure 4.3, l'adresse est *Bibliothèques, Documents, Mes trucs à moi.* Elle indique que vous vous trouvez dans le dossier Mes trucs à moi, qui se trouve dans le dossier Documents, lequel se trouve dans le dossier Bibliothèques de votre compte d'utilisateur. Eh oui, ces histoires de dossiers sont suffisamment compliquées pour qu'un chapitre entier – le prochain – leur soit consacré.

- **Le champ Rechercher :** encore un emprunt à Internet Explorer... Toutes les fenêtres de Windows 8 sont dotées d'un champ Rechercher, capable d'explorer le dossier et ses sous-dossiers à la recherche d'une donnée ou d'une information. Par exemple, si vous recherchez le mot **carotte**, Windows montrera tous les dossiers et fichiers contenant ce mot.

Remarquez, dans la barre d'adresse, les petits triangles noirs entre les mots Bibliothèques, Documents et Mes trucs à moi. Cliquer dessus affiche un menu de tous les autres dossiers se trouvant à ce niveau. C'est un moyen commode d'accéder à d'autres dossiers.

Trouver les commandes sur le ruban

Les commandes de Windows 8 sont innombrables. Pour y accéder rapidement, elles ont été réparties dans différents onglets d'un ruban. Ce dernier se trouve en haut de chaque dossier et de chaque bibliothèque (voir Figure 4.4).

Fichier Accueil Partage Affichage Gestion Lecture

Figure 4.4 : Les onglets d'un ruban.

Chacun des onglets donne accès à différentes options. Pour les voir, cliquez sur l'un d'eux, Partage, par exemple Le ruban se présente alors comme dans la Figure 4.5. Il contient toute les options et commandes de partage de fichier.

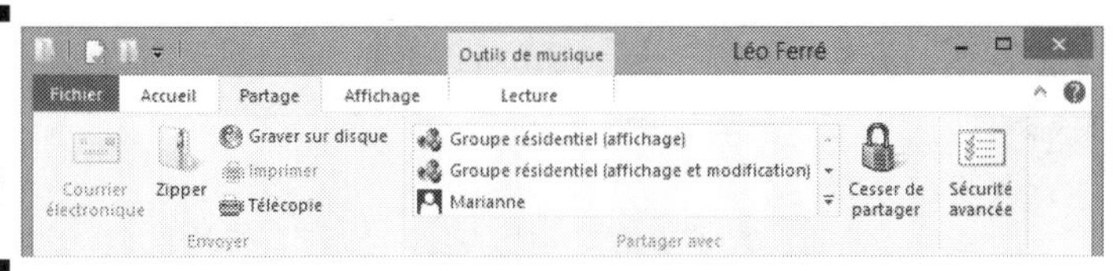

Figure 4.5 : Cliquez sur un onglet pour voir ses commandes.

Certaines options sont parfois indisponibles. Elles apparaissent alors en grisé, comme l'option Imprimer, dans la Figure 4.5 (dans le dossier, l'élément sélectionné est un morceau de musique. Or, un fichier audio s'écoute, mais il ne peut pas être imprimé).

Il n'est pas nécessaire de savoir combien de type de rubans il existe dans Windows car ceux que vous pouvez utiliser sont automatiquement affichés. Par exemple, lorsque vous cliquez sur la bibliothèque Musique, dans le volet de gauche, un onglet Lecture s'ajoute aux autres onglets.

Si l'usage d'un bouton ne vous semble pas évident, immobilisez le pointeur de la souris dessus. Une info-bulle apparaît et explique son utilité. Voici un bref descriptif des onglets et leur raison d'être :

- **Fichier :** présent à gauche dans chaque ruban, cet onglet sert principalement à ouvrir de nouvelles fenêtres et accéder aux emplacements fréquemment visités.
- **Accueil :** vous trouvez dans cet onglet, toujours affiché, les commandes permettant de copier, couper et coller, de déplacer ou supprimer les éléments sélectionnés, ou de renommer un fichier ou un dossier.
- **Partage :** cet onglet permet de partager le contenu de votre ordinateur avec d'autres personnes qui l'utilisent. Mais surtout, il permet d'interdire l'accès aux documents confidentiels que vous auriez partagés par erreur. Le partage est expliqué au Chapitre 9.
- **Affichage :** les commandes de cet onglet servent à modifier l'aspect de la fenêtre. Par exemple, cliquez sur le bouton Très grandes icônes pour afficher en grand les vignettes des photos.
- **Gestion :** cet onglet contient des commandes propres au type de fichier que contient le dossier. Par exemple, vous trouverez un bouton Diaporama dans l'onglet Gestion des outils d'image, ainsi que des boutons pour remettre droit une la vignette d'une photo cadrée en hauteur.

Vous aimeriez que le ruban occupe moins de place ? Cliquez sur le petit chevron en haut à droite de la fenêtre pour n'afficher que les onglets. Ou alors, appuyez sur Ctrl+F1 ; c'est plus rapide.

Les accès rapides du volet de navigation

Examinez un bureau – un vrai – et vous constaterez que les objets les plus couramment utilisés sont à portée de main : le pot à crayons, l'agrafeuse, les tampons, la tasse de café et peut-être quelques miettes du sandwich de midi... C'est pareil dans Windows 8 : tous les éléments les plus fréquemment utilisés (hormis le café et les miettes) sont placés dans le volet de navigation que montre la Figure 4.6.

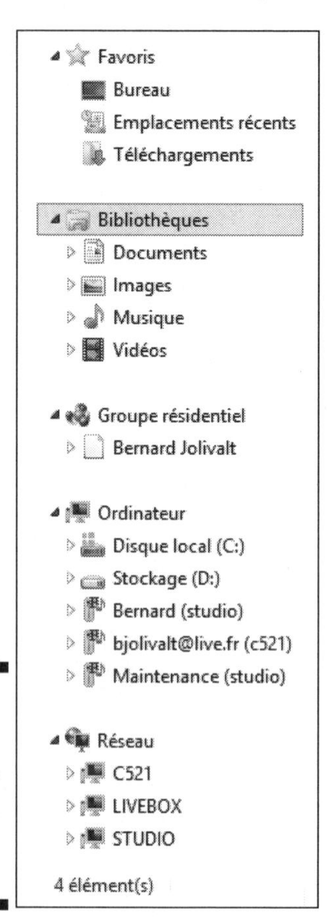

Figure 4.6 : Le volet de navigation contient des accès vers les emplacements les plus visités.

Situé à gauche de chaque dossier, le volet de navigation est divisé en cinq rubriques : Favoris, Bibliothèques, Groupe résidentiel, Ordinateur et Réseau. Cliquez sur l'une de ces rubriques, Favoris par exemple, et son contenu apparaît dans le volet de droite.

Voici quelques précisions sur les parties du volet de navigation :

- **Favoris :** les Favoris, à ne pas confondre avec ceux d'Internet Explorer, sont des raccourcis vers les emplacements les plus fréquentés de Windows :
  - **Bureau :** vous ne vous en doutiez peut-être pas, mais le Bureau est en réalité un dossier dont le contenu apparaît en permanence sur l'écran. Cliquer sur Bureau, à la rubrique Favoris, montre tout ce qui s'y trouve.
  - **Emplacements récents :** vous y trouverez tous les dossiers et fichiers récemment ouverts.
  - **Téléchargements :** cliquez ici pour accéder aux fichiers téléchargés avec Internet Explorer lors de vos pérégrinations sur le Web. C'est en effet là qu'ils se retrouvent.
- **Bibliothèques :** contrairement aux dossiers conventionnels, les bibliothèques affichent le contenu de plusieurs dossiers, réuni en un seul endroit afin d'y accéder facilement. Une bibliothèque Windows contient deux dossiers : celui qui vous est propre, et aussi son équivalent public, accessible à tous les utilisateurs de l'ordinateur (la notion de dossier public est expliquée au Chapitre 11).
  - **Documents :** accède à la bibliothèque Documents qui comprend deux emplacements : le dossier Mes documents et le dossier Documents publics.
  - **Images :** ce bouton donne accès à votre photothèque numérique.
  - **Musique :** cliquez sur Musique, puis double-cliquez sur un morceau pour l'écouter aussitôt.
  - **Vidéos :** un double-clic sur les séquences stockées dans ce dossier vous permettra les visionner avec le Lecteur Windows Media.
- **Groupe résidentiel :** un groupe résidentiel d'ordinateurs est un ensemble de plusieurs ordinateurs tournant sous Windows Vista, Windows 7 ou Windows 8, partageant des fichiers et des imprimantes. Cliquez sur ce bouton pour voir quels ordinateurs se partagent quoi. Ce sujet est étudié au Chapitre 12.

- **Ordinateur :** ce bouton qu'affectionnent les passionnés de technique permet de parcourir tous les dossiers et fichiers de l'ordinateur. Hormis pour accéder rapidement au contenu d'une clé USB ou d'un disque dur externe, vous ne cliquerez sans doute pas souvent dessus.
- **Réseau :** bien que les groupes résidentiels facilitent le partage des fichiers, la notion de réseau informatique existe toujours. C'est à cet endroit que s'affiche le nom des ordinateurs mis en réseau, y compris le vôtre.

Voici quelques conseils pour tirer le meilleur parti du volet de navigation :

- Ajoutez vos emplacements préférés dans la rubrique Favoris du volet de navigation : cliquez sur un dossier puis tirez-le et déposez-le dans cette zone, et il se transforme en raccourci.

- Vous avez semé la pagaille dans le volet de navigation ? Cliquez du bouton droit sur une rubrique et dans le menu contextuel, choisissez Restaurer les bibliothèques par défaut.

Se déplacer dans une fenêtre avec la barre de défilement

La barre de défilement (voir Figure 4.7) apparaît au bord droit et/ou inférieur d'une fenêtre dès qu'elle est trop petite pour afficher tout son contenu. À l'intérieur de la barre, un *curseur de défilement* monte et descend selon la partie d'une page qui est affichée. D'un seul coup d'œil sur le curseur, vous savez si vous êtes plutôt en haut, au milieu ou en bas du contenu d'une fenêtre.

Cliquer en différents endroits de la barre de défilement permet de se déplacer rapidement dans un document. Par exemple :

- Cliquer dans la barre dans la direction à afficher. Par exemple, cliquer au-dessus du curseur vertical déplace la vue d'une page vers le haut Cliquer dessous la déplace d'une page vers le bas.

- Actionner la barre de défilement horizontale en bas de l'écran d'accueil permet d'accéder à tous les programmes et applications qui s'étendent au delà de l'écran, vers la droite.
- Pas de curseur dans la barre de défilement, ou aucune barre visible ? Cela signifie que tout le contenu de la fenêtre est affiché. Il n'y a donc pas lieu de la faire défiler.

Barre de défilement verticale

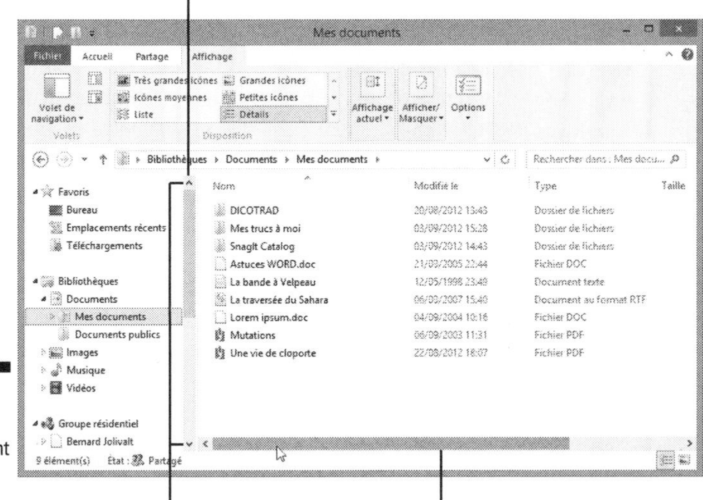

Curseurs de défilement Barre de défilement horizontale

Figure 4.7 : Des barres de défilement verticale et horizontale.

Les sélections multiples

Cliquer sur un élément le sélectionne. Cliquer sur un autre élément le sélectionne, mais le premier ne l'est plus. Voici comment sélectionner plusieurs éléments à la fois :

- Pour sélectionnez plusieurs éléments épars, maintenez la touche Ctrl enfoncée puis cliquez sur les éléments à sélectionner.
- Pour sélectionner une plage d'éléments adjacents, dans une liste, cliquez sur le premier d'entre eux puis, touche Majuscule enfoncée, cliquez sur le dernier. Tous les éléments, du premier que vous avez sélectionné jusqu'au dernier sur lequel vous venez de cliquer, sont sélectionnés. Notez qu'il est possible de déselectionner des éléments de cet ensemble en cliquant dessus, touche Ctrl enfoncée.
- Vous pouvez aussi utiliser le lasso : cliquez sur le fond du dossier, à proximité d'un élément puis, bouton de la souris enfoncé, tirez un contour de sélection autour des éléments à sélectionner. Relâchez ensuite le bouton.

- Vous voulez parcourir rapidement le contenu d'une fenêtre ? Cliquez sur le curseur et tirez-le, et vous verrez le contenu de la fenêtre défiler à toute vitesse. Arrivé là où vous le vouliez, relâchez le bouton de la souris.

- Votre souris est dotée d'une molette ? Actionnez-la pour déplacer le curseur vertical. C'est un moyen commode pour parcourir des documents longs ou des dossiers très remplis.

Du côté des bordures

Une *bordure* est le cadre qui entoure une fenêtre.

Pour changer la taille d'une fenêtre, cliquez sur une bordure – le pointeur de la souris prend la forme d'une flèche à deux pointes – et tirez dans la direction désirée. Redimensionner une fenêtre en cliquant et tirant un coin est le plus commode. Notez que certaines fenêtres ne sont pas redimensionnables.

Déplacer les fenêtres sur le Bureau

Avec Windows 8, vous pouvez déplacer les fenêtres sur le Bureau avec la dextérité d'un joueur de cartes. Lorsqu'elles sont nombreuses, elles finissent par se recouvrir plus ou moins les unes les autres. Cette section vous explique comment les empiler rationnellement, en plaçant celle que vous préférez en haut du tas. Vous pouvez aussi les étaler, comme une main au poker. Et, cerise sur le gâteau, elles peuvent être redimensionnées et s'ouvrir automatiquement à n'importe quelle taille.

Placer une fenêtre au-dessus des autres

Pour Windows 8, la fenêtre au-dessus de toutes les autres, qui attire l'attention, est la *fenêtre active*. C'est celle qui reçoit tout ce que vous ou votre chat tapez sur le clavier.

Une fenêtre peut être placée au-dessus des autres de diverses manières. Voici comment :

- Amenez le pointeur de la souris jusqu' au-dessus d'une partie de la fenêtre, dans un empilement, puis cliquez. La fenêtre en question est aussitôt placée au premier plan.
- Dans la barre des tâches, cliquez sur le bouton de la fenêtre désirée.

- La touche Alt enfoncée, appuyez sur la touche Tab. Un petit panneau montre une miniature de chacune des fenêtres ouvertes sur le Bureau. Appuyez autant de fois que nécessaire sur la touche Tab pour sélectionner la fenêtre voulue, puis relâchez les deux touches Alt et Tab. La fenêtre sélectionnée est au premier plan.

- Maintenez la touche Windows enfoncée tout en appuyant à répétition sur la touche Tab. Une barre apparaît à gauche de l'écran ; elle contient la vignette de toutes les applications et programmes ouverts. Dès que la vignette de l'élément à ouvrir est encadrée, relâchez les touches pour l'ouvrir.

Le Bureau est encombré de fenêtres au point gêner votre travail ? Cliquez dans la barre de titre d'une fenêtre, secouez-la avec la souris et toutes les autres fenêtres disparaissent dans la barre des tâches. Secouez-la de nouveau, et les fenêtres réapparaissent.

Déplacer une fenêtre de ci de là

Pour une raison ou pour une autre, vous voudrez déplacer une fenêtre. Peut-être parce qu'elle est décentrée, ou pour faire de la place et voir tout ou partie d'une autre fenêtre.

Bref et quoi qu'il en soit, vous déplacerez une fenêtre en la tirant par sa barre de titre. La fenêtre repositionnée reste sélectionnée et donc active.

Afficher une fenêtre en plein écran

Pour certaines tâches, agrandir une fenêtre afin qu'elle exploite au maximum la surface de l'écran est une bonne chose. Pour cela, double-cliquez sur la barre de titre : la fenêtre s'étale instantanément sur tout le Bureau, recouvrant toutes les autres.

Pour la ramener à sa taille d'origine, double-cliquez de nouveau sur sa barre de titre. On ne s'en lasse pas...

- Si double-cliquer sur la barre de titre vous paraît vraiment ringard, cliquez sur le bouton Agrandir. C'est celui du milieu, en haut à droite.

- Quand une fenêtre est en plein écran, le bouton Agrandir est remplacé par le bouton Niveau inférieur. Cliquez dessus pour qu'elle redevienne plus petite.

- Tirez la fenêtre par la barre de titre jusqu'en haut de l'écran ; l'ombre de la fenêtre s'étend à présent tout autour de l'écran. Relâchez le bouton de la souris, et la fenêtre est en plein écran. Bon d'accord, le double-clic dans la barre de titres est plus rapide (mais c'est d'un ringard...).

- Trop fatigué pour attraper la souris ? La touche Windows enfoncée, appuyez sur la touche fléchée Haut pour agrandir la fenêtre en plein écran. Les touches Windows+Flèche bas rétablissent la fenêtre à sa taille d'origine.

Fermer une fenêtre

Quand vous avez fini de travailler dans une fenêtre, fermez-la en cliquant sur le petit bouton « X », en haut à droite.

Si le travail en cours n'a pas été enregistré, Windows vous demande s'il doit le faire. Confirmez en cliquant sur le bouton Oui – vous devrez peut-être nommer le fichier que vous avez créé et choisir un dossier de stockage –, ou en cliquant sur Non si vous estimez qu'il n'est pas nécessaire de l'enregistrer. D'autres fenêtres – comme celles propres à Windows – se ferment sans formalité supplémentaire.

Redimensionner une fenêtre

Comme le chantait Serge Gainsbourg en son temps à propos de la pauvre Lola, il faut s'avoir s'étendre sans se répandre. Fort heureusement, une fenêtre de Windows ne s'étend ni ne se répand, elle se redimensionne. Voici comment :

1. **Immobilisez le pointeur de la souris au-dessus d'un bord ou d'un coin de la fenêtre. Lorsqu'elle se transforme en flèche à deux pointes, cliquez et tirez pour changer la taille de la fenêtre.**

2. **Le redimensionnement terminé, relâchez le bouton de la souris.**

Redimensionner en tirant un coin est plus souple que de ne tirer qu'un seul côté, mais c'est à vous de voir.

Placer deux fenêtres côte à côte

Quand vous voudrez copier un élément dans une fenêtre pour le coller dans une autre, pouvoir juxtaposer les deux fenêtres vous facilitera la tâche.

- Le moyen le plus rapide consiste à tirer la barre de titre de chaque fenêtre vers un bord de l'écran. Tirez le pointeur de la souris jusqu'au bord.
- Cliquez sur une partie vide de la barre des tâches – y compris sur l'horloge – et choisissez Afficher les fenêtres côte à côte. Windows dispose aussitôt toutes les fenêtres les unes à côté des autres. Si vous préférez les voir les unes sur les autres, choisissez Afficher les fenêtres empilées. Si les fenêtres sont nombreuses, l'option Cascade les empile toutes, légèrement décalées en diagonale les unes par rapport au autres.
- Quand plus de deux fenêtres sont ouvertes, cliquez sur le bouton Réduire de celle que vous ne voulez pas afficher puis choisissez de nouveau la commande Afficher les fenêtres côte à côte pour ne voir que celles qui restent.

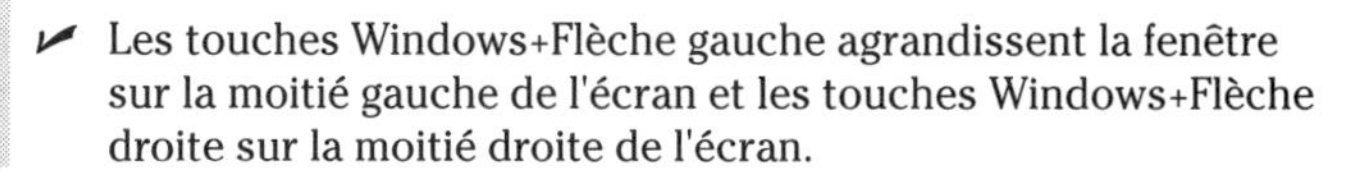

- Les touches Windows+Flèche gauche agrandissent la fenêtre sur la moitié gauche de l'écran et les touches Windows+Flèche droite sur la moitié droite de l'écran.

Toujours ouvrir une fenêtre à la même taille

Parfois, une fenêtre s'ouvre à une taille trop petite, parfois en plein écran et je ne parle pas des courants d'air qui font claquer la porte du Bureau. Windows n'en fait qu'à sa tête, à moins que vous connaissiez cette petite astuce : quand vous redimensionnez *manuellement* une fenêtre, Windows mémorise sa taille et son emplacement. Il rouvrira toujours cette fenêtre à la même taille au même endroit. Procédez comme suit pour vous en assurer :

1. **Ouvrez la fenêtre.**

   Elle s'ouvre comme d'habitude à n'importe quelle taille.

2. **Redimensionnez la fenêtre à la taille voulue et placez-la là où elle doit apparaître.**

   Veillez à redimensionner la fenêtre manuellement en repositionnant les côtés et/ou les coins. Se contenter de cliquer sur le bouton Agrandir ne donnerait rien.

3. **Fermez immédiatement la fenêtre.**

   Windows mémorise la taille et l'emplacement d'une fenêtre au moment où elle est fermée. Quand vous la rouvrirez, elle le sera là et à la taille d'avant. Ces réglages ne s'appliquent toutefois qu'au programme auquel appartient la fenêtre. Par exemple, quand vous ouvrez la fenêtre de Internet Explorer, Windows ne tiendra compte que de la fenêtre propre à ce programme, et non de la fenêtre d'un autre.

La plupart des fenêtres respectent ces règles, mais quelques-unes y dérogent. Eh oui, tout le monde n'a pas le goût du travail bien fini...

Chapitre 5

Fichiers, dossiers, clé USB, bibliothèques et CD

Dans ce chapitre :

- Gérer les fichiers avec l'Explorateur de fichiers.
- Naviguer parmi les lecteurs, les dossiers et une clé USB.
- Les bibliothèques.
- Créer et nommer des dossiers.
- Sélectionner et désélectionner des éléments.
- Copier et déplacer des fichiers et des dossiers.
- Enregistrer sur des CD, des cartes mémoire et des disquettes.
- L'informatique en nuage avec SkyDrive.

Tout le monde espérait que l'écran d'accueil simplifierait les choses en mettant fin à la complexité des dossiers et des fichiers. Ce n'est pas du tout le cas.

Insérez une clé USB ou branchez un disque dur externe, et l'écran d'accueil apparaît aussitôt. C'est là que l'Explorateur de fichiers – l'ancien Explorateur Windows – s'avère finalement toujours aussi commode.

Comme l'écran d'accueil n'est pas équipé d'un gestionnaire de fichiers, vous êtes obligé de recourir à l'Explorateur de fichiers chaque fois que vous désirez accéder à un dossier de l'ordinateur, mais aussi à un dossier hors de l'ordinateur, dans une clé USB, dans un disque dur externe, dans un autre ordinateur du réseau ou dans un espace de stockage distant, par Internet.

Que vous utilisiez une tablette à écran tactile, un ordinateur portable ou de bureau, les dossiers et les fichiers font toujours partie de l'univers informatique. Et si vous ne maîtrisez pas leur principe, vous aurez du mal à trouver facilement vos données.

Ce chapitre explique comment utiliser ce gestionnaire de fichiers qui porte le nom d'*Explorateur de fichiers.* Vous apprendrez tout ce qu'il faut savoir à son sujet.

Parcourir le classeur à tiroirs informatisé

Afin que vos programmes et documents soient rationnellement rangés, Windows a gratifié la métaphore du classeur à tiroir de jolies petites icônes. C'est là que se trouvent les zones de stockage de votre ordinateur où vous pourrez copier, déplacer, renommer ou supprimer des fichiers.

Pour ouvrir vos tiroirs virtuels, cliquez sur la vignette Bureau, dans l'écran d'accueil. L'Explorateur de fichiers est la petite icône qui se trouve dans la barre des tâches, à côté de celle d'Internet Explorer.

Double-cliquez sur l'icône de l'Explorateur de fichiers – ou double-touchez-là – et vous accédez aux fichiers et aux dossiers. Ce contenu peut être affiché de diverses manières. Pour voir votre espace de stockage, cliquez sur Ordinateur, dans le volet de gauche.

Le contenu de l'Explorateur de fichiers que montre la Figure 5.1 est sans doute différent de celui de votre ordinateur, mais les noms des différentes zones sont identiques. Voici à quoi elles correspondent :

- **Le volet de navigation :** situé à gauche, il contient les noms des diverses *bibliothèques* dans laquelle vous stockez vos fichiers : Documents, Images, Musique et Vidéos.

- **Disques durs :** visible dans la Figure 5.1, cette zone montre le ou les disques durs, c'est-à-dire les mémoires de masse les plus importantes de votre PC. Tout ordinateur en possède au moins un. Double-cliquer sur l'icône d'un disque dur affiche ses dossiers et ses fichiers, mais ce n'est pas le meilleur moyen d'y accéder. Explorez plutôt les bibliothèques Documents, Images, Musique et Vidéos.

  Vous avez remarqué l'icône du disque dur marquée du logo Windows ? Ce logo indique que c'est dans ce disque dur que

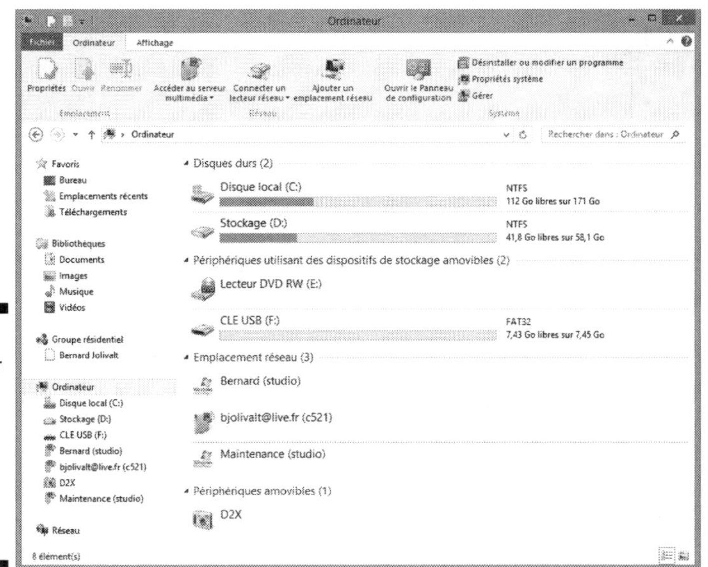

Figure 5.1 : L'Explorateur de fichiers affiche tous les espaces de stockage auxquels vous avez accès.

Windows 8 est installé. Dans la Figure 5.1, les jauges indiquent la quantité de données. Lorsqu'un disque ou une clé est presque pleine, la jauge devient rouge. Le moment est alors venu, soit de faire le ménage, soit de remplacer le disque dur par un plus volumineux.

- **Périphériques utilisant des dispositifs de stockage amovibles :** cette zone montre tous les équipements amovibles connectés à votre ordinateur. Voici les plus courants :

  - **Lecteur de CD, DVD et Blu-ray :** comme le révèle la Figure 5.1, Windows 8 indique si un lecteur ne peut que lire, ou lire et écrire, sur l'un de ce type de support. Par exemple, si un graveur de DVD porte la mention DVD RW, cela signifie qu'il peut à la fois lire (*Read* en anglais) et écrire (*Write*) des CD et des DVD. Un lecteur qui ne peut graver que les seuls CD porte la mention CD RW.

  - **Clé USB et lecteurs de carte mémoire :** l'icône de certaines clés USB ressemble à une clé USB, mais souvent, c'est l'icône visible dans la marge qui est affichée. Quant au lecteur de cartes mémoire, il peut être intégré à l'ordinateur ou branché à un port USB.

Windows 8 n'affiche pas d'icône du lecteur de carte mémoire tant qu'une carte mémoire n'est pas insérée dedans. Pour l'afficher en permanence, ouvrez l'Explorateur de fichiers, cliquez sur l'onglet Affichage puis cliquez sur le bouton sous l'icône Options et choisissez Modifier les options des dossiers et de recherche. Une petite pause et ça repart : dans la boîte de dialogue Options des dossiers, cliquez sur l'onglet Affichage et décochez la case Masquer les lecteurs vides dans le dossier ordinateur. Cliquez sur OK.

- **Lecteurs MP3 :** Windows 8 n'affiche d'icône spécifique que pour quelques lecteurs MP3 ; autrement il arbore une icône de carte USB générique ou de disque dur pour le populaire iPod (les lecteurs MP3 sont abordés au Chapitre 13). Notez que des morceaux ne peuvent pas être copiés directement entre Windows 8 et un iPod (NdT : vous devez utiliser pour cela le logiciel iTunes d'Apple).

- **Appareils photo :** dans la fenêtre de l'Explorateur de fichiers, un appareil photo numérique apparaît généralement sous la forme d'une icône. Pour accéder aux photos, double-cliquez sur l'icône de l'appareil. Après avoir procédé au transfert (voir Chapitre 13), Windows 8 place les photos dans le dossier Images.

- **Réseau :** cette icône n'est visible que si l'ordinateur est relié à un réseau informatique (voir Chapitre 12). Elle représente la bibliothèque Media Player présente sur un autre PC. Cliquez sur cette icône pour accéder aux morceaux de musique, photos et vidéos de l'ordinateur distant.

Quand vous connectez un caméscope numérique, un téléphone mobile ou tout autre périphérique à votre ordinateur, l'Explorateur de fichiers s'orne d'une nouvelle icône le représentant. Double-cliquez dessus pour voir le contenu du périphérique ; cliquez dessus du bouton droit pour savoir ce que Windows 8 vous permet de faire. Pas d'icône ? Peut-être devez-vous installer un pilote pour votre périphérique, comme expliqué au Chapitre 10.

Tout sur les dossiers et les bibliothèques

Ce sujet est un peu aride, mais si vous le sautez, vous risquez d'être aussi perdu dans Windows que vos fichiers dans l'ordinateur, et inversement.

Un *dossier* est une zone de stockage sur le disque dur. On peut le comparer à un véritable dossier en carton. Windows 8 divise le ou les disques durs de votre ordinateur en autant de dossiers thématiques que vous le désirez. Par exemple, les morceaux de musique sont stockés dans le dossier Musique, et les photos dans le dossier Images. Vous et vos programmes les retrouvez ainsi facilement.

Une *bibliothèque* est par contre une sorte de super dossier. Au lieu de montrer le contenu d'un seul dossier, il montre celui de *plusieurs* dossiers. Par exemple, la bibliothèque Musique montre à la fois les morceaux présents dans le dossier *Mes musiques* et ceux présent dans le dossier *Musique publique* (ce dossier contient des morceaux à disposition de tous les utilisateurs de l'ordinateur).

Windows 8 contient quatre bibliothèques pour y stocker vos fichiers et dossiers (voir Figure 5.2) : Documents, Images, Musique et Vidéos. Afin d'y accéder rapidement, ils se trouvent dans le volet de navigation de tout dossier.

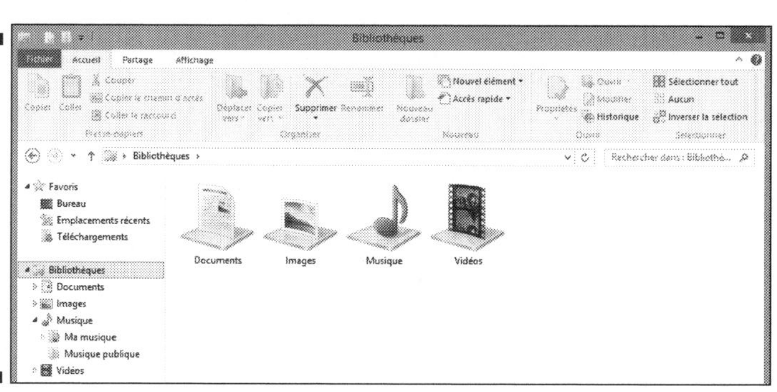

Figure 5.2 : Ces quatre dossiers se trouvent dans tous les comptes d'utilisateurs, mais séparément pour chaque compte.

Gardez à l'esprit ce qui suit quand vous manipulez des fichiers dans Windows 8 :

- Rien ne vous empêche d'engranger tous vos fichiers sur le Bureau de Windows 8. Mais cela équivaut à jeter toutes ses affaires sur le siège arrière de la voiture et se demander, un mois plus tard, où peuvent bien se trouver les lunettes de soleil. Quand les affaires sont bien rangées, on s'y retrouve mieux.
- Si vous brûlez d'impatience de créer un dossier, ce qui est très facile, reportez-vous à la section « Créer un nouveau dossier » plus loin dans ce chapitre.

- Les dossiers d'un ordinateur sont organisés en arborescence, de la racine du disque dur jusqu'aux dossiers, sous-dossiers et sous-sous-dossiers (non, ce ne sont pas dossiers où l'on range ses sous) les plus profondément enfouis.

Lorgner dans les lecteurs, les dossiers et les bibliothèques

Savoir ce que sont les lecteurs et les dossiers, c'est certes génial pour impressionner la vendeuse de petits pains au chocolat, mais c'est surtout utile pour trouver un fichier (reportez-vous à la section précédente pour savoir quel dossier contient quoi). Coiffez votre casque de chantier, empoignez la clé à molette et parcourez les lecteurs et les dossiers de votre ordinateur en vous servant de cette section comme guide.

Voir les fichiers d'un disque dur

À l'instar de presque tout dans Windows 8, les lecteurs de disque sont représentés par des boutons, ou icônes. L'icône Ordinateur affiche aussi des informations sur d'autres zones, comme un lecteur MP3, un appareil photo numérique ou un scanner (ces icônes ont été expliquées à la section « Parcourir le classeur à tiroirs informatisé », précédemment dans ce chapitre.

Ouvrir ces icônes donne généralement accès à leur contenu et permet de gérer les fichiers, comme dans n'importe quel autre dossier de Windows 8.

Quand vous double-cliquez sur une icône dans l'Explorateur de fichiers, Windows 8 ouvre promptement afin de vous montrer ce qui s'y trouve. Mais comment doit-il réagit lorsque vous introduisez une clé USB, un CD ou un DVD dans un lecteur ?

Les versions précédentes de Windows tentaient de deviner ce que vous vouliez faire. Par exemple, lorsque vous introduisiez un CD audio dans le lecteur, vous entendiez aussitôt un morceau de musique. En revanche, Windows 8 préfère vous proposer le choix, comme vous le montre la Figure 5.3. Le même message apparaît sur le Bureau aussi bien que sur l'écran d'accueil.

Cliquez sur le message pour obtenir une liste de suggestions. La nature des actions dépend de ce qui a été branché au port USB ou inséré dans le lecteur.

Mais comment faire si vous changez d'avis sur ce que Windows 8 doit faire quand vous insérerez de nouveau un élément du même type ? Dans l'Explorateur de fichiers, cliquez du bouton droit sur l'icône de l'élément en question et, dans le menu, choisissez Ouvrir la lecture

Figure 5.3 : Windows vous demande ce qu'il faut faire.

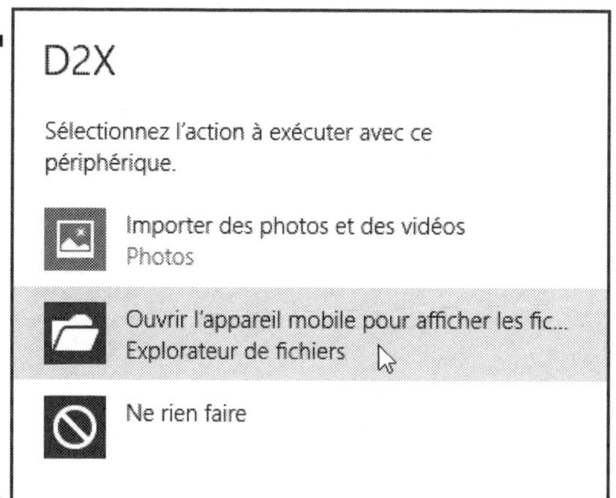

Figure 5.4 : Choisissez l'action que Windows devra désormais exécuter chaque fois qu'un élément de ce genre – ici, un appareil photo – est branché ou inséré.

automatique. Windows réaffiche le menu de la Figure 5.4. Choisissez l'action à effectuer désormais.

L'exécution automatique est particulièrement commode pour les clés USB. Si elle contient quelques morceaux de musique, Windows 8 risque de démarrer spontanément le Lecteur Windows Media pour les jouer : effet garanti sur le lieu de travail. Pour éviter ce genre de gag, accédez à la lecture automatique comme expliqué au paragraphe précédent puis, dans le menu, choisissez l'option Ouvrir le dossier et afficher les fichiers.

C'est quoi, un chemin ?

Un chemin est tout bonnement l'adresse d'un fichier, similaire à une adresse postale. Quand vous envoyez une lettre, elle est acheminée vers le pays, le département, la ville, la rue, le numéro, voire le bâtiment, jusqu'à votre boîte aux lettre nominative. Il en va de même pour un chemin, dans l'ordinateur. Il est acheminé vers le lecteur, dans un dossier, puis un ou plusieurs sous-dossiers et se termine par le nom du fichier.

Prenons le cas du dossier Téléchargements. Pour que Windows 8 trouve un fichier qui y est stocké, il commence au disque dur C:, franchit le dossier Utilisateurs, puis le dossier à votre nom d'utilisateur, et va au dossier Téléchargements. Internet Explorer suit le même chemin lorsqu'il enregistre les fichiers que vous téléchargez.

Accrochez-vous au pinceau car la grammaire informatique n'a rien à envier à celle du français. Sur un chemin, le disque dur principal est appelé `C:\`. La lettre et le signe deux-points forment la première partie du chemin. Tous les dossiers et sous-dossiers qui suivent sont séparés par une barre inversée (\). Le nom du fichier, *Ma vie de cloporte.rtf*, par exemple, vient en dernier.

Tout cela peut sembler indigeste ; c'est pourquoi on en remet une louche : la lettre du lecteur arrive en premier, suivie par un deux-points et une barre inversée. Suivent ensuite tous les dossiers et sous-dossiers conduisant au fichier, séparés par des barres inversées. Le nom du fichier ferme le chemin.

Windows 8 définit automatiquement le chemin approprié lorsque vous cliquez sur un dossier. Heureusement. Mais chaque fois que vous cliquez sur le bouton Parcourir pour atteindre un fichier, vous naviguez parmi des dossiers et parcourez le chemin qui mène à lui.

NdT : Pour afficher le nom du chemin à la manière classique – avec des barres inversée et le nom des répertoires à la place des noms de dossiers – et non à la manière Windows 8, cliquez sur l'icône en forme de dossier au début de la barre d'adresse.

- Si vous ne savez pas à quoi sert une icône dans l'Explorateur de fichiers, cliquez dessus du bouton droit et Windows 8 présente un menu de toutes les possibilités. Vous pourrez par exemple choisir Ouvrir, pour voir tous les fichiers d'un CD audio.
- Quand vous double-cliquez sur l'icône d'un CD ou d'un DVD alors que le lecteur est vide, Windows 8 vous invite gentiment à insérer un disque avant de continuer.
- Vous avez remarqué l'icône sous Emplacement réseau ? C'est une porte dérobée permettant de lorgner, le cas échéant, dans

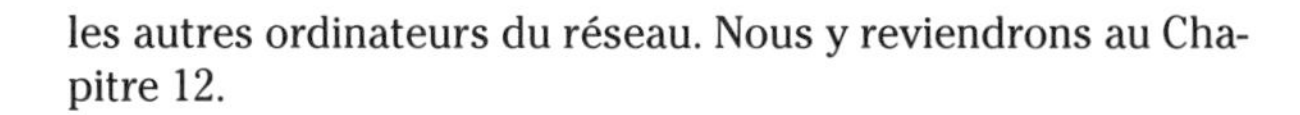

les autres ordinateurs du réseau. Nous y reviendrons au Chapitre 12.

Voir ce que contient un dossier

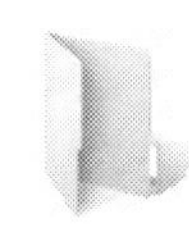

Les dossiers étant en quelque sorte des chemises à documents, Windows 8 s'en tient à cette représentation.

Pour voir ce que contient un dossier, qu'il soit dans l'Explorateur de fichiers ou sur le Bureau, double-cliquez sur son icône en forme de chemise. Une nouvelle fenêtre surgit, montrant ce qu'il y a dedans. Un autre dossier se trouve dedans ? Double-cliquez sur ce sous-dossier pour découvrir ce qu'il recèle. Cliquez ainsi jusqu'à ce que vous trouviez le fichier désiré ou arriviez dans un cul-de-sac.

Vous êtes arrivé au fond du cul-de-sac ? Si vous avez malencontreusement cherché dans le mauvais dossier, revenez en arrière comme vous le feriez sur le Web : cliquez sur la flèche Retour, en haut à gauche de la fenêtre. Vous reculez ainsi d'un dossier dans l'arborescence. En continuant à cliquer sur la flèche Retour, vous finissez par revenir au point de départ.

La barre d'adresse est un autre moyen d'aller rapidement en divers endroits du PC. Tandis que vous naviguez de dossier en dossier, la barre d'adresse du dossier – la petite zone de texte en haut de la fenêtre – conserve scrupuleusement une trace de vos pérégrinations. La Figure 5.5 montre celle qui apparaît quand vous êtes dans un dossier créé par vous, Courrier personnel en l'occurrence.

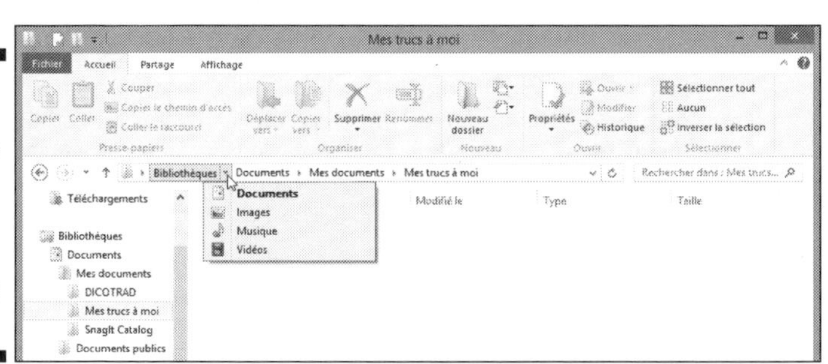

Figure 5.5 : Les petites flèches entre les noms de dossier sont autant de raccourcis vers d'autres dossiers.

Voici quelques astuces pour trouver votre chemin dans et hors des dossiers :

- Un dossier contient parfois trop de sous-dossiers et de fichiers pour tenir dans la fenêtre. Cliquez dans la barre de défilement

pour voir les autres. Cette commande est expliquée au Chapitre 4.

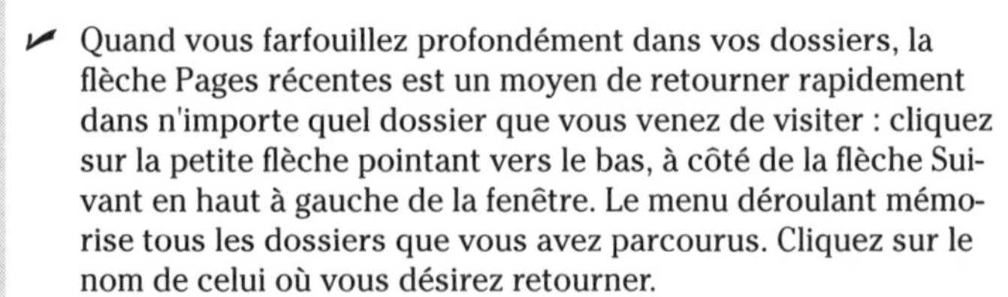

- Quand vous farfouillez profondément dans vos dossiers, la flèche Pages récentes est un moyen de retourner rapidement dans n'importe quel dossier que vous venez de visiter : cliquez sur la petite flèche pointant vers le bas, à côté de la flèche Suivant en haut à gauche de la fenêtre. Le menu déroulant mémorise tous les dossiers que vous avez parcourus. Cliquez sur le nom de celui où vous désirez retourner.

- Supprimée dans Windows Vista et dans Windows 7, la flèche Niveau supérieur réapparaît. Cliquez sur cette flèche située à gauche de la barre d'adresse, et vous remontez d'un dossier dans l'arborescence.
- Impossible de retrouver un dossier ou un fichier ? Au lieu d'errer comme une âme en peine dans l'arborescence, utilisez la commande Rechercher, dans le menu Démarrer, décrite au Chapitre 7. Windows sait retrouver vos dossiers et vos fichiers égarés.
- Face à une interminable liste de fichiers triés alphabétiquement, cliquez n'importe où dans la liste puis tapez rapidement une ou deux lettres du début du nom de fichier. Windows se positionne aussitôt sur le premier nom de fichier commençant par cette ou ces lettres.

Gérer les dossiers d'une bibliothèque

Le nouveau système de bibliothèques de Windows 8 peut paraître déroutant, mais vous pouvez sans aucun risque vous dispenser de savoir comment il fonctionne. Contentez-vous de traiter une bibliothèque au même titre que n'importe quel autre dossier : un emplacement où stocker et ouvrir des types de fichiers d'un même genre. Mais si vous tenez à savoir ce qui se passe en coulisse, cette section vous éclairera.

Les bibliothèques affichent constamment le contenu de plusieurs dossiers dans une seule fenêtre. Ce qui nous amène à cette judicieuse question : comment savoir quels sont les dossiers qui apparaissent dans une bibliothèque ? Vous trouverez la réponse en double-cliquant sur le nom de la bibliothèque.

Par exemple, double-cliquez sur la bibliothèque Documents, dans le volet de navigation, et vous verrez qu'elle contient deux dossiers : Mes documents et Documents publics, ainsi que le révèle la Figure 5.6.

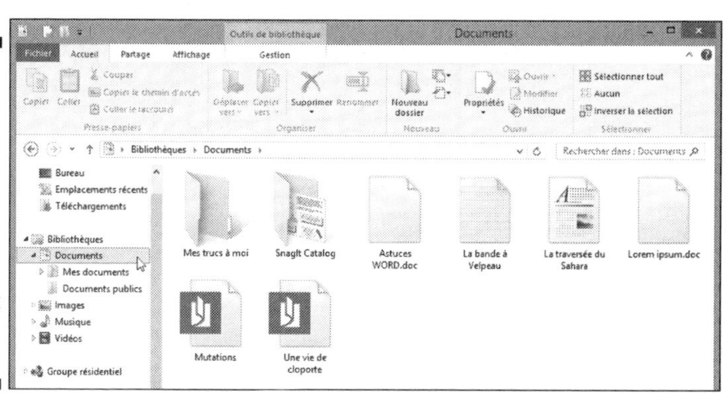

Figure 5.6 : La bibliothèque Documents affiche indistinctement le contenu de deux dossiers : Mes documents et Documents publics.

Quand vous stockez des fichiers dans d'autres emplacements, dans un disque dur externe par exemple, voire dans un autre ordinateur du réseau, ajoutez ces emplacements extérieurs à la bibliothèque de votre choix en procédant comme suit :

1. **Cliquez du bouton droit sur la bibliothèque à étendre à d'autres dossiers, puis choisissez Propriétés.**

   Si vous choisissez la bibliothèque Documents, par exemple, la boîte de dialogue Propriétés se présente comme celle de la Figure 5.7.

2. **Cliquez sur le bouton Ajouter.**

   La fenêtre Inclure le dossier dans Document apparaît.

3. **Naviguez jusqu'au dossier à ajouter, cliquez dessus, puis cliquez sur le bouton Inclure le dossier. Cliquez ensuite sur OK.**

   La bibliothèque intègre aussitôt le contenu de ce dossier et le place dans un groupe distinct.

- Vous pouvez ajouter autant de dossiers que vous le désirez à une bibliothèque. La bibliothèque montrera toujours le contenu à jour.

- Pour ôter un dossier d'une bibliothèque, répétez la première étape, puis cliquez sur le dossier à éliminer. Cliquez ensuite sur le bouton Supprimer.

- Quand vous placez un fichier dans une bibliothèque, dans quel dossier se retrouvera-t-il exactement ? Eh bien, il se retrouve dans un dossier qui est *l'emplacement d'enregistrement par défaut.* C'est le dossier bénéficiant de l'insigne honneur de recevoir les fichiers entrants. Par exemple, quand vous déposez

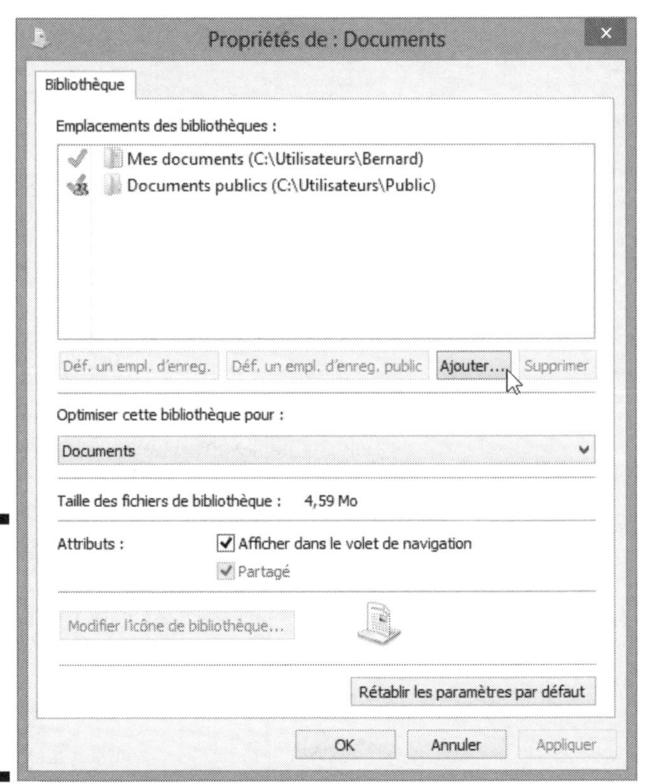

Figure 5.7 : La boîte de dialogue de la bibliothèque Documents montre les dossiers qui s'y trouvent.

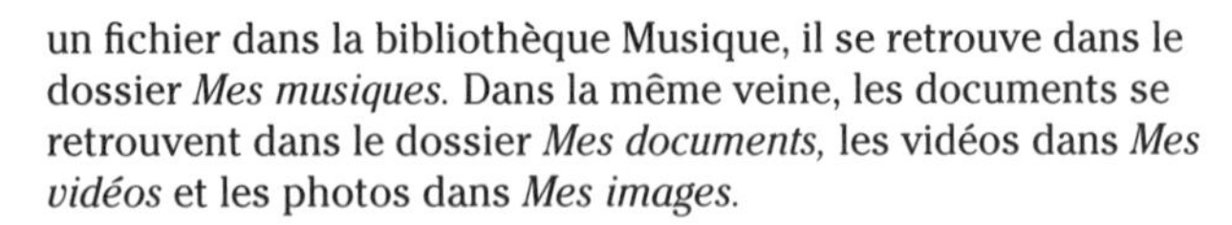

un fichier dans la bibliothèque Musique, il se retrouve dans le dossier *Mes musiques*. Dans la même veine, les documents se retrouvent dans le dossier *Mes documents*, les vidéos dans *Mes vidéos* et les photos dans *Mes images*.

- Et comment faire pour que les fichiers déposés dans une bibliothèque se retrouvent dans un autre dossier ? Pour choisir un autre dossier de réception, cliquez sur le mot Emplacements. La mention Emplacement d'enregistrement par défaut (visible à la Figure 5.7) est inscrite à droite de l'un des dossiers. Pour affecter cette noble tâche à un autre dossier, cliquez du bouton droit sur cet autre dossier et dans le menu contextuel, choisissez Définir comme emplacement d'enregistrement par défaut.

- Vous pouvez créer d'autres bibliothèques en fonction de vos nécessités : cliquez du bouton droit sur le bouton Bibliothèques, dans le volet de navigation, et dans le menu contextuel, choisissez Nouveau > Bibliothèque. Une nouvelle bibliothèque est créée, prête à être renommée. Placez-y des dossiers à surveiller en procédant comme expliqué précédemment aux Étapes 1 à 3.

Créer un nouveau dossier

Quand vous rangez un document dans un classeur à tiroirs, vous prenez une chemise en carton, vous écrivez un nom dessus puis vous y placez votre paperasserie. Pour stocker de nouvelles données dans Windows 8 – vos échanges de lettres acerbes avec un service de contentieux, par exemple – vous créez un nouveau dossier, pensez à un nom qui lui convient bien, et le remplissez avec les fichiers appropriés.

Pour créer rapidement un nouveau fichier, cliquez sur Organiser, parmi les boutons de la barre de commandes du dossier, et choisissez Nouveau dossier, dans le menu contextuel. Si la barre n'est pas visible, voici une technique sûre et éprouvée :

1. **Cliquez du bouton droit, soit dans un dossier, soit sur le Bureau, et choisissez Nouveau.**

   Le tout-puissant menu contextuel apparaît sur le côté.

2. **Sélectionnez Dossier.**

   Quand vous choisissez Dossier, comme le montre la Figure 5.8, un sous-dossier apparaît là où vous avez cliqué, prêt à être nommé.

3. **Saisissez le nom du nouveau dossier.**

   Tout dossier venant d'être créé porte le nom peu attrayant de Nouveau dossier. Dès que vous tapez au clavier, Windows 8 l'efface et le remplace par le nom que vous avez choisi. C'est fait ? Validez le nouveau nom, soit en appuyant sur Entrée, soit en cliquant ailleurs.

   Si vous vous êtes fourvoyé et que vous désirez recommencer, cliquez du bouton droit sur le dossier, choisissez Renommer et recommencez.

- Certains caractères et symboles sont interdits. L'encadré « Les noms de dossiers et de fichiers admis » donne des détails. Vous n'aurez jamais de problème en vous en tenant aux bons vieux chiffres et lettres.

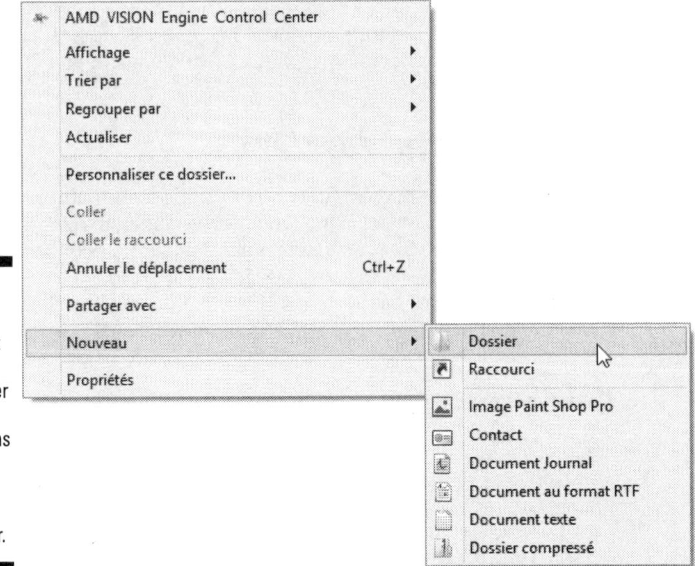

Figure 5.8 : Cliquez du bouton droit là où vous désirez créer un sous-dossier. Dans le menu, choisissez Nouveau, puis Dossier.

Le lecteur perspicace aura remarqué, dans la Figure 5.8, que Windows propose bien d'autres options que la création d'un dossier, lorsque vous cliquez sur Nouveau. Cliquez du bouton droit dans un dossier pour créer un raccourci ou tout autre élément courant.

- L'observateur décontenancé le sera sans doute plus encore en constatant qu'en cliquant du bouton droit, son menu est un peu différent de celui de la Figure 5.8. Rien d'étonnant à cela : des programmes installés par la suite ajoutent souvent leurs propres raccourcis aux menus contextuels, d'où leur différence d'un ordinateur à un autre.

Renommer un fichier ou un dossier

Un nom de fichier ou de dossier ne convient plus ? Modifiez-le. Pour cela, cliquez du bouton droit sur l'icône incriminée puis, dans le menu, choisissez Renommer.

Windows sélectionne l'ancien nom du fichier, qui disparaît sitôt que vous commencez à taper le nouveau nom. Appuyez sur Entrée ou cliquez dans le Bureau pour le valider.

Les noms de dossiers et de fichiers admis

Windows est plus que pinailleur sur les caractères utilisables ou non pour des noms de fichier ou de dossier. Pas de problème si vous n'utilisez que des lettres, des chiffres et certains signes comme le tiret, le point d'exclamation, l'apostrophe, le signe de soulignement, *etc.* En revanche, les caractères que voici sont interdits :

: / \ * | < > ? "

Si vous tentez de les utiliser, Windows 8 affichera un message d'erreur et vous devrez modifier le nom que vous comptiez attribuer. Voici quelques noms de fichiers dont Windows ne voudra pas :

Dernier 1/4 d'heure

Travail : fini

Un < deux

Pas de "gros mots" ici

En revanche ces noms sont admis :

Dernier quart d'heure

Travail = OK !

Un est inférieur à deux

#@$% de !!! et j'en dis pas plus !

Ou alors, vous pouvez cliquer sur le nom du fichier ou du dossier afin de le sélectionner, attendre une seconde puis cliquer de nouveau dans le nom afin de modifier tel ou tel caractère. Sélectionner le nom et appuyer sur la touche F2 est une autre technique de renommage.

- Quand vous renommez un fichier, seul son nom change. Le contenu reste le même, de même que sa taille et son emplacement.

- Pour renommer simultanément un ensemble de fichiers, sélectionnez-les tous, cliquez du bouton droit sur le premier et choisissez Renommer. Tapez ensuite le nouveau nom et appuyez sur Entrée : Windows 8 renomme tous les fichiers en les numérotant : `chat`, `chat(2)`, `chat(3)`, `chat(4)` et ainsi de suite.

- Renommer des dossiers peut semer une redoutable pagaille dans Windows, voire le déstabiliser ou le bloquer. Ne renommez jamais des fichiers comme Mes documents, Mes images ou Ma musique.

- Windows n'autorise pas le renommage de fichiers ou de dossiers actuellement utilisés par un programme. Fermer le programme dans lequel le fichier est ouvert résout généralement le problème. S'il persiste, le moyen le plus radical consiste à redémarrer l'ordinateur puis réessayer de renommer.

Sélectionner des lots de fichiers ou de dossiers

La sélection d'un fichier, d'un dossier ou de tout autre élément peut sembler particulièrement ennuyeuse, mais c'est le point de passage obligé pour une foule d'autres actions : supprimer, renommer, déplacer, copier et bien d'autres bons plans que nous aborderons d'ici peu.

Pour sélectionner un seul élément, cliquez dessus. Pour sélectionner plusieurs fichiers et dossiers épars, maintenez la touche Ctrl enfoncée tout en cliquant sur les noms ou sur les icônes. Chacun reste en surbrillance.

Pour sélectionner une plage de fichiers ou de dossiers, cliquez sur le premier puis, la touche Majuscule enfoncée, cliquez sur le dernier. Ces deux éléments ainsi que tous ceux qui se trouvent entre sont sélectionnés (en surbrillance, dans le jargon informatique).

Windows 8 permet aussi de sélectionner des fichiers et des dossiers avec le lasso. Cliquez à proximité d'un fichier ou d'un dossier à sélectionner puis, bouton de la souris enfoncé, tirez un contour englobant les fichiers et/ou dossiers à sélectionner. Un rectangle coloré montre l'aire de sélection. Relâchez le bouton de la souris. Le lasso disparaît, mais les fichiers englobés restent sélectionnés.

- Il est possible de glisser et déposer de gros ensembles de fichiers aussi facilement que vous en déplacez un seul.
- Vous pouvez simultanément couper, copier ou coller ces gros ensembles à n'importe quel autre emplacement, par n'importe laquelle des techniques décrites dans la section « Copier ou déplacer des fichiers et des dossiers », plus loin dans ce chapitre.
- Ces gros ensembles de fichiers et de dossiers peuvent être supprimés d'un seul appui sur la touche Suppr.

- Pour sélectionner simultanément tous les fichiers et sous-dossiers, choisissez Sélectionner tout, dans le menu Édition du dossier. Pas de menu ? Appuyez sur Ctrl+A. Voici une autre manip sympa : pour tout sélectionner sauf quelques éléments, appuyez sur Ctrl+A puis, touche Ctrl enfoncée, cliquez sur les éléments à ne pas prendre en compte.

Se débarrasser d'un fichier ou d'un dossier

Tôt ou tard, vous vous débarrasserez de fichiers ou de dossiers – lettres d'amours défuntes ou photos embarrassantes... – qui n'ont plus de raisons d'exister. Pour supprimer un fichier ou un dossier, cliquez sur leur nom du bouton droit et choisissez Supprimer, dans le menu contextuel. Cette manipulation des plus simples fonctionne pour presque n'importe quoi dans Windows : fichiers, dossiers, raccourcis...

Pour supprimer en un clin d'œil, cliquez sur l'élément en question et appuyez sur la touche Suppr. Le glisser et le déposer dans la Corbeille produit le même effet.

L'option Supprimer supprime la totalité d'un dossier, y compris tous les fichiers et sous-dossiers qui s'y trouvent. Assurez-vous d'avoir choisi le véritable dossier à jeter avant d'appuyer sur Suppr.

- Après avoir choisi Supprimer, Windows demande confirmation. Si vous êtes sûr, cliquez sur Oui. Si vous êtes lassé de cette sempiternelle question, cliquez du bouton droit sur la Corbeille, choisissez Propriétés puis décochez la case Afficher la demande de confirmation de la suppression. Windows supprime désormais les dossiers et les fichiers sans autre forme de procès.

- Assurez-vous plutôt deux fois qu'une de ce que vous faites lorsque vous supprimez une icône arborant une petite roue dentée. Ces fichiers sont généralement des fichiers techniques sensibles, cachés, que vous n'êtes pas censé bidouiller.

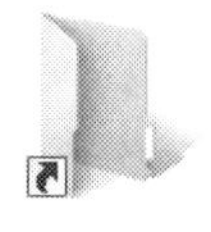

- Les icônes avec une petite flèche dans un coin sont des raccourcis, autrement dit des boutons qui se contentent de pointer vers des fichiers à ouvrir. Les supprimer n'élimine en aucun cas le fichier ou le programme visé.
- Maintenant que vous savez supprimer des fichiers, assurez-vous d'avoir lu le Chapitre 3 qui explique différentes manières de les récupérer au besoin. Un conseil en cas d'urgence : ouvrez la Corbeille, cliquez du bouton droit sur le fichier et choisissez Restaurer (c'est ça, la restauration rapide...).

Inutile de lire cette littérature à risque

Vous n'êtes pas le seul à créer des fichiers dans l'ordinateur. Les programmes stockent souvent des informations – la configuration de l'ordinateur, par exemple – dans un fichier de données qu'ils créent automatiquement. Pour éviter qu'un utilisateur les considère comme des éléments inutiles et les détruise, Windows ne les affiche pas.

Mais si cela vous intéresse, vous pouvez afficher les dossiers et fichiers cachés en procédant ainsi :

1. **Ouvrez un dossier, cliquez sur l'onglet Affichage.**

   Le ruban propose les diverses manières d'afficher le contenu du dossier

2. **Cliquez sur la case Éléments masqués.**

   Si cette commande n'est pas visible, élargissez la fenêtre jusqu'à ce qu'elle apparaisse.

Les fichiers cachés apparaissent maintenant parmi les autres. Veillez à ne pas les supprimer car le programme auquel ils appartiennent aurait un comportement inattendu et Windows lui-même pourrait être endommagé. Je vous conseille vivement de ne pas activer cette commande. Les fichiers sensibles resteront ainsi prudemment invisibles.

Copier ou déplacer des fichiers et des dossiers

Pour copier ou déplacer des fichiers vers d'autres dossiers du disque dur, il est parfois plus facile d'effectuer un glisser-déposer avec la souris. Par exemple, voici comment déplacer le fichier Voyageur du dossier Maison vers le dossier Maroc.

1. **Juxtaposez les deux fenêtres.**

   Comme expliqué au Chapitre 4, cliquez sur une fenêtre puis, touche Windows enfoncée, appuyez sur la touche Fléchée Gauche. Cliquez ensuite sur l'autre fenêtre puis, pour qu'elle remplisse l'autre moitié de l'écran, appuyez sur la touche fléchée Droite.

2. **Amenez le pointeur de la souris jusque sur le dossier ou le fichier à déplacer.**

   Il s'agit en l'occurrence du fichier Voyageur.

3. **Le bouton droit de la souris enfoncé, déplacez l'élément jusqu'à ce qu'il se trouve sur le dossier de destination.**

   Comme le révèle la Figure 5.9, le fichier Voyageur est glissé du dossier Maison jusque dans le dossier Maroc. Le fichier suit le pointeur de la souris, tandis que Windows indique dans une info-bulle que vous déplacez un fichier. Veillez à ce que le bouton droit reste enfoncé pendant toute la manœuvre.

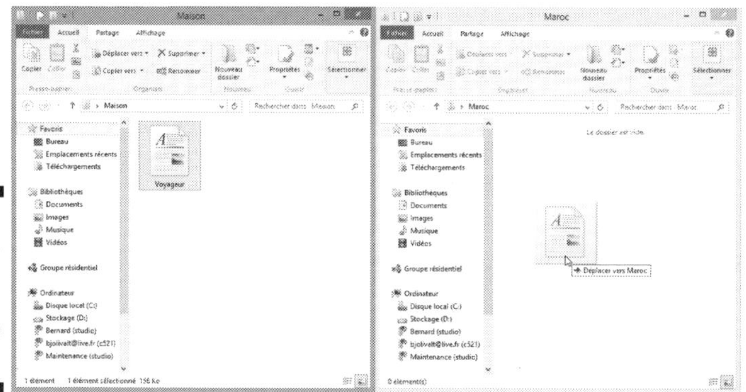

Figure 5.9 : Faites glisser un fichier ou un dossier d'une fenêtre à une autre.

Tirez toujours l'icône avec le bouton droit de la souris. Windows présentera ainsi un menu contextuel proposant des options lorsque vous positionnez l'icône, et vous pouvez choisir de copier, déplacer ou créer un raccourci. Lorsque vous utilisez le bouton gauche, Windows ne sait pas forcément si vous désirez copier ou déplacer.

4. **Relâchez le bouton de la souris et, dans le menu, choisissez Copier ici, Déplacer ici ou Créer les raccourcis ici.**

Si le glisser-déposer prend trop de temps, Windows propose quelques autres manières de copier ou déplacer des fichiers. Certains des outils qui suivent seront plus ou moins appropriés selon l'arrangement de l'écran :

- **Les menus contextuels :** cliquez du bouton droit sur un fichier ou sur un dossier et choisissez Couper ou Copier. Cliquez ensuite du bouton droit dans le dossier de destination et choisissez Coller. C'est simple, ça fonctionne à tous les coups et il n'est pas nécessaire d'afficher deux fenêtres à l'écran.
- **Les commandes du ruban :** dans l'Explorateur de fichier, cliquez sur le dossier ou sur le fichier. Cliquez ensuite sur l'onglet Accueil, sur le ruban, et choisissez Copier vers ou Déplacer vers.

Un menu se déploie, proposant des dossiers de destination. Celui que vous désirez utiliser ne s'y trouve pas ? Cliquez sur Choisir un emplacement, puis parcourez les sous-dossiers jusqu'à celui qui vous convient. Cliquez ensuite sur le bouton Copier ou Déplacer. Cela vous semble bien compliqué ? Certes, mais cette technique est pratique quand vous ne savez pas exactement où se trouve le dossier de destination.

Le ruban de Windows 8 est décrit au Chapitre 4.

- **Le Volet de navigation :** décrit à la section « Le Volet de navigation », au Chapitre 4, Ce volet contient la liste des emplacements les plus usités, comme les bibliothèques, les dossiers, les lecteurs et les dossiers favoris, ce qui permet d'y déposer facilement des fichiers, sans la corvée de devoir ouvrir le dossier de destination.

Quand vous avez installé un programme dans votre ordinateur, ne déplacez jamais le dossier dans lequel il se trouve. Un programme est toujours intimement lié à Windows. Si vous déplaciez son dossier, toutes les relations qu'il entretient avec Windows seraient rompues, vous obligeant à le réinstaller (sans parler de la pagaille que le programme déplacé risque d'avoir laissée derrière lui). En revanche, les raccourcis des programmes peuvent être librement déplacés.

Obtenir plus d'informations sur les fichiers et les dossiers

Chaque fois que vous créez un fichier ou un dossier, Windows 8 révèle des informations le concernant : la date de création, sa taille, et autres renseignements plus banaux. Parfois, il vous permet même d'ajouter vos propres informations : des paroles ou une critique d'un morceau de musique, ou la miniature de chacune de vos photos.

Vous pouvez parfaitement ignorer toutes ces informations, mais parfois, elles vous permettront de résoudre un problème.

Pour les découvrir, cliquez du bouton droit sur un fichier ou un dossier et, dans le menu, choisissez Propriétés. Par exemple, les propriétés d'un morceau de Leonard Cohen révèlent une quantité d'informations, comme le montre la Figure 5.10. Voici la signification de chaque onglet :

- **Général :** ce premier onglet (à gauche dans la Figure 5.10) indique le type du fichier, un fichier MP3 du morceau *Seems So Long Ago, Nancy* en l'occurrence, sa taille (3,34 Mo) le pro-

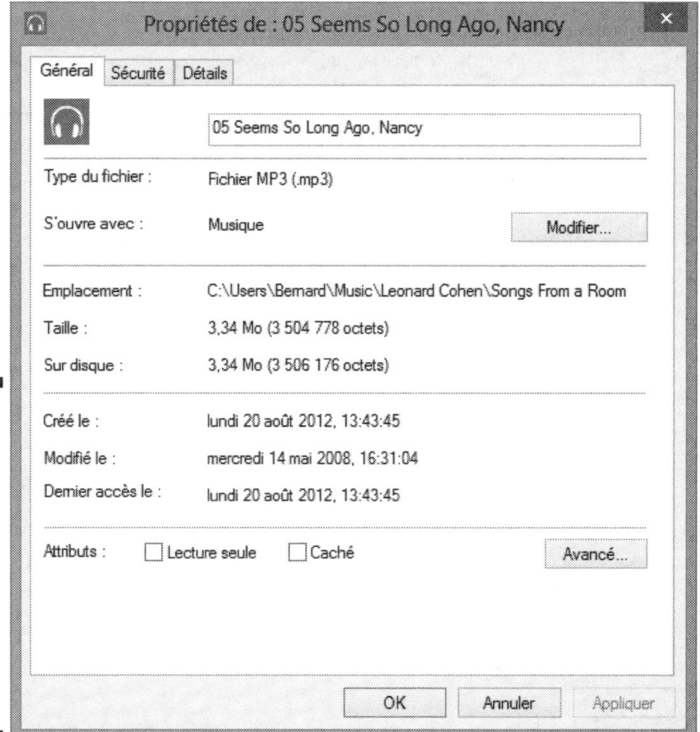

Figure 5.10 : Les propriétés d'un fichier indiquent le programme qui l'ouvre automatiquement, la taille du fichier ainsi que d'autres informations.

gramme qui l'ouvre (l'application Musique, dans l'écran d'accueil) et l'emplacement du fichier audio.

Vous voudriez qu'un autre programme ouvre le fichier ? Cliquez du bouton droit sur le fichier, choisissez Propriétés et, sous l'onglet Général, cliquez sur le bouton Modifier. Sélectionnez ensuite votre programme préféré dans la liste.

- **Sécurité :** sous cet onglet, vous contrôlez les autorisations, c'est-à-dire qui a le droit d'accéder au fichier et ce qu'il peut faire avec, des détails qui ne deviennent une corvée que lorsque Windows 8 empêche l'un de vos amis – ou même vous – d'ouvrir un fichier. Si ce problème s'avère ardu, copiez le dossier dans un emplacement public, comme expliqué au Chapitre 11. C'est un espace d'accès libre, où tout le monde peut accéder au fichier.
- **Détails :** cet onglet révèle des informations supplémentaires concernant un fichier. Si c'est celui d'une photo numérique,

cet onglet contient les métadonnées EXIF (*Exchangeable Image File Format,* format de fichier d'image échangeable) : marque et modèle de l'appareil photo, diaphragme, focale utilisée et autres valeurs que les photographes apprécient. Pour un morceau de musique, cet onglet affiche son identifiant ID3 (*Identify MP3*) : artiste, titre de l'album, année, numéro de la piste, genre, durée et autres informations.

Normalement, tous ces détails restent cachés à moins de cliquer du bouton droit sur un fichier et de choisir Propriétés. Mais un dossier peut fournir simultanément des détails de la totalité des fichiers, ce qui est commode pour des recherches rapides. Voici comment procéder :

1. **Dans le ruban, cliquez sur l'onglet Affichage.**

   Les commandes du ruban indiquent les diverses manières d'afficher le contenu du dossier.

2. **Dans le groupe Disposition, cliquez sur l'option Détails, comme le montre la Figure 5.11.**

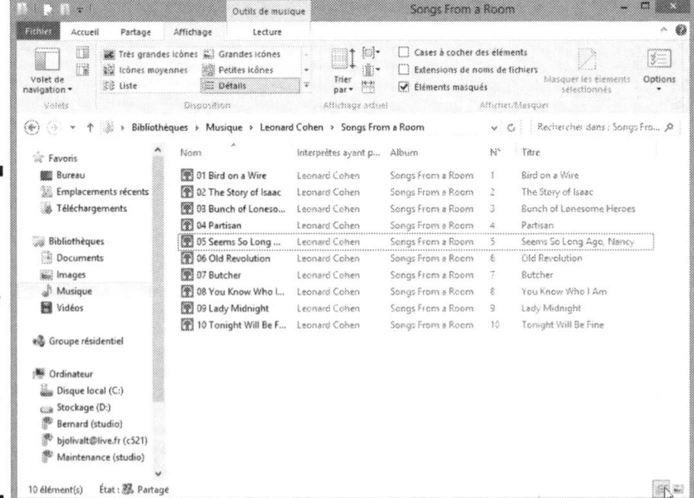

Figure 5.11 : Pour obtenir des informations détaillées sur les fichiers, vous pouvez aussi cliquer sur le bouton en bas à droite de la fenêtre.

   Les fichiers sont affichés dans une liste à colonnes. Chaque colonne indique une caractéristique de ces fichiers.

Essayez toutes les vues du groupe Disposition. Windows 8 mémorise celles que vous préférez pour chacun des types de dossiers.

- Si vous ne vous souvenez plus de la fonction d'un bouton de la barre de commandes, immobilisez le pointeur de la souris dessus. Windows 8 affiche alors une info-bulle expliquant succinctement à quoi il sert.
- Bien que les informations supplémentaires puissent être appréciables, elles occupent de la place au détriment du nombre de fichiers affichés dans la fenêtre. N'afficher que le nom des fichiers est souvent une meilleure option. C'est seulement lorsque vous voudrez en savoir plus sur un fichier ou un dossier que vous essayerez l'astuce qui suit.

- Dans un dossier, les fichiers sont habituellement triés alphabétiquement. Pour les lister différemment, cliquez dans une partie vide du dossier et choisissez Trier par. Un menu déroulant propose de trier par nom, taille, type, *etc.* Cliquer sur le bouton Autres, en bas du menu, vous étonnera, car 250 autres manières de trier des fichiers sont proposées.

- Le tri peut être effectué sur chaque colonne. Cliquez sur l'en-tête Taille, par exemple, pour placer rapidement les fichiers les plus volumineux en haut de la liste. Cliquez sur Date de modification pour trier les fichiers selon la date de modification la plus récente (NdT : cliquer une seconde fois inverse l'ordre de tri).

Graver des CD et des DVD

La plupart des ordinateurs actuels savent graver des CD ou des DVD. Pour savoir si votre lecteur de CD est aussi un graveur, ôtez tout disque se trouvant dans le tiroir, ouvrez l'Explorateur de fichiers et cliquez sur Ordinateur, dans le volet de gauche. Examinez ensuite la mention sous l'icône du lecteur car elle indique ce qu'il est capable de faire :

- **Lecteur DVD-RW :** lecture et gravure des CD et des DVD.
- **Lecteur BD-ROM :** lecture et gravure des CD et des DVD, et lecture des disques Blu-ray.
- **Lecteur BD-RE :** lecture et gravure des CD, des DVD et des disques Blu-ray.

Si votre PC est équipé de deux lecteurs, de CD ou de DVD, indiquez à Windows 8 lequel sera utilisé pour la gravure. Pour ce faire, cliquez du bouton droit sur le lecteur, choisissez Propriété puis cliquez sur l'onglet Enregistrement. Choisissez ensuite votre lecteur favori à la partie supérieure.

Acheter des CD et DVD vierges pour la gravure

Il existe deux types de CD : les CD-R (comme *Recordable,* « enregistrable », en anglais) et CD-RW (comme *ReWritable,* « réinscriptible »). Voici la différence :

- **CD-R :** la plupart des gens achètent des CD-R car ils sont bon marché et sont parfaits pour stocker de la musique ou des fichiers. Vous pouvez graver les données jusqu'à ce qu'ils soient pleins, mais c'est tout. Il est impossible de modifier le contenu. Ce n'est pas un problème car ceux qui utilisent ce support ne veulent pas que leurs CD risquent d'être effacés. Ils sont aussi utilisés pour les sauvegardes.

- **CD-RW :** les CD réinscriptibles servent notamment à faire des sauvegardes temporaires. Vous pouvez les graver tout comme un CD-R, à la différence près que le CD-RW peut être entièrement effacé – l'effacement partiel est impossible – et réutilisé. Ce type de CD est cependant plus onéreux.

À l'instar des CD, les DVD existent eux aussi en versions enregistrable et réinscriptible. Hormis cela, c'est la pagaille : les fabricants multiplient les formats, semant la confusion parmi les consommateurs. Avant d'acheter des DVD vierges, vérifiez les formats acceptés par votre lecteur : DVD-R, DVD-RW, DVD+R, DVD+RW et/ou DVD-RAM. La plupart des lecteurs récents reconnaissent les quatre premiers formats, ce qui facilite votre choix.

- La vitesse de rotation du disque, indiquée par l'opérateur × (comme dans 8×, 40×...) indique la rapidité de la gravure : généralement 52× pour un CD et 16× pour un DVD.

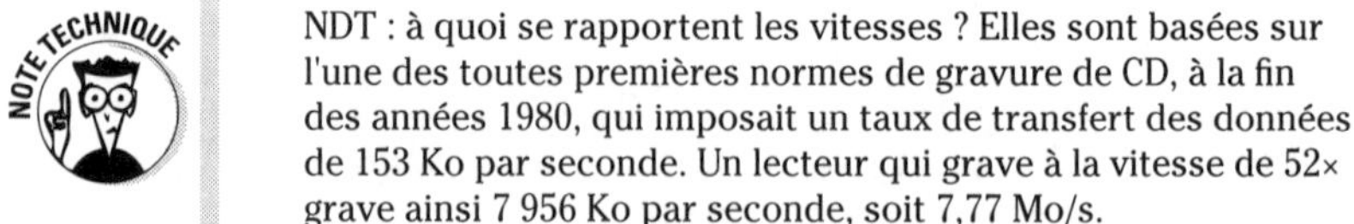

  NDT : à quoi se rapportent les vitesses ? Elles sont basées sur l'une des toutes premières normes de gravure de CD, à la fin des années 1980, qui imposait un taux de transfert des données de 153 Ko par seconde. Un lecteur qui grave à la vitesse de 52× grave ainsi 7 956 Ko par seconde, soit 7,77 Mo/s.

- Les CD vierges sont bon marché. Pour un essai, demandez-en un à un ami : si la gravure s'effectue sans problème, achetez-en d'autres du même type. En revanche, les DVD vierges étant plus chers, il vous sera plus difficile d'en obtenir un pour un test.

- Bien que Windows 8 gère parfaitement les tâches de gravure de CD simples, il est extraordinairement compliqué lorsqu'il s'agit de copier des CD. La plupart des utilisateurs renoncent rapidement et préfèrent s'en remettre à des logiciels de gravure tiers. Nous y reviendrons au Chapitre 13.

- La copie des CD audio et des DVD est soumise aux lois protégeant le droit d'auteur. Windows 8 est incapable de copier des DVD, mais certains logiciels permettent de le faire.

Copier des fichiers depuis ou vers un CD ou un DVD

Il fut un temps ou CD et DVD étaient à l'image de la simplicité : il suffisait de les introduire dans un lecteur de salon pour les lire. Mais, dès lors que ces disques ont investi les ordinateurs, tout se compliqua. À présent, lorsque vous gravez un CD ou DVD, vous devez indiquer au PC ce que vous copiez et comment vous comptez le lire : sur un lecteur de CD audio ? Sur un lecteur de DVD ? Ou ne s'agit-il que de fichiers informatiques ? Si vous avez mal choisi, le disque ne sera pas lisible.

Voici les règles régissant la création d'un disque :

- **Musique :** reportez-vous au Chapitre 13 pour savoir comment créer un CD lisible par une chaîne stéréo ou un autoradio. Vous utiliserez le Lecteur Windows Media pour graver un CD audio.

- **Diaporamas :** le programme DVD Maker fourni avec Windows Vista et Windows 7 n'est plus livré avec Windows 8. Pour créer des diaporamas, vous devrez utiliser un logiciel tiers.

Mais il en va différemment si vous désirez seulement copier des fichiers informatiques sur un CD ou un DVD, à des fins de sauvegarde ou pour les envoyer à quelqu'un.

Suivez ces étapes pour graver des fichiers sur un CD ou un DVD vierge (si vous ajoutez les données à un disque qui en contient déjà, passez à l'Étape 4).

1. **Insérez le disque vierge dans le graveur. Cliquez ensuite sur la notification qui apparaît en haut à droite de l'écran.**

2. **Dans le menu qui apparaît, cliquez sur l'option Graver les fichiers sur un disque.**

   Windows 8 affiche une boîte de dialogue Graver un disque.

3. **Dans le champ Titre du disque, nommez le CD ou le DVD, puis cliquez sur Suivant.**

Le nom ne peut pas excéder 16 caractères, ce qui vous oblige à être concis. Vous pouvez aussi conserver le titre par défaut, c'est-à-dire la date d'aujourd'hui.

Windows 8 propose deux options de gravure :

- **Comme un lecteur flash USB :** un lecteur flash USB est tout simplement une clé USB. Cette option permet de graver des fichiers plusieurs fois. C'est un moyen commode pour stocker des fichiers au fur et à mesure. Le CD ainsi créé n'est malheureusement pas compatible avec certains lecteurs de salon connectés à une chaîne stéréo ou à un téléviseur.
- **Avec un lecteur de CD/DVD :** si vous avez l'intention de lire le CD avec un lecteur de salon assez récent et donc capable de lire des fichiers enregistrés dans divers formats, sélectionnez cette option.

Après avoir entré un nom, Windows 8 se prépare à recevoir les fichiers qu'il devra graver. Pour le moment, la fenêtre du disque est vide.

4. **Indiquez à Windows 8 les fichiers qu'il doit graver.**

Le disque étant prêt à recevoir des données, il indique à Windows 8 où il les trouvera. Vous pouvez le faire de diverses manières :

- Cliquez du bouton droit sur l'élément à copier, qu'il s'agisse d'un seul fichier, d'un dossier, ou d'un ensemble de fichiers et de dossiers sélectionnés. Dans le menu contextuel qui apparaît, choisissez Envoyer vers puis sélectionnez le graveur.
- Faites glisser les fichiers et/ou les dossiers et déposez-les sur la fenêtre du graveur, ou sur l'icône du graveur, dans la fenêtre de l'Explorateur de fichiers.
- Dans le dossier Ma musique, Mes images ou Mes documents, cliquez sur l'onglet Partage puis cliquez sur l'option Graver sur disque. Tous les fichiers du dossier, ou uniquement ceux vous avez préalablement sélectionnés, sont copiés sur le disque.
- Demandez au logiciel que vous utilisez actuellement d'enregistrer le fichier sur le disque compact plutôt que sur le disque dur.

Quelle que soit la technique choisie, Windows 8 examine scrupuleusement les données puis les grave sur le disque.

5. **Fermez la session de gravure en éjectant le disque.**

Quand vous avez fini de copier des fichiers sur un disque, indiquez-le à Windows 8 en appuyant sur le bouton d'éjection du disque, ou cliquez du bouton droit sur l'icône du lecteur, dans l'Explorateur de fichiers, et choisissez Ejecter. Windows 8 ferme la session en veillant à ce que le disque soit lisible par d'autres ordinateurs.

Par la suite, vous pouvez graver d'autres fichiers sur le même disque jusqu'à ce que Windows vous informe qu'il est plein. Vous devrez alors mettre fin à la gravure, comme à l'Étape 4 précédemment, insérer un disque vierge puis tout recommencer à partir de l'Étape 1.

Si vous tentez de copier un ensemble de fichiers plus volumineux que ce que peut héberger le disque, Windows 8 le signale aussitôt. Réduisez le nombre de fichiers à copier sur un disque en les répartissant sur plusieurs.

La plupart des programmes permettent d'enregistrer directement sur un CD. Cliquez sur l'onglet Fichier, puis cliquez sur Enregistrer et sélectionnez le graveur. Insérez un disque dans le lecteur – de préférence pas trop plein – pour démarrer le processus.

Dupliquer un CD ou un DVD

Windows 8 ne possède pas de commande de duplication de disque compact. Il n'est pas même capable de copier un CD audio, ce qui explique pourquoi les gens achètent un logiciel de gravure.

Il est cependant possible de copier tous les fichiers d'un CD ou d'un DVD dans un disque vierge en procédant en deux étapes :

1. **Copiez les fichiers et dossiers du CD ou du DVD dans un dossier de votre PC.**
2. **Copiez le contenu de ce dossier sur un CD ou un DVD vierge.**

Vous obtenez ainsi une copie du CD ou du DVD, commode lorsque vous tenez à conserver deux sauvegardes essentielles.

Ce procédé ne fonctionne pas avec un CD audio ou un film sur DVD (j'ai essayé). Seuls les disques contenant des programmes ou des données informatiques peuvent être dupliqués.

Disquettes et cartes mémoire

Les possesseurs d'appareil photo numérique connaissent bien les cartes mémoire, ces petites plaquettes en plastique qui remplacent la pellicule. Windows 8 est capable de lire les photos numériques directement sur l'appareil, pour peu qu'il soit connecté à l'ordinateur. Mais il est aussi capable de lire les cartes mémoire, une technique prisée par tous ceux qui préfèrent ménager la batterie de leur appareil photo, car il doit rester allumé pendant toute la procédure de transfert.

Mais pour cela, le PC doit être équipé d'un lecteur de cartes mémoire, à moins que vous connectiez un lecteur de cartes mémoire externe acceptant les formats les plus répandus : SD-HC (*Secure Digital High-Capacity*), CF (*Compact Flash*), Memory Stick, et d'autres encore.

Un lecteur de cartes mémoire est d'une agréable convivialité : après avoir inséré la carte, vous pouvez ouvrir son dossier dans le PC et voir les miniatures des photos qui s'y trouvent. Toutes les opérations de glisser-déposer, copier-coller et autre manipulations décrites précédemment dans ce chapitre sont applicables. Vous déplacez et organisez vos photos intuitivement.

Les clés USB sont reconnues par Windows 8 de la même manière que les lecteurs de cartes mémoire : insérez-la dans un port USB et elle apparaît dans le dossier Ordinateur sous la forme d'une icône, prête à être ouverte d'un double-clic.

- Formater une carte mémoire efface irrémédiablement toutes les photos et autres données qui s'y trouvent. Ne formatez jamais une carte mémoire sans avoir préalablement vérifié ce qu'elle contient (NdT : en règle générale, vous ne devez jamais formater une carte mémoire avec l'ordinateur, mais seulement avec la commande de formatage de l'appareil photo lui-même).
- La procédure, maintenant : si Windows se plaint de ce qu'une carte nouvellement insérée n'est pas formatée – un problème qui affecte surtout les cartes ou disquettes endommagées –, cliquez du bouton droit sur son lecteur et choisissez Formater. Parfois, le formatage permet d'utiliser la carte avec un autre appareil que celui pour lequel vous l'aviez achetée : un lecteur MP3 acceptera par exemple celle que l'appareil photo refuse.

SkyDrive : L'informatique dans le nuage

Le stockage des fichiers dans l'ordinateur est parfait tant que vous êtes chez vous ou au bureau. Si vous devez emporter des fichiers, vous pouvez les copier dans une clé USB, ou dans un disque dur externe, voire les graver sur un CD ou un DVD. Encore faut-il ne pas les oublier sur place.

Pour éviter ce risque, il existe une solution beaucoup plus commode et élégante : le stockage distant avec SkyDrive. Ce service tout nouveau que propose Microsoft est aussi appelé « informatique dématérialisée » ou, pour les plus romantiques d'entre vous, « informatique dans le nuage ».

L'écran d'accueil de Windows 8 contient une application SkyDrive, mais pour l'utiliser, vous devez disposer des éléments suivants :

- **Un compte Microsoft Live :** il est indispensable pour placer des fichiers sur SkyDrive et les récupérer. Il est possible que vous en ayez créé un lorsque vous avez créé un compte pour votre ordinateur tournant sous Windows 8 (les comptes Microsoft sont expliqués au Chapitre 2).
- **Une connexion Internet :** c'est par l'Internet que s'effectuent les transferts de fichiers. Vous pouvez les récupérer avec un autre équipement (ordinateur, tablette, smartphone...) que le vôtre, et depuis n'importe où dans le monde.
- **De la patience :** l'envoi des fichiers vers SkyDrive est toujours plus long que leur récupération. Le transfert des fichiers très volumineux peuvent exiger plusieurs minutes.

Pour certaines personnes, SkyDrive est plus sûr et commode car elles peuvent toujours accéder à leurs fichiers les plus importants. C'est aussi un moyen de mettre ces fichiers hors de portée des autres personnes. Si SkyDrive ne vous tente pas, vous pouvez toujours copier vos fichiers dans une clé USB que vous emporterez avec vous.

Gérer les fichiers avec l'application SkyDrive

Procédez comme suit pour placer des fichiers dans SkyDrive, les visionner ou les récupérer :

1. **Dans l'écran d'accueil, cliquez sur l'application SkyDrive.**

   Lorsque vous ouvrez l'application SkyDrive (voir Figure 5.12), elle peut réagir de différentes manières :

   - Si vous n'avez jamais utilisé SkyDrive, l'application est vide. Tant que vous n'avez rien téléchargé, il n'y a quasiment rien à voir.

Figure 5.12 : L'application SkyDrive sert à placer des fichiers dans un espace appartenant à Microsoft et à les récupérer.

- Si la connexion Internet est active, l'application apparaît à l'écran.
- Si des fichiers se trouvent dans SkyDrive, vous les apercevez comme s'ils étaient dans un classique dossier.
- Si Windows vous demande d'ouvrir un compte Microsoft, reportez-vous au Chapitre 2 où la procédure est expliquée.

2. **Pour copier des fichiers de l'ordinateur vers SkyDrive, cliquez sur le bouton Télécharger puis localisez les fichiers dans votre ordinateur.**

Pour placer des fichiers dans SkyDrive, cliquez du bouton droit sur le fond d'écran de SkyDrive. Dans la barre qui apparaît en bas de l'écran, cliquez sur l'icône Télécharger. Le sélecteur de fichiers de l'écran d'accueil apparaît (voir Figure 5.13).

Cliquez sur un fichier pour voir son contenu. Pour passer à d'autres dossiers, cliquez sur le bouton Monter (cliquez plusieurs fois dessus et vous trouvez à l'une des quatre racines de l'arborescence : Bibliothèques, Groupe résidentiel, votre dossier d'utilisateur, ou Ordinateur). À partir de là, vous pouvez redescendre vers n'importe quel autre dossier.

Arrivé au dossier recherché, cliquez dessus pour l'ouvrir et voir les fichiers qu'il contient.

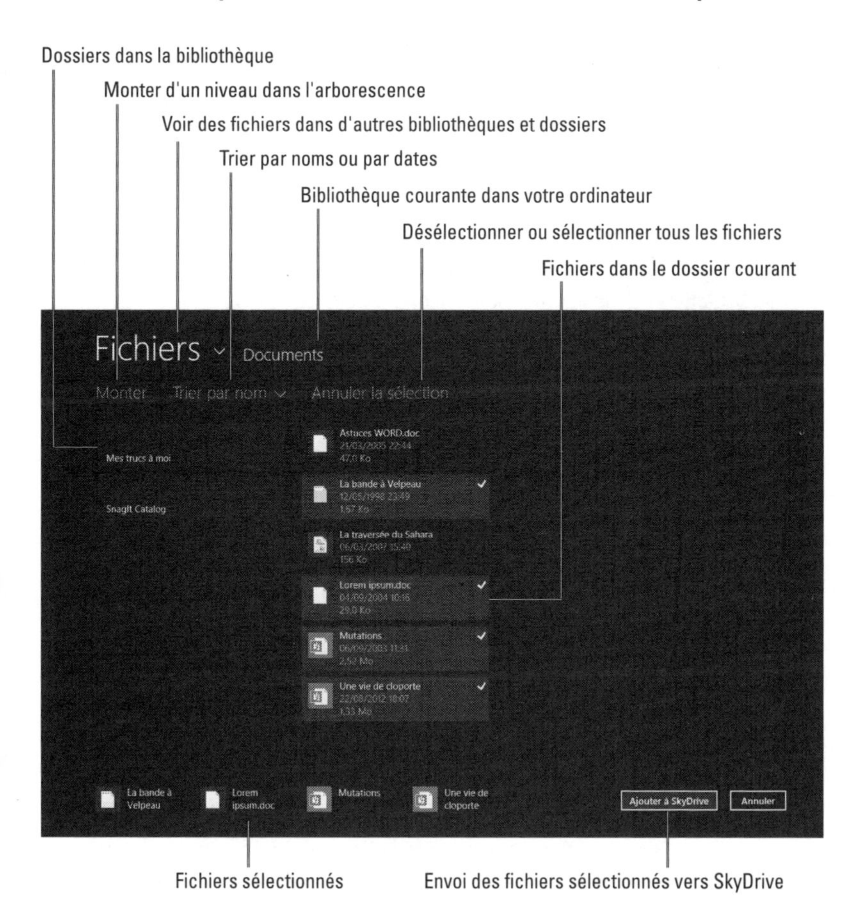

Figure 5.13 : Cliquez sur les fichiers à envoyer vers SkyDrive.

3. **Choisissez les fichiers à télécharger vers SkyDrive.**

   Cliquez sur les fichiers à envoyer. Si vous en avez sélectionné un par mégarde, cliquez de nouveau dessus pour le désélectionner. Chaque fois que vous sélectionnez un fichier, son nom apparaît en bas de l'écran, comma à la Figure 5.13.

   Passez à un autre dossier et ajoutez d'autres fichiers. Ils seront eux aussi ajoutés à la liste en bas de l'écran.

   L'application ne permet de transférer que des fichiers, pas des dossiers. Il est en revanche possible de créer des dossiers directement dans SkyDrive.

4. **Cliquez sur le bouton Ajouter à SkyDrive.**

   Les fichiers sélectionnés sont téléchargés vers SkyDrive. Les documents sont assez rapidement copiés, mais cela peut être beaucoup plus long pour les photos, les vidéos et les morceaux de musique.

Il est assez facile d'ouvrir des fichiers stockés sur SkyDrive, mais vous disposez de peu d'options. Pour en avoir davantage, allez sur SkyDrive en utilisant un navigateur Internet depuis le Bureau de Windows, une tâche décrite à la prochaine section.

- Pour ouvrir un fichier depuis l'application SkyDrive, cliquez dessus.

- Pour copier un fichier de SkyDrive vers l'ordinateur, cliquez dessus du bouton droit puis, dans la barre qui apparaît en bas de l'écran, cliquez sur l'icône Télécharger. Choisissez ensuite le dossier de destination, sur votre ordinateur.

- Pour supprimer un fichier depuis l'application SkyDrive, cliquez dessus du bouton droit. Dans la barre qui apparaît en bas de l'écran, cliquez sur l'icône Supprimer, puis confirmez la suppression.

Accéder à SkyDrive depuis le Bureau

Si l'application SkyDrive de l'écran d'accueil vous semble trop rudimentaire, allez sur le Bureau de Windows puis sur le site `https://skydrive.live.com`.

Cette version du site, que montre la Figure 5.14, offre une plus grande souplesse pour échanger des fichiers entre l'ordinateur et le nuage. Depuis le site, vous pouvez ajouter, déplacer, renommer et supprimer des fichiers, et aussi créer des dossiers et déplacer des fichiers d'un dossier à un autre.

Pour plus d'efficacité, utilisez le site SkyDrive pour télécharger et répartir les fichiers, et utilisez l'application SkyDrive de l'écran d'accueil pour accéder à tel ou tel fichier dont vous avez besoin.

Pour un contrôle accru sur vos fichiers, téléchargez le programme SkyDrive pour Windows à partir du site `http://apps.live.com/skydrive`. Il crée un dossier spécial dans l'ordinateur qui reproduit exactement ce qui est stocké dans SkyDrive. Ceci facilite considérablement l'utilisation du nuage. Chaque fois que vous modifiez le contenu de ce dossier spécial, Windows met automatiquement SkyDrive à jour.

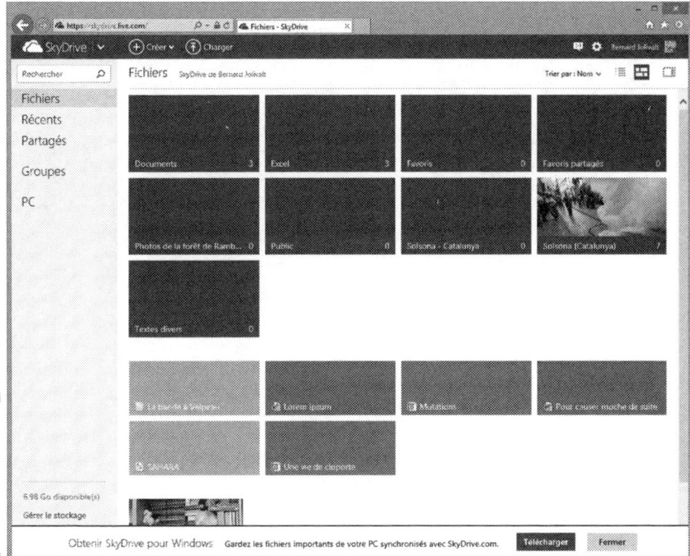

Figure 5.14 : Le site SkyDrive est plus convivial que l'application.

Deuxième partie

Les éléments de Windows 8 que vous êtes censé utiliser

Dans cette partie...

Nous avons vu dans la première partie de ce livre comment utiliser Windows 8 avec la souris, le clavier et même du bout des doigts.

Dans cette deuxième partie du livre, nous passons aux choses sérieuses : démarrer une application depuis l'écran d'accueil ou un programme depuis le Bureau, ouvrir un fichier déjà existant, créer des fichiers et les enregistrer, puis imprimer votre production.

Vous découvrirez aussi ces manipulations simples mais essentielles que sont le copier-coller, autrement dit la possibilité de copier des données dans une fenêtre pour les coller dans une autre.

Et si d'aventure vous ne parvenez plus à localiser vos fichiers parmi vos innombrables dossiers, vous apprendrez au Chapitre 7 comment les retrouver et faire en sorte qu'ils ne vous échappent plus.

Chapitre 6

Programmes, applications et documents

Dans ce chapitre :

- Ouvrir un programme ou un document.
- Changer le programme qui ouvre un document.
- Installer et désinstaller les applications, et les mettre à jour.
- Créer un raccourci.
- Couper ou copier, et coller.

Dans Windows, les *programmes* et les *applications* sont vos outils. Ils vous permettent de calculer, d'écrire et d'abattre des vaisseaux spatiaux.

Les *documents,* par contre, sont ce que vous créez à l'aide des applications et des programmes : une feuille de calcul révélant que vous vivez au-dessus de vos moyens, une lettre à l'eau de rose, les scores de vos jeux.

Ce chapitre commence par les bases : ouvrir des programmes et des applications à partir de l'écran d'accueil de Windows 8 et aussi comment trouver et télécharger des applications depuis l'application Windows Store. Vous découvrirez aussi où trouver les menus des applications, car Microsoft les a bien planqués.

Au fil des pages, vous découvrirez comment faire pour que ce soit votre programme préféré qui ouvre tel ou type de fichier, ce qui évite d'aller dans l'écran d'accueil pour le démarrer.

Ce chapitre se termine par quelques considérations essentielles sur l'art de couper, copier et coller, des opérations indispensables dans l'univers de Windows.

Démarrer un programme ou une application

Dans Windows 8, le bouton Démarrer des versions précédentes a disparu du coin inférieur gauche. En fait, Microsoft préfère dire qu'il a *étendu* ce bouton pour en faire une interface plein écran à partir de laquelle vous démarrez vos programmes. Cette interface – l'écran d'accueil que montre la Figure 6.1 – est décrite en détail au Chapitre 2.

Figure 6.1 : Dans l'écran d'accueil, cliquez sur un programme à ouvrir.

Voici comment démarrer une application ou un programme :

1. **Allez dans l'écran d'accueil.**

   Vous y accédez des manières suivantes :

   - **Souris :** dirigez le pointeur de la souris jusque dans le coin inférieur gauche puis cliquez sur l'icône qui vient d'apparaître.
   - **Clavier :** appuyez sur la touche Windows.
   - **Écran tactile :** effleurez du bord droit de l'écran vers l'intérieur, puis touchez le bouton Accueil.

L'écran d'accueil apparaît avec ses nombreuses vignettes d'applications et de programmes.

2. **Cliquez sur l'application ou le programme à démarrer (ou touchez-le).**

   Le programme n'est pas visible ? Passez à l'étape suivante.

3. **Faites défiler l'écran horizontalement pour accéder aux autres vignettes.**

   L'écran d'accueil s'ouvre toujours sur les vignettes qui sont le plus à gauche. Pour vois celles qui s'étendent plus loin à droite – s'il y en a – actionnez le curseur de défilement en bas de l'écran.

   Si vous possédez un écran tactile, effleurez l'écran vers la gauche.

   Vous ne voyez toujours pas le programme ou l'application recherché ? Passez à l'étape suivante.

4. **Affichez la totalité de vos applications.**

   Sur l'écran d'accueil, les applications sont visibles en premier, suivies des programmes.

   Pour voir tous les programmes et applications, cliquez du bouton droit sur le fond d'écran puis cliquez sur le bouton Toutes les applications, en bas à droite. L'ensemble des applications est affiché par nom et par icônes, suivi par la liste alphabétique des programmes classés par catégories. Les programmes installés le plus récemment apparaissent toujours le plus à droite.

   Pour voir toutes les applications sur un écran tactile, effleurez depuis le bord supérieur puis touchez l'icône Toutes les applications.

Si vous n'arrivez toujours pas à trouver votre programme parmi les innombrables vignettes d'un écran d'accueil très encombré – il est vraiment devenu un « écran d'écueils » –, essayez l'une de ces techniques pour le dénicher :

- Dans l'écran d'accueil, tapez directement les premières lettres du nom du programme. Dès le premier caractère, Windows démarre une recherche commençant par cette lettre. Dès la deuxième ou troisième lettre, la liste de propositions devrait être suffisamment restreinte pour que vous trouviez facilement le programme en question. Double-cliquez dessus pour l'ouvrir.

- Dans le Bureau, ouvrez l'Explorateur de fichiers. Dans le volet de navigation, cliquez sur Documents puis double-cliquez sur le fichier à ouvrir. Le programme auquel il est associé est aussitôt ouvert et affiche le contenu du fichier (si le programme en question n'est pas celui que vous vouliez utiliser, vous apprendrez plus loin dans ce chapitre comment choisir le programme qui doit ouvrir un fichier).
- Double-cliquez sur un raccourci du programme. Cette fonctionnalité est expliquée plus loin dans ce chapitre, à la section « Prendre un raccourci ».
- L'icône de l'application se trouve peut-être dans la barre des tâches en bas de l'écran. Dans ce cas, cliquez dessus pour l'ouvrir.
- Cliquez du bouton droit sur le Bureau, choisissez Nouveau puis sélectionnez le type de document à créer. Windows 8 démarre le programme le plus approprié pour cette tâche.

Il existe d'autres moyens de démarrer un programme, mais ceux-ci sont les plus pratiques. L'écran d'accueil est décrit en détail au Chapitre 2.

Ouvrir un document

Windows 8 adore tout ce qui est normalisé. La preuve ? Tous les programmes chargent les documents – généralement appelés « fichiers » – et les ouvrent de la même manière :

1. **Cliquez sur l'option Fichier, dans la barre de menus située en haut du programme.**

   Si la barre de menus n'est pas visible, appuyez sur la touche Alt pour la faire apparaître.

   Toujours pas de barre de menu ? Dans ce cas, le programme est sans doute équipé d'un ruban. Dans ce cas, cliquez sur l'onglet Fichier, en haut à gauche du ruban, pour déployer ses options.

2. **Dans le menu Fichier, choisissez Ouvrir.**

   La boîte de dialogue Ouvrir, que montre la Figure 6.2, suscite une impression de déjà-vu, et pour cause : elle ressemble et se comporte comme le dossier Documents décrit au Chapitre 5.

   Il y a cependant une grande différence : cette fois, le dossier ne montre que les fichiers que le programme est capable d'ouvrir. Tous les autres ne sont pas affichés.

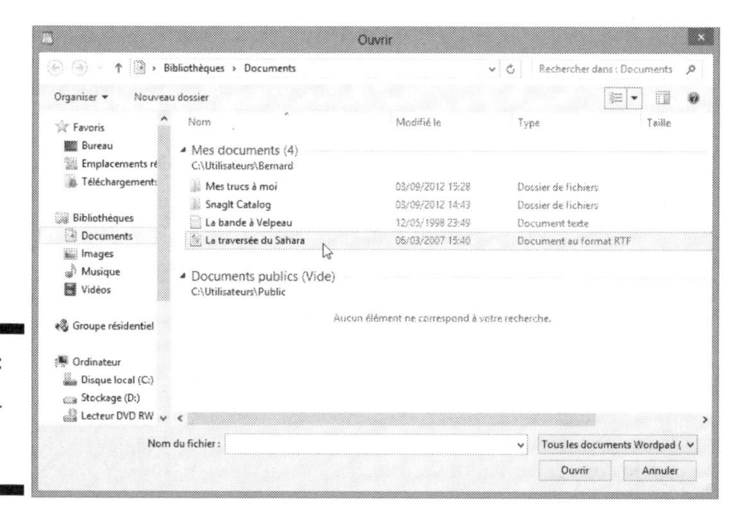

Figure 6.2 : Double-cliquez sur le fichier à ouvrir.

3. **Cliquez sur le document désiré puis cliquez sur le bouton Ouvrir.**

Avec un écran tactile, touchez le document pour l'ouvrir.

Le programme ouvre le fichier et affiche son contenu.

Cette technique d'ouverture d'un fichier fonctionne avec la plupart des programmes, qu'ils aient été édités par Microsoft, par un autre éditeur, ou programmés par le boutonneux féru d'informatique, en bas de la rue.

- Pour aller plus vite, double-cliquez sur le nom du fichier désiré. Il est aussitôt ouvert, la boîte de dialogue Ouvrir se fermant toute seule.
- Si le fichier désiré ne Figure pas dans la liste, commencez à parcourir le disque dur avec les boutons visibles à gauche, dans la Figure 6.2. Par exemple, cliquez sur la bibliothèque Documents, par exemple, pour voir les fichiers qui s'y trouvent.
- Les gens fourrent souvent leurs papiers, photos et CD dans des boîtes en carton, mais l'ordinateur, lui, stocke ses fichiers dans des petits compartiments dûment étiquetés, appelés « dossiers ». Double-cliquez sur l'un d'eux pour voir ce qu'il contient.
- Chaque fois que vous ouvrez un fichier et que vous le modifiez, même rien qu'en appuyant sur la barre Espace par mégarde, Windows 8 présume que vous aviez une bonne raison de le faire. C'est pourquoi, si vous tentez de fermer le fichier, il vous

demande s'il faut enregistrer la modification. Si vos modifications ont été faites à bon escient, cliquez sur Oui. Mais si vous y avez semé la pagaille ou ouvert un mauvais fichier, cliquez sur le bouton Non ou Annuler.

- Tous ces boutons et icônes en haut et à gauche de la boîte de dialogue Ouvrir vous intriguent ? Immobilisez la souris sur l'un d'eux et une info-bulle vous renseignera.

Quand les programmeurs se disputent les types de fichiers

Quand il s'agit de formats, c'est-à-dire la manière dont les données sont organisées dans les fichiers, les programmeurs ne se font pas de cadeaux. Pour s'accommoder de cette petite guerre, bon nombre de programmes sont dotés d'une fonction spéciale permettant d'enregistrer les fichiers dans différents formats.

Examinez l'une des zones de liste en bas à droite de la Figure 6.2. Elle mentionne actuellement Tous les documents Wordpad, autrement dit les fichiers dont l'extension – les quelques lettres après le nom – est `.rtf`, `.txt` ou `.wri`. Pour voir les fichiers enregistrés dans d'autres formats, cliquez sur ce bouton et choisissez l'un des autres formats proposés. La boîte de dialogue Ouvrir affiche aussitôt les seuls fichiers correspondant au nouveau format.

Comment afficher tous les fichiers, indépendamment de leur format ? Choisissez Tous les fichiers, dans la liste déroulante. Certes, tous sont maintenant visibles, mais cela ne signifie pas que le programme sera capable d'ouvrir n'importe lequel. Si le format est incompatible, il refusera d'ouvrir le fichier ou affichera n'importe quoi...

Par exemple, Wordpad peut afficher des noms de fichiers de photos numériques quand l'option Tous les documents est sélectionnée. Mais si vous tentez d'en ouvrir une, il l'affichera sous la forme de pages remplies de caractères spéciaux (si cette mésaventure vous arrive, abstenez-vous d'enregistrer le fichier car le document serait irrémédiablement inutilisable ; quittez aussitôt le programme en cliquant sur Annuler).

Enregistrer un document

Enregistrer signifie que vous inscrivez votre travail sur la surface magnétique d'un disque dur, d'une clé USB, ou tout autre support, afin de le conserver. Tant qu'un travail n'est pas enregistré, il réside dans la mémoire vive de l'ordinateur, qui est vidée dès que l'ordinateur est éteint. Vous devez spécifiquement demander à l'ordinateur d'enregistrer votre travail.

Fort heureusement, Microsoft a fait en sorte que la même commande Enregistrer apparaisse dans tous les programmes de Windows 8, et cela quel qu'en soit le programmeur ou l'éditeur. Voici plusieurs moyens d'enregistrer un fichier :

- Cliquez sur Fichier, dans la barre de menus, puis choisissez Enregistrer. Windows propose toujours de sauvegarder un document dans le dossier Documents. Acceptez ou choisissez un autre emplacement, comme le Bureau par exemple. Appuyer sur la touche F puis sur la touche S produit le même résultat.

- Cliquez sur l'icône Enregistrer.
- Appuyez sur Ctrl+S (ici le « S » est celui du mot anglais *Save,* « enregistrer »).

Quand vous enregistrez pour la première fois, Windows 8 demande d'indiquer le nom du fichier. Efforcez-vous d'être descriptif et de n'utiliser que des lettres, des chiffres et des espaces (NdT : tiret, apostrophe, parenthèses et caractères accentués ou à cédille et signe de soulignement sont admis). N'essayez pas d'utiliser un des caractères interdits, décrits au Chapitre 5, car Windows refuserait le nom.

- Choisissez toujours un nom descriptif, pour vos fichiers. Windows 8 autorise 255 caractères, c'est-à-dire plus qu'il n'en faut. Un fichier nommé *Rapport de l'Assemblée Générale de 2012* ou *Prévision des ventes* sera plus facile à retrouver qu'un fichier laconiquement nommé *Rapport* ou *Prévisions.*

- Vous pouvez enregistrer un fichier dans n'importe quel dossier, voire dans une carte mémoire et même sur un CD ou un DVD. Mais c'est en les enregistrant dans le dossier Documents, Images, Musique ou Vidéos que vous le retrouverez le plus facilement.
- La plupart des programmes peuvent enregistrer des fichiers directement sur un CD : choisissez Enregistrer, dans le menu Fichier puis, comme destination, sélectionnez le graveur de CD. Insérez un CD dans le lecteur, et c'est parti !

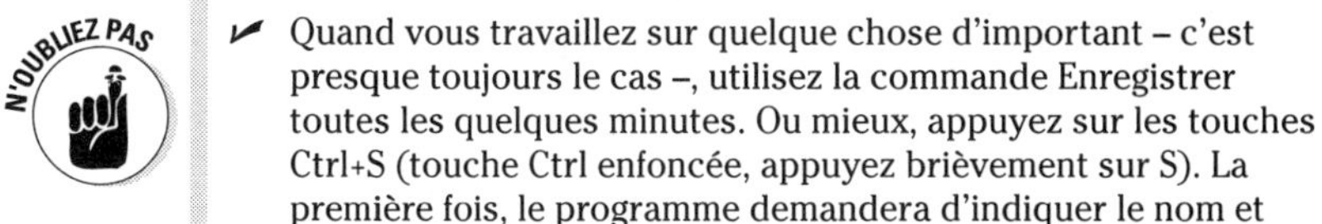

- Quand vous travaillez sur quelque chose d'important – c'est presque toujours le cas –, utilisez la commande Enregistrer toutes les quelques minutes. Ou mieux, appuyez sur les touches Ctrl+S (touche Ctrl enfoncée, appuyez brièvement sur S). La première fois, le programme demandera d'indiquer le nom et

Quelle est la différence entre Enregistrer et Enregistrer sous ?

Enregistrer sous quoi ? Sous la table ? Sous le tapis ? Que nenni bonnes gens. La commande Enregistrer permet d'enregistrer un fichier sous un autre nom et/ou à un autre emplacement.

Supposons que le fichier *Ode à Tina* se trouve dans le dossier Documents et que vous désirez modifier quelques phrases. Vous désirez enregistrer cette modification, mais sans perdre la version originale. Pour conserver les deux versions de cette impérissable littérature, vous choisirez Enregistrer sous, et vous renommerez le fichier *Ode à Tina - Ajouts* (en plaçant le mot « ajouts » après le nom, vous préservez le classement par ordre alphabétique de vos fichiers).

Lors d'un premier enregistrement, les commandes Enregistrer et Enregistrer sous sont identiques : les deux vous invitent à nommer le fichier et choisir son emplacement.

l'emplacement du fichier, mais par la suite, le processus sera quasiment instantané.

Choisir le programme qui ouvre un fichier

En règle générale, Windows 8 sait quel programme il doit utiliser pour ouvrir tel ou tel fichier. Double-cliquez sur un fichier, et Windows 8 démarre le programme, charge le fichier et l'ouvre.

Mais parfois, Windows ne démarre pas le programme que vous vouliez utiliser pour ce type de fichier. Par exemple, lorsque vous double-cliquez sur un morceau de musique, Windows 8 la fait jouer par l'application Musique. Or, vous pourriez préférer que ce soit le programme Lecteur Windows Media qui démarre.

Voici comment choisir un programme lorsqu'un fichier s'ouvre dans un autre :

1. **Cliquez du bouton droit sur le fichier qui pose problème et, dans le menu contextuel, choisissez Ouvrir avec.**

   Comme le montre la Figure 6.3, Windows propose quelques uns des programmes capables d'ouvrir ce type de fichier.

   Si cliquer sur fichier affiche une fenêtre proposant de rechercher une autre application sur ce PC ou de rechercher une autre application dans le Windows Store, passez directement à l'Étape 4.

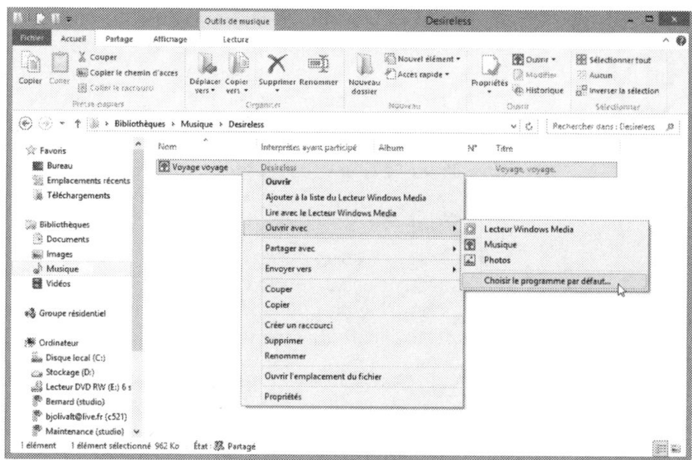

Figure 6.3 : Windows indique les programmes capables d'ouvrir ce type de fichier (ici, un fichier audio).

2. **Cliquez sur Choisir le programme par défaut, puis sélectionnez celui qui doit ouvrir ce type de fichier.**

   La fenêtre Ouvrir avec, que montre la Figure 6.4, contient un autre programme que Musique, capable d'ouvrir le fichier (selon le nombre de logiciels installés dans le l'ordinateur, cette liste peut être plus ou moins fournie). Assurez-vous que la case Utiliser cette application pour tous les fichiers, est cochée.

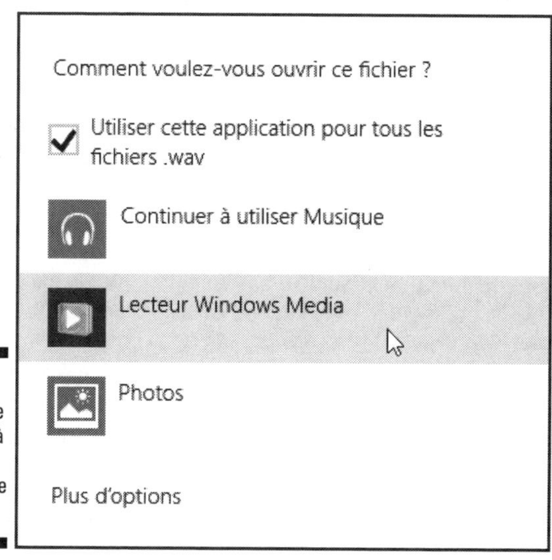

Figure 6.4 : Cliquez sur le programme à utiliser pour ouvrir ce type de fichier.

Si le programme à utiliser n'est pas affiché, vous devrez le chercher vous-même. Cliquez sur le bouton Parcourir et naviguez jusque dans le dossier où il se trouve (un conseil : immobilisez le pointeur de la souris sur les dossiers, et Windows listera quelques uns des fichiers et programmes qui s'y trouvent).

3. **Cliquez sur le lien Plus d'options, en bas du panneau.**

   Deux autres options sont proposées en bas de la liste :

   - **Rechercher une application dans le Windows Store :** cliquez sur cette option donne accès au Windows Store, où vous pourrez parcourir les rayons virtuels à la recherche d'une application capable d'ouvrir le fichier.
   - **Rechercher une autre application sur ce PC :** plutôt réservée aux férus de technique, cette option ouvre l'Explorateur de fichiers sur le dossier Programmes. Ne choisissez cette option que si vous savez réellement dans quel sous-dossier se trouve le programme désiré.

Quand vous installez un nouveau programme ou une application, elle s'arroge généralement le droit d'ouvrir ses propres fichiers. Si cela ne se produit pas, exécutez la manipulation précédente à partir de l'étape 1. Cette fois, le nouveau programme ou la nouvelle application Figure dans la liste.

- Dans Windows 8, le terme *application* se rapporte à la fois aux classiques logiciels et aussi aux applications de l'écran d'accueil.
- Parfois, vous voudrez alterner entre divers programmes et applications lorsque vous travaillez sur un même document. Pour ce faire, cliquez du bouton droit sur le document, choisissez Ouvrir avec puis sélectionnez le programme dont vous avez besoin à ce moment-là.
- Il est parfois impossible de faire en sorte que votre programme favori ouvre un fichier particulier tout simplement parce que le programme ne sait que faire. Par exemple, le Lecteur Windows Media lit les vidéos, sauf quand elles sont au format QuickTime, développé par Apple. La seule solution consiste alors à installer le logiciel QuickTime (`www.apple.com/fr/quicktime/`) et l'utiliser pour ouvrir ce type de vidéo.
- Quand vous entendez parler d'association, à propos de Windows, c'est forcément celle dont il est question dans l'encadré « L'association (sans but lucratif) de fichiers ».

L'association (sans but lucratif) de fichiers

Tous les programmes ajoutent quelques caractères, appelés « extension de fichier », au nom des fichiers qu'ils créent. Cette extension identifie leur nature : quand vous double-cliquez sur un fichier, Windows s'enquiert de son extension pour savoir à quel programme il est lié. Par exemple, le Bloc-notes ajoute l'extension `.txt` (abrégé de « texte ») à tous les fichiers qu'il crée : l'extension `.txt` est ainsi associée au Bloc-notes.

Normalement, Windows n'affiche pas les extensions, officiellement pour plus de sécurité. En effet, si l'extension était modifiée pour une raison ou pour une autre, Windows n'ouvrirait plus le fichier comme prévu.

Procédez comme suit si vous tenez absolument à voir ces mystérieuses extensions :

1. **Cliquez sur l'onglet Affichage d'un classeur.**
2. **Cochez la case Extensions de noms de fichiers.**

   La case est décochée.
3. **Cliquez sur le bouton OK.**

   Toutes les extensions de fichiers sont aussitôt visibles, ce qui peut s'avérer commode en cas d'incident.

Maintenant que vous avez vu les extensions, masquez-les de nouveau en cochant la case Extensions de noms de fichiers.

Attention : ne modifiez jamais l'extension d'un fichier à moins de savoir exactement ce que vous faites. Autrement, Windows se tromperait de programme ou ne saurait plus lequel utiliser.

Visiter la boutique Windows Store

Les *applications*, qui ne sont rien d'autre que des miniprogrammes spécialisés dans une seule tâche, proviennent de l'univers des smartphones.

Les applications diffèrent des programmes à bien des égards :

- Elles sont affichées en plein écran. Les programmes, eux, sont affichés dans une fenêtre.
- Les applications sont liées à votre compte Microsoft. De ce fait, vous devez avoir ouvert un compte Microsoft pour télécharger

des applications depuis le Windows Store, même si elles sont gratuites.

- Une application téléchargée depuis le Windows Store peut être utilisée sur cinq ordinateurs ou appareils mobiles à la fois, dès lors que ces équipements sont liés à votre compte Microsoft.

- Après leur installation, des programmes peuvent placer plusieurs vignettes dans l'écran d'accueil. En revanche, une application ne place qu'une seule vignette.

Applications et programmes peuvent être développés et vendus par de grands éditeurs ayant pignon sur rue, mais aussi par d'obscurs programmeurs amateurs.

Bien que les programmes et les applications se comportent différemment, Microsoft les appelle indistinctement « applications » dans Windows 8.

Télécharger des applications avec Windows Store

Si vous avez besoin d'une application capable d'exécuter une tâche bien précise, procédez comme suit pour la trouver :

1. **Dans l'écran d'accueil, cliquez sur l'application Windows Store.**

   Appuyez sur la touche Windows pour accéder rapidement à l'écran d'accueil.

   La boutique virtuelle Windows Store apparaît en plein écran, comme à la Figure 6.5. Elle contient de nombreuse catégories comme Actualités, Jeux, Social, Divertissement, Photo, Musique et vidéo, Sports, et beaucoup d'autres. Faites défiler l'écran horizontalement pour les découvrir.

2. **Pour réduire le champ de recherche, cliquez sur le nom d'une catégorie.**

   Vous accédez aux applications de cette catégorie. Ainsi que le montre la Figure 6.6, il est possible de choisir une sous-catégorie.

3. **Triez par sous-catégorie, par prix, par évaluation, puis choisissez l'application qui vous paraît digne d'intérêt.**

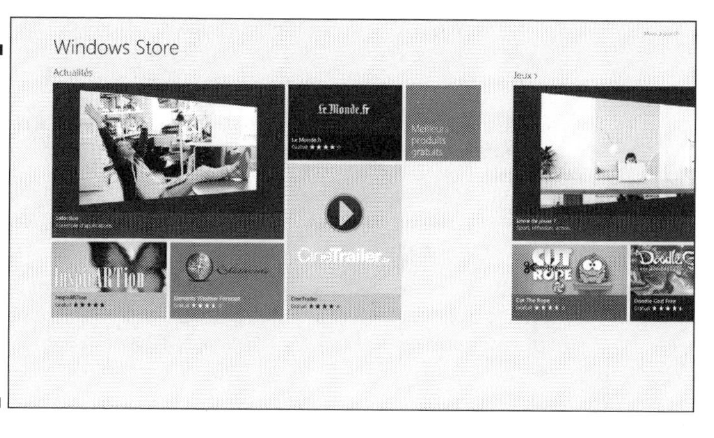

Figure 6.5 : L'application Windows Store donne accès à la boutique virtuelle d'où vous pouvez télécharger des applications gratuites ou payantes.

Figure 6.6 : Triez une catégorie par sous-catégories, par prix ou encore par évaluation.

Par exemple, vous pouvez limitez le choix aux seuls jeux de cartes. Dans le menu Tous les prix, vous avez le choix entre Gratuit, Gratuit et évaluation et Payant.

4. **Cliquez sur une application pour lire son descriptif.**

La page qui s'ouvre contient des informations détaillées, notamment son prix, des images de l'application, des critiques d'utilisateurs et des informations un peu plus techniques.

6. **Cliquez sur le bouton Installation, Acheter ou Essai (limité dans le temps).**

   Après quelques instants – la durée exacte dépend du débit de la connexion Internet –, la vignette de l'application apparaît dans l'écran d'accueil.

Les applications nouvellement téléchargées apparaissent dans un groupe complètement à droite des autres vignettes. Reportez-vous au Chapitre 2 pour savoir comment organiser l'écran d'accueil.

Désinstaller une application

Pour désinstaller une application tombée en disgrâce, cliquez du bouton droit sur sa vignette, dans l'écran d'accueil. Cliquez ensuite sur l'icône Désinstaller, à gauche dans la barre en bas de l'écran.

La désinstallation d'une application ne la supprime que dans l'écran d'accueil de *votre compte d'utilisateur*. Elle est sans effet sur les autres comptes où elle aurait pu avoir été installée.

Mette une application à jour

Les programmeurs améliorent sans cesse leurs applications. Ils peaufinent quelques fonctions, éradiquent des bogues et colmatent les failles de sécurité. Lorsqu'une ou plusieurs applications ont été mises à jour, un numéro correspondant au nombre de mises à jour détectées est affiché sur le coin supérieur droit de la vignette de l'application Windows Store.

Cliquez sur la vignette pour accéder à la liste des mises à jour. Cliquez ensuite sur le bouton Tout mettre à jour.

Notez qu'une application n'est mise à jour que pour le compte d'utilisateur courant, et non pour les autres comptes. Chaque utilisateur devra procéder à ses propres mises à jour. Ceci est également vrai pour les applications livrées d'origine avec Windows 8.

Prendre un raccourci

Dans Windows 8, l'écran d'accueil et le Bureau sont deux entités distinctes, mais vous passerez pas mal de temps à passer de l'une à l'autre. Pour éviter ces pertes de temps, créez des raccourcis vers les programmes, dossiers, disques, fichiers, et même vers les sites Internet que vous utilisez ou visitez fréquemment. Un raccourci est tout simplement une icône pointant vers l'un de ces éléments. Double-cliquez dessus, et c'est comme si vous aviez double-cliqué sur la véritable icône du programme, dossier, disque, fichier, ou saisi une adresse de site Internet.

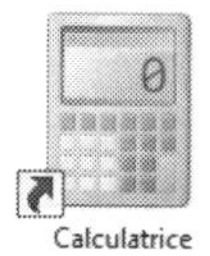

Comme les raccourcis ne sont rien de plus que des icônes qui démarrent d'autres éléments, ils sont particulièrement sûrs, commodes et faciles d'accès. Il est facile de les différencier de l'original grâce à la petite flèche incurvée, en bas à gauche, visible ici, dans la marge, sur le raccourci du programme Calculatrice.

Voici comment créer des raccourcis pour les éléments les plus utilisés :

- **Dossiers ou documents :** cliquez du bouton droit sur le dossier ou le document, choisissez Envoyer vers et sélectionnez l'option Bureau (créer un raccourci).
- **Sites Internet :** vous avez remarqué la petite icône qui précède l'adresse du site dans la barre d'adresse d'Internet Explorer ? Faites-la glisser et déposez-la sur le Bureau ou ailleurs. Vous pouvez aussi placer les sites Internet intéressants parmi vos Favoris.
- **Panneau de configuration :** vous avez découvert un élément particulièrement intéressant dans le Panneau de configuration, qui est la plaque tournante de Windows 8 ? Tirez l'utile icône jusque sur le Bureau, ou jusque sur un dossier du volet de navigation ou n'importe où ailleurs, et l'icône est aussitôt convertie en raccourci.
- **Disque dur :** ouvrez l'Explorateur de fichiers. Dans le volet de navigation, cliquez du bouton droit sur un disque dur et dans le menu, choisissez Créer un raccourci. Windows le place sur le Bureau.

Voici quelques astuces supplémentaires :

- Pour graver rapidement des CD, placez un raccourci du graveur sur le Bureau. Il suffira ainsi de glisser et déposer les fichiers sur l'icône du raccourci. Insérez un CD vierge, confirmez les paramètres et la gravure commence.

- Vous désirez placer un raccourci du Bureau dans l'écran d'accueil ? Cliquez du bouton droit sur le raccourci présent sur le Bureau et, dans le menu, choisissez Épingler à l'écran d'accueil. Sa vignette apparaît aussitôt dans l'écran d'accueil.
- Vous pouvez librement déplacer un raccourci de ci de là et même l'élément vers lequel il pointe. Le raccourci est automatiquement mis à jour.
- Vous voulez savoir où se trouve le programme que démarre un raccourci ? Cliquez dessus du bouton droit et choisissez Ouvrir l'emplacement du dossier (si cette option est proposée). Le raccourci vous mène promptement vers le dossier où réside son seigneur et maître.

Le petit guide du Couper, Copier et Coller

Windows a emprunté à l'école maternelle les petits ciseaux à bouts ronds et le pot de colle à papier. Enfin, leur version informatique... Vous pouvez électroniquement *couper* ou *copier,* puis *coller* quasiment tout ce que vous voulez, et tout cela avec la plus grande facilité.

Les programmes de Windows sont conçus pour travailler ensemble et partager des données, ce qui permet par exemple de placer très facilement le plan d'un quartier, préalablement numérisé avec un scanner, sur le carton d'invitation créé avec WordPad. Vous pouvez déplacer des fichiers en les coupant ou en les copiant, et en les collant ensuite à un autre emplacement. Rien n'est plus simple, dans un traitement de texte, que de couper un paragraphe et le coller ailleurs.

Ne mésestimez pas le Copier et le Coller. Copier le nom et l'adresse d'un contact est moins fastidieux que taper ces éléments dans la lettre. Et si quelqu'un vous envoie une adresse Internet à rallonges, il sera plus sûr – et beaucoup moins fastidieux – de la copier et la coller dans la barre d'adresse d'Internet Explorer. Il est aussi très facile de copier la plupart des images d'une page Web, au grand dam des photographes professionnels.

Le couper-coller facile

En total accord avec le Département « Lâche-moi la grappe avec ces ennuyeux détails », voici, en trois étapes, comment couper, copier et coller :

1. **Sélectionnez l'élément à couper ou à coller : quelques mots, un fichier, une adresse Web ou n'importe quoi d'autre.**

2. **Cliquez du bouton droit dans la sélection et choisissez Couper ou Copier, dans le menu, selon vos besoins.**

   Utilisez *Couper* lorsque vous désirez déplacer un élément, et *Copier* lorsque vous voulez le dupliquer en laissant l'original intact.

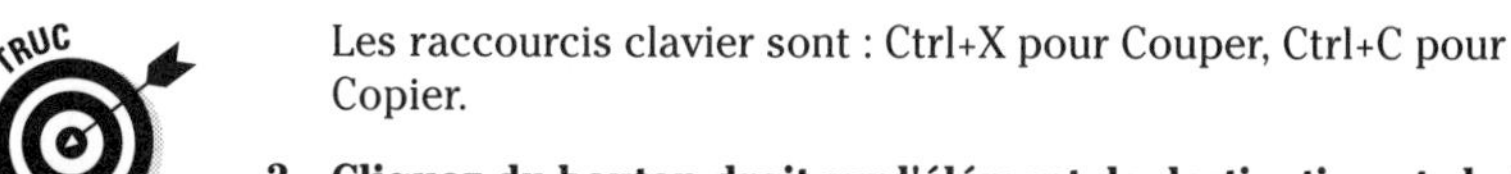

   Les raccourcis clavier sont : Ctrl+X pour Couper, Ctrl+C pour Copier.

3. **Cliquez du bouton droit sur l'élément de destination et choisissez Coller.**

   Le raccourci clavier de Coller est Ctrl+V.

Les trois prochaines sections détaillent ces actions.

Sélectionner les éléments à couper ou à copier

Avant de coller des éléments ailleurs, vous devez indiquer à Windows desquels il s'agit. Le meilleur moyen est de les sélectionner à la souris. Il suffit généralement de cliquer dessus, ce qui met les éléments en surbrillance.

- **Sélectionner du texte dans un document, un site Internet ou une feuille de calcul :** placez le pointeur de la souris au début des données à sélectionner puis cliquez et maintenez le bouton enfoncé. Tirez ensuite la souris jusqu'à l'autre bout des données. Cette action surligne – met en surbrillance – tout ce qui se trouve entre le clic et l'endroit où vous avez libéré le bouton, comme l'illustre la Figure 6.7.

  Soyez prudent après sélectionné du texte. Si vous appuyez accidentellement sur une touche, le *b* par exemple, Windows remplace toute la sélection par la lettre *b*. Pour corriger cette bourde, cliquez immédiatement sur Édition > Annuler, dans le menu, ou mieux, appuyez sur Ctrl+Z, qui est le raccourci de cette commande.

- **Pour sélectionner un fichier ou un dossier :** cliquez dessus pour le sélectionner. Procédez comme suit pour sélectionner plusieurs éléments :

  - **S'il s'agit d'une plage de fichiers :** cliquez sur le premier de la série, maintenez la touche Majuscule enfoncée et cliquez

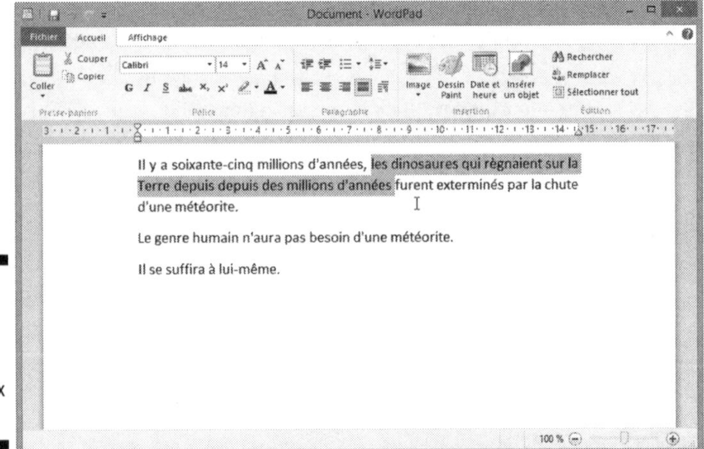

Figure 6.7 : Le texte sélectionné est surligné afin de mieux le voir.

Sélectionner des lettres, des mots, des paragraphes et plus encore

Quand vous travaillez sur des mots, dans Windows, ces raccourcis vous aident à sélectionner rapidement des données :

- Pour sélectionner une seule lettre ou caractère, cliquez juste avant. Ensuite, la touche Majuscule enfoncée, appuyez sur la touche fléchée Droite. Maintenez-la enfoncée pour sélectionner davantage de texte.
- Pour ne sélectionner qu'un mot, double-cliquez dessus. Le mot est surligné. La plupart des traitements de texte permettent de déplacer un ou plusieurs mots sélectionés par un glisser-déposer.
- Pour sélectionner une seule ligne de texte, cliquez dans la marge, à la hauteur de la ligne. Le bouton de la souris enfoncé, tirez vers le haut ou vers le bas pour ajouter d'autres lignes à la sélection. Vous pouvez aussi ajouter des lignes en appuyant, touche Majuscule enfoncée, sur le touches fléchées Haut et Bas.
- Pour sélectionner un paragraphe, double-cliquez dans sa marge gauche. Le bouton enfoncé, déplacez la souris vers le haut ou vers le bas pour ajouter d'autres paragraphes à la sélection.
- Pour sélectionner la totalité d'un document, appuyez sur les touches Ctrl+A. Ou alors, choisissez Sélectionner tout, dans le menu Édition.

sur le dernier. Windows sélectionne le premier élément, le dernier et tous ceux qui se trouvent entre.

- **Si les éléments sont éparpillés :** maintenez la touche Ctrl enfoncée tout en cliquant sur les fichiers et les dossiers à sélectionner.

Les éléments étant sélectionnés, la prochaine section explique comment les couper ou les copier.

- Après avoir sélectionné un élément, ne tardez pas à le couper ou à le copier. Car si vous cliquez distraitement ailleurs, votre sélection disparaît, vous obligeant à la refaire entièrement.

- Appuyez sur la touche Suppr pour supprimer un élément sélectionné, qu'il s'agisse d'un fichier, d'un paragraphe, d'une photo, *etc.*

Couper ou coller une sélection

Après avoir sélectionné des données, vous pouvez commencer à les manipuler, notamment les couper ou les copier, voire les supprimer en appuyant sur la touche Suppr.

Cliquez du bouton droit sur un élément sélectionné puis, dans le menu contextuel, choisissez Couper ou Copier, selon vos besoins, comme le montre la Figure 6.8. Ensuite, cliquez dans la destination et choisissez Coller.

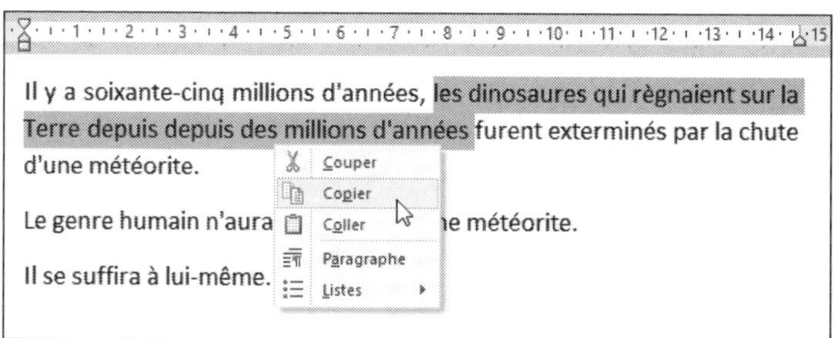

Figure 6.8 : Pour copier une sélection dans une autre fenêtre, cliquez du bouton droit dans la sélection et choisissez Copier.

Les options Couper et Coller sont fondamentalement différentes. Laquelle des deux faut-il choisir ?

- Vous pouvez couper et coller des fichiers entiers dans différents dossiers. Quand vous coupez un fichier dans un dossier, l'icône du fichier s'assombrit jusqu'à ce que vous l'ayez collé (la faire disparaître serait trop stressant). Vous changez d'avis au cours de la manipulation ? Appuyez sur la touche Échap et l'icône redevient normale.

- **Choisissez Copier pour dupliquer des données.** Lorsque vous utilisez cette commande, rien ne semble se passer à l'écran, car les données originales subsistent. Elles n'en sont pas moins copiées dans le Presse-papiers.

Pour copier l'image du Bureau dans le Presse-papiers, c'est-à-dire la totalité de l'écran, appuyez sur la touche Impr.écran (le nom peut parfois différer). Vous pourrez ensuite coller l'image où bon vous semble. NdT : pour ne copier que la fenêtre active, appuyez sur Alt+Impr.écran.

Coller les données ailleurs

Les données coupées ou copiées, qui résident à présent dans le Presse-papiers de Windows, sont prêtes à être collées à presque n'importe quel emplacement.

Coller est une opération relativement simple :

1. **Ouvrez la fenêtre de destination et cliquez là où les données doivent apparaître.**

2. **Cliquez du bouton droit et, dans le menu déroulant, choisissez Coller.**

   Et hop ! Les éléments que vous aviez coupés ou copiés apparaissent.

Ou alors, si vous voulez coller un fichier sur le Bureau, cliquez du bouton droit sur le Bureau et choisissez Coller. L'icône du fichier apparaît là où vous avez cliqué.

- La commande Coller insère une copie des données résidant dans le Presse-papiers. Elles y restent, prêtes à être collées ailleurs autant de fois que vous le désirez.

- Avec un écran tactile, touchez continument l'endroit où vous désirez coller des données puis, dans le menu qui finit par apparaître, touchez Coller.

- La barre d'outils ou le ruban de nombreux programmes contient des boutons Couper, Copier et Coller, comme le montre la Figure 6.9 (à gauche, le ruban de l'Explorateur de fichiers, à droite, le menu du Bloc-notes).

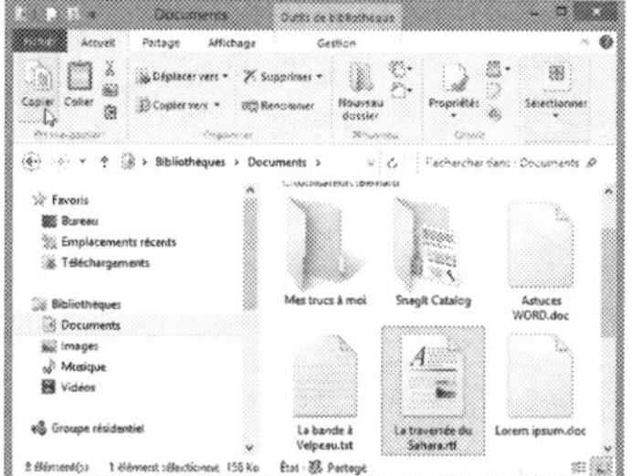

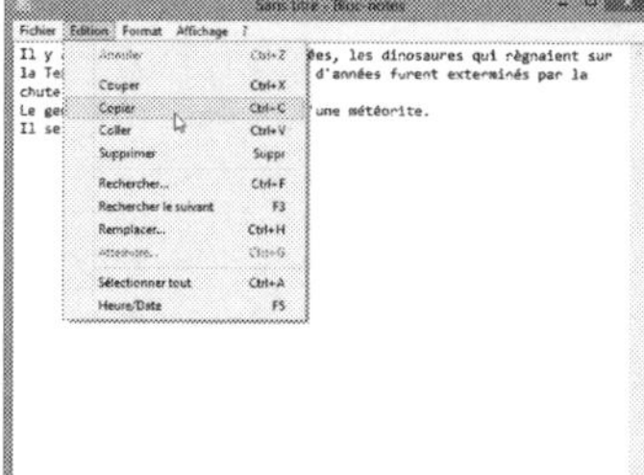

Figure 6.9 : Les boutons Couper, Copier et Coller d'un ruban (à gauche) et d'un classique menu (à droite).

Annuler des actions

Windows propose une foule de manière d'exécuter une même action, mais deux seulement pour accéder à la commande Annuler et corriger ainsi vos bourdes :

- La touche Ctrl enfoncée, appuyez sur Z. La dernière action est annulée. Si le programme comporte un bouton Rétablir, vous pouvez annuler une annulation.
- Il ne fallait pas annuler ? Pas de problème : appuyez sur Ctrl+Y et Windows annule votre annulation. Tout est à présent comme si vous n'aviez rien fait.

Chapitre 7

Vite perdu, vite retrouvé

Dans ce chapitre :

- Localiser les applications et les programmes ouverts.
- Retrouver des fenêtres et des fichiers à partir du Bureau.
- Trouver les programmes, des courriers électroniques, des morceaux de musique et des documents.
- Trouver d'autres ordinateurs sur un réseau.
- Trouver une information sur l'Internet.

À un moment ou à un autre, Windows 8 vous laissera dans la perplexité : « Ce fichier était là il y a une seconde. Où a-t-il bien pu se fourrer ? » Vous apprendrez dans ce chapitre comment faire pour le retrouver.

Localiser les applications et les programmes ouverts

L'écran d'accueil emplit tout l'écran de l'ordinateur. Cliquez sur une application, et elle emplit à son tour tout l'écran. Comme une seule application à la fois est visible dans l'écran d'accueil, toutes les autres applications que vous auriez déjà démarrées sont cachées par celle que vous utilisez. Le problème se pose différemment à partir du Bureau, mais dans les deux cas, il s'agit de savoir comment retourner à une application ouverte.

La solution passe par la barre de vignettes visible à gauche, dans la Figure 7.1.

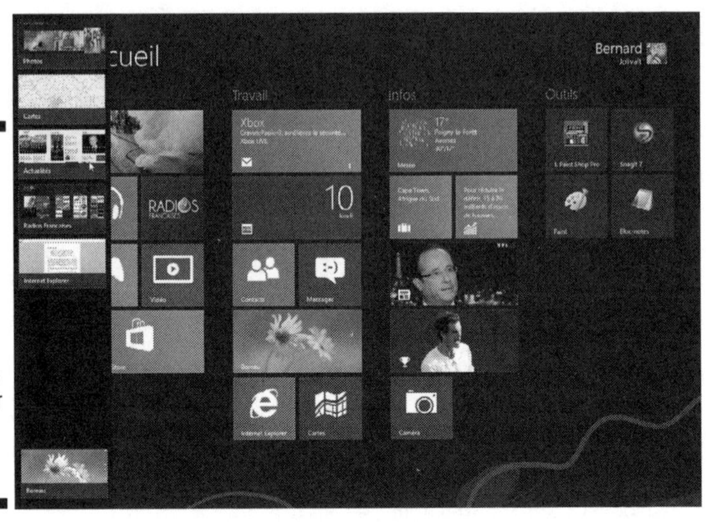

Figure 7.1 : La liste des applications récemment utilisées se trouve dans une barre à gauche de l'écran. Cliquez sur une vignette pour accéder à l'application en question.

La barre de vignettes est affichable aussi bien sur l'écran d'accueil que sur le Bureau. Voici comment la faire apparaître :

- **Souris :** dirigez le pointeur jusque dans le coin supérieur gauche de l'écran. Lorsque la vignette de la dernière application utilisée apparaît, tirez le pointeur vers le bas. Les vignettes des applications les plus récemment utilisées apparaissent. Pour accéder à une application, cliquez sur sa vignette. Pour fermer une application, cliquez du bouton droit sur la vignette puis cliquez sur Fermer.

- **Clavier :** appuyez sur les touches Windows+Tab pour voir la barre d'icônes. La touche Windows enfoncée, appuyez à plusieurs reprises sur Tab. Cette action fait passer d'une vignette à une autre. Lorsque la vignette de l'application désirée est sélectionnée, relâchez les deux touches pour y accéder. Ou alors, pour la fermer, appuyez sur la touche Supprimer.

ÉCRAN TACTILE

- **Écran tactile :** effleurez lentement l'écran du bord gauche vers l'intérieur. Lorsque la vignette de la dernière application utilisée apparaît, glissez le doigt vers le bas pour afficher la barre de vignettes. Touchez la vignette de l'application à ouvrir. Pour fermer une application, tirez sa vignette jusqu'au delà du bord inférieur de l'écran et elle disparaît.

Ces manipulations ne révèlent que les applications ouvertes, mais pas les programmes ou logiciels du Bureau, car pour Windows 8, le Bureau n'est qu'une application parmi d'autres.

Retrouver les fenêtres égarées sur le Bureau

Contrairement à l'écran d'accueil où tout s'ouvre en plein écran, Windows 8 ressemble plutôt à un pique-notes. Chaque fois que vous ouvrez une nouvelle fenêtre, c'est comme si vous mettiez une autre note sur la pique. La fenêtre du dessus est facile à lire, mais atteindre l'une de celles qui sont dessous est plus compliqué. Mais si une petite partie dépasse, il suffit de cliquer dessus pour la mettre au premier plan.

Quand une fenêtre est complètement recouverte par d'autres, recherchez-la dans la barre des tâches, en bas de l'écran (si elle ne veut pas se montrer, appuyez sur la touche Windows). Cliquez sur le nom de la fenêtre et la voilà qui émerge du tas. La Barre des tâches est décrite au Chapitre 3.

Toujours introuvable ? La touche Alt enfoncée, appuyez à répétition sur la touche Tab pour voir un ruban contenant une vignette de chacune des fenêtres ouvertes (voir Figure 7.2) et passer de l'une à l'autre. À la place de la touche Alt, vous pouvez aussi actionner la molette de la souris. Lorsque la vignette désirée est sélectionnée, relâchez la touche Alt pour la placer au premier plan.

Figure 7.2 : La touche Alt enfoncée, appuyez répétitivement sur Tab pour parcourir les fenêtres. Relâchez la touche Alt pour déposer la fenêtre au premier plan sur le Bureau.

Si vous êtes certain qu'une fenêtre est ouverte mais qu'elle reste introuvable, répartissez-les toutes sur le Bureau. Pour ce faire, cliquez du bouton droit sur la Barre des tâches et, dans le menu, choisissez Afficher les fenêtres côte à côte. C'est la solution de dernier recours, mais qui peut vous faire retrouver la fenêtre égarée.

Trouver un programme, un courrier électronique, un morceau de musique, un document, etc.

Nous avons vu dans les deux sections précédentes comment trouver des applications et des programmes actuellement ouverts. Mais comment faire pour trouver un programme que vous n'avez pas utilisé depuis un moment ?

Pour vous permettre de trouver rapidement les applications, les fichiers, les paramètres et même des courriers électroniques, Windows 8 est équipé d'un outil de recherche accessible de la manière suivante :

- **Souris :** dirigez le pointeur de la souris jusque dans le coin supérieur droit ou inférieur droit de l'écran. Dans la barre d'icônes qui apparaît, cliquez sur l'icône Rechercher.
- **Clavier :** appuyez sur les touches Windows+Q pour accéder directement au panneau Rechercher.
- **Écran tactile :** effleurez du bord droit vers l'intérieur de l'écran. Dans la barre d'icônes qui apparaît, touchez l'icône Rechercher.

Toutes ces manipulations affichent le panneau Rechercher que montre la Figure 7.3. Procédez ensuite comme suit pour rechercher un élément manquant :

1. **Cliquez sur la catégorie dans laquelle vous désirez effectuer la recherche.**

   Contrairement à son prédécesseur, Windows 8 ne recherche pas dans la totalité de l'ordinateur. Il confine en réalité une recherche à l'une de ces catégories d'élément :

   - **Applications :** c'est le choix par défaut. Windows 8 recherche les applications à la fois dans l'écran d'accueil et parmi les logiciels installés à partir du Bureau. Lorsque vous tapez le

Figure 7.3 : Le panneau Rechercher permet de retrouver des applications, des paramètres et des fichiers.

nom d'une application directement, sans même passer par ce panneau, Windows 8 liste aussitôt toutes les applications et programmes correspondant aux caractères que vous tapez.

- **Paramètres :** permet de rechercher un paramètre parmi les innombrables paramètres du Panneau de configuration et des panneaux Paramètres du PC. Vous pouvez ainsi ne voir que les paramètres de police, de clavier, de sauvegarde, *etc.*

- **Fichiers :** permet de retrouver l'un de vos fichiers sur le disque dur de l'ordinateur.

- **Une application en particulier :** sous les trois catégories précitées se trouve la liste des applications classées par ordre alphabétique. Cliquez sur Courrier, par exemple ; le panneau Rechercher est toujours affiché, vous permettant de rechercher un message en particulier.

2. **Saisissez le critère de recherche dans le champ en haut de la barre.**

   Saisissez un mot ou une phrase figurant quelque part dans la catégorie choisie.

   Au fur et à mesure de la saisie, Windows 8 réduit les occurrences. Après avoir tapé un certain nombre de caractères, le choix est facile à effectuer parmi les éléments restant. Par exemple, dans la Figure 7.4, une recherche porte sur le mot **Paris**. En cours de saisie, les résultats commençant par les caractères déjà saisis sont affichés.

Windows n'a rien trouvé ? Limitez la recherche à moins de mots, voire moins de caractères.

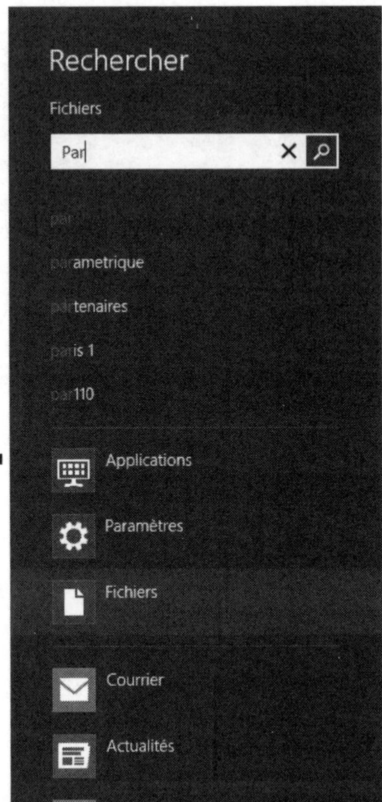

Figure 7.4 : Tapez les premières lettres d'un mot que vous recherchez. Windows réduira le nombre de résultats au fur et à mesure de votre saisie.

3. **Cliquez sur un résultat ou appuyez sur la touche Entrée. Windows montrera tous les fichiers, paramètres ou applications correspondants.**

   Windows affiche une liste détaillée de tous les éléments correspondant à la recherche, ainsi que le montre la Figure 7.5. Cliquez sur un résultat pour accéder à l'élément en question.

4. **Cliquez sur un résultat pour ouvrir le fichier correspondant.**

   Le fichier est ouvert avec l'application avec laquelle il est associé : traitement de texte, Lecteur Windows Media...

- Windows 8 indexe tous les fichiers présents dans les bibliothèques Documents, Images, Musique et Vidéos, d'où l'importance d'y stocker vos créations. Notez qu'il est cependant

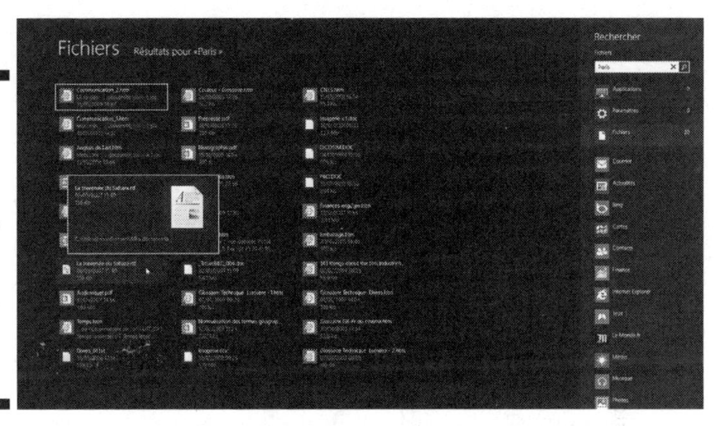

Figure 7.5 : Après avoir saisi un critère de recherche, appuyez sur la touche Entrée pour voir tous les résultats correspondants.

impossible, pour des raisons compréhensibles, de rechercher des fichiers dans les comptes privés des autres utilisateurs de l'ordinateur.

- Les fichiers stockés dans d'autres supports, comme une clé USB ou un disque dur externe, ne sont pas indexés. Pour indexer leur contenu, vous devez le copier dans vos bibliothèques.

- Quand Windows 8 trouve trop d'occurrences pour un mot, limitez la recherche en utilisant une phrase plutôt qu'un seul mot. Par exemple, au lieu de **Paris**, tapez **Paris au mois d'août**. Plus les mots sont nombreux, plus les chances de ne voir apparaître que le bon fichier sont accrues.
- Lors d'une recherche, Windows ne différencie pas les majuscules des minuscules. Pour Windows, le mot « pierre » et le prénom « Pierre », c'est pareil.
- Quand les résultats sont plus nombreux qu'il est possible d'en faire tenir sur l'écran, le reliquat de trouve vers la droite. Faites défiler l'écran pour y accéder.

- Les inconditionnels du raccourci clavier peuvent ne rechercher que dans les fichiers en appuyant sur les touches Windows+F, ou que dans les paramètres en appuyant sur Windows+W, ou que parmi les applications en appuyant sur Windows+Q.

- Vous voulez rechercher sur l'Internet plutôt que dans votre ordinateur ? À l'étape 1, cliquez sur Internet Explorer, sous les catégories. Le moteur de recherche Bing – développé par Microsoft – cherchera l'information.

Retrouver un fichier dans un dossier du Bureau

Le panneau Rechercher de la barre d'icônes analyse l'ensemble de l'indexation par Windows 8, ce qui représente une grande quantité d'informations. Ce comportement est cependant excessif pour trouver un fichier dans un seul dossier. C'est pourquoi, un champ Rechercher se trouve en haut à droite de chaque dossier ; il n'examine que le dossier courant.

Pour trouver un fichier perdu dans un dossier, cliquez dans le champ Rechercher du dossier et tapez quelques lettres ou mots qui se trouvent dans le fichier. Le filtrage des fichiers commence dès la saisie de la première lettre. La recherche se restreint ensuite jusqu'à ce que ne soient affichés que les quelques dossiers parmi lesquels se trouve, avec un peu de chance, celui que vous recherchez.

Quand une recherche dans un dossier trouve de trop nombreuses occurrences, il reste un autre moyen de la réduire : les en-têtes de colonnes, lorsque l'affichage est en mode Détails, comme à la Figure 7.6. La première colonne, Nom, répertorie les noms de fichiers. Les autres colonnes fournissent des détails plus spécifiques.

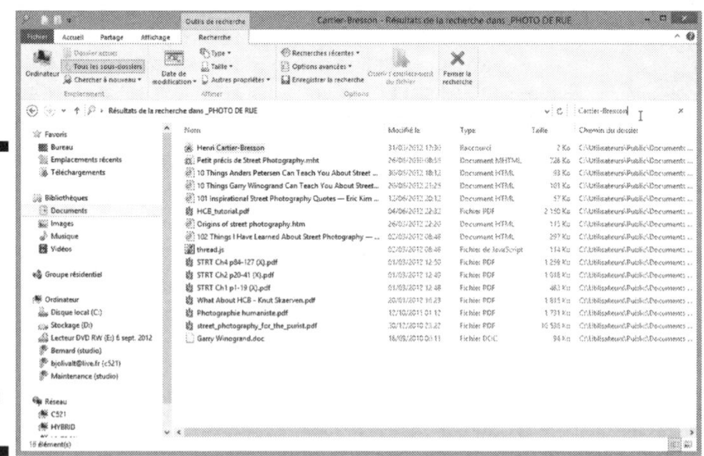

Figure 7.6 : L'affichage en mode Détails permet de trier les fichiers par nom ou par un autre critère, ce qui facilite la recherche.

Remarquez les en-têtes de colonnes Nom, Modifié le, Type, Taille et Chemin du dossier. Cliquez sur l'un d'eux pour trier les fichiers selon les critères suivants :

- **Nom :** vous connaissez les premières lettres du nom du fichier ? Cliquez sur cet en-tête pour trier les fichiers alphabétiquement, puis parcourez la liste. Cliquez de nouveau sur Nom pour inverser l'ordre du tri.
- **Modifié le :** cliquez sur cet en-tête si vous vous souvenez vaguement de la date à laquelle vous avez modifié le document pour la dernière fois. Les fichiers les plus récents sont ainsi placés en haut de la liste. Cliquer de nouveau sur Date de modification inverse l'ordre, un bon moyen pour retrouver des fichiers anciens.
- **Type :** cet en-tête trie les fichiers selon leur contenu. Toutes les photos sont regroupées, et aussi tous les documents textuels. Commode pour retrouver les quelques photos perdues parmi une quantité de fichiers de texte.
- **Taille :** si vous savez que ce que vous cherchez est peu volumineux ou au contraire particulièrement volumineux, cette colonne vous permettra de trier les fichiers selon leur encombrement sur le disque dur.
- **Chemin du dossier :** Windows indique aussi l'arborescence des sous-dossiers. C'est un critère qui peut parfois être utile.

Tri approfondi

Lorsqu'un dossier est affiché en mode Détails, comme à la Figure 7.6, le nom des fichiers Figure dans une colonne, les colonnes de détails se trouvant à droite. Vous pouvez trier le contenu d'un dossier en cliquant sur l'en-tête de l'une des colonnes : Nom, Modifié le, Type, *etc.* Mais Windows 8 est capable de trier selon bien d'autres critères, comme vous le constatez en cliquant sur la petite flèche pointant vers le bas, à droite de chaque nom de colonne.

Cliquez sur la petite flèche de la colonne Modifié le, par exemple, et un calendrier se déploie. Cliquez sur une date et le dossier n'affiche que les fichiers modifiés ce jour-là, filtrant tous les autres. Sous le calendrier, des cases permettent de ne voir que les fichiers créés Aujourd'hui, Hier, La semaine dernière, Plus tôt ce mois, Plus tôt cette année ou encore, Il y a longtemps.

De même, cliquer sur la flèche à côté de Type déploie une liste d'extensions de nom de fichier très usitée comme DOC, HTML, PDF et d'autres.

Ces filtrages ne sont pas sans inconvénient, car il est facile d'oublier que l'un d'eux est en cours. Une coche, à côté de l'en-tête d'une colonne, le signale toutefois. Pour désactiver le filtrage et voir tous les fichiers du dossier, cliquez sur la coche et examinez le menu déroulant. Cette action décoche les cases et supprime le filtrage.

Que les fichiers soient affichés sous forme de miniatures, d'icônes ou par leur nom, les en-têtes de colonne offrent toujours un moyen commode de les trier rapidement.

Les dossiers affichent généralement cinq colonnes de détails, mais vous pouvez en ajouter d'autres. En fait, des fichiers peuvent être triés par nombre de mots, durée des morceaux, dimensions des photos, dates de création et beaucoup d'autres critères. Pour en voir la liste, cliquez du bouton droit sur un en-tête et, dans le menu déroulant, choisissez Autres. La boîte de dialogue Choisir les détails apparaît. Cochez les cases des colonnes à faire apparaître dans les fenêtres des dossiers.

Rechercher des photos

Windows 8 indexe vos documents du premier au dernier mot, mais il est incapable de faire la différence entre une photo de votre chat et celle d'un mariage. Pour identifier des photos, il ne peut que se fier aux informations textuelles dont il dispose. Les quatre conseils qui suivent lui facilitent la tâche :

- **Ajoutez des mots-clés à vos photos**. Quand vous connectez votre appareil photo numérique au PC, comme expliqué au Chapitre 14, Windows 8 propose alors de transférer les photos. Au cours de la copie, il suggère de leur ajouter des mots-clé. C'est le moment d'en introduire quelques-uns qui décrivent leur contenu. Windows 8 indexe les mots-clés, ce qui facilite les recherches ultérieures.

- **Stockez les séries de prises de vue dans des dossiers séparés.** Le programme d'importation de photos de Windows 8, décrit au Chapitre 13, crée automatiquement un nouveau dossier pour chaque série de photos, selon la date courante et la balise choisie. Mais si vous utilisez un autre logiciel de transfert, veillez à créer un dossier pour chaque journée de prise de vue ou série de photos, et nommez-le judicieusement : Soirée sushi, Planches de Deauville ou Cueillette de champignons.

- **Triez par date.** Vous venez de dénicher un dossier bourré à craquer de photos en tous genres ? Voici une façon rapide de vous y retrouver : cliquez sur l'onglet Affichage puis, dans le groupe Disposition, cliquez sur Grandes icônes ou sur Très grandes icônes. Chaque photo est alors représentée par une vignette montrant son contenu. Ensuite, dans le groupe Affichage actuel, cliquez sur l'icône Trier par ; dans le menu, choisissez Prise de vue. Vous photos seront présentées dans l'ordre chronologique où vous les avez prises.

- **Renommez les photos**. Au lieu de laisser vos photos de vacances aux Seychelles nommées IMG_2421, IMG_2422 et ainsi de suite, donnez-leur un nom plus parlant. Sélectionnez tous les fichiers du dossier en appuyant sur les touches Ctrl+A. Cliquez ensuite du bouton droit dans la première image, choisissez Renommer et tapez **Seychelles**. Windows les renommera Seychelles, Seychelles (2), Seychelles (3) et ainsi de suite.

Appliquer ces quatre règles simples évitera que votre photothèque ne devienne un invraisemblable fouillis de fichiers.

Veillez à sauvegarder vos photos numériques en effectuant des copies sur un disque dur externe, ou sur tout autre support, comme l'explique le Chapitre 10. Autrement, si vous ne sauvegardez rien – en deux exemplaires sur des supports distincts –, vos précieuses archives familiales seront à la merci du moindre crash de disque dur.

Trouver d'autres ordinateurs sur le réseau

Un *réseau* est un groupe d'ordinateurs reliés entre eux, permettant de partager ainsi des fichiers, une imprimante ou la connexion Internet. Beaucoup de gens utilisent un réseau quotidiennement sans même le savoir : quand vous relevez vos courriers électroniques, votre ordinateur se connecte à un ordinateur distant – un serveur – afin d'y télécharger les messages en attente.

Le plus souvent, vous n'avez pas à vous soucier des autres ordinateurs du réseau, PC et/ou Mac. Mais, si vous voulez en localiser un afin d'y chercher des fichiers, par exemple, Windows 8 se fera une joie de vous aider.

Le nouveau Groupe résidentiel d'ordinateurs facilite plus que jamais le partage des fichiers entre des ordinateurs tournant sous Windows 8. La création d'un groupe résidentiel revient en fait à créer un mot de passe identique pour tous les PC tournant sous Windows Vista, Windows 7 ou Windows 8.

Pour trouver un ordinateur sur le réseau, choisissez Réseau dans le menu Démarrer. Windows 8 montre tous ceux qui sont reliés à votre propre PC (Figure 7.7). Double-cliquez sur le nom d'un ordinateur et parcourez les fichiers qui s'y trouvent.

La création d'un Groupe résidentiel d'ordinateurs et d'un réseau est expliquée au Chapitre 12.

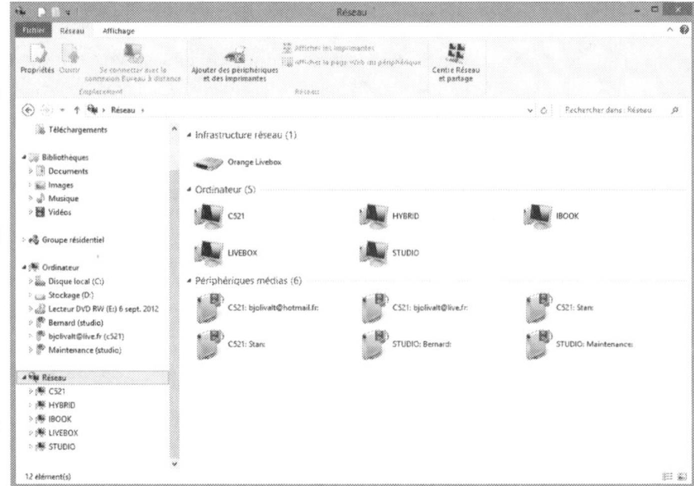

Figure 7.7 : Pour voir les ordinateurs reliés à votre PC, cliquez sur Réseau, en bas à gauche dans le volet de navigation de l'Explorateur de fichiers. Ce réseau est composé de trois PC, d'un Mac (iBook) et d'une « box » Internet (Livebox).

Trouver des informations sur l'Internet

La barre d'icônes du panneau Rechercher permet de rechercher commodément des données dans votre ordinateur. Mais pour effectuer une recherche, démarrez le navigateur Internet. Windows 8 est livré avec deux variantes du navigateur Internet Explorer.

La variante d'Internet Explorer qui se trouve dans l'écran d'accueil est parfaite pour une recherche rapide. Affichez la barre d'icônes, cliquez sur l'icône Rechercher, puis cliquez sur l'icône Internet Explorer, sous les catégories. Saisissez l'objet de votre recherche dans le champ en haut du panneau et appuyez sur la touche Entrée. Les résultats apparaissent dans le moteur de recherche Bing.

La variante d'Internet Explorer qui se trouve sur le Bureau est beaucoup plus riche en options. Elle permet notamment d'enregistrer une page Internet en tant que fichier, ou d'imprimer les parties intéressantes d'un article interminable.

Pour effectuer une recherche avec la variante d'Internet Explorer qui se trouve sur le Bureau, saisissez vos critères de recherche directement dans la barre d'adresse (celle qui contient habituellement l'adresse d'un site Internet). Appuyez sur Entrée et le moteur de recherches Bing affiche les résultats.

Reconstruire l'index

Si la fonction de recherche ralentit considérablement où si elle ne parvient pas à trouver des fichiers alors que vous êtes sûr qu'ils sont quelque part, vous devrez demander à Windows 8 de tout réindexer.

Windows 8 reconstruit l'index en tâche de fond pendant que vous travaillez, mais pour ne pas subir le ralentissement de l'ordinateur, il est préférable d'effectuer la reconstruction au cours de la nuit. Ainsi, Windows 8 moulinera pendant votre sommeil, et vous livrera un index tout neuf avec les croissants du petit déjeuner.

Procédez comme suit pour lancer la réindexation :

1. **Quel que soit l'emplacement où vous vous trouvez, dans Windows 8, cliquez du bouton droit dans le coin en bas à gauche et, dans le menu, choisissez Panneau de configuration.**

   Le Panneau de configuration apparaît. Affichez-le en mode Grande icônes. Pour cela, cliquez sur le bouton Catégorie, en haut à droite, puis dans le menu, choisissez Grandes icônes.

2. **Cliquez sur l'icône Options d'indexation.**

   Vous ne la trouvez pas ? Saisissez le mot **Indexation** dans le champ Rechercher, en haut à droite.

3. **Cliquez sur le bouton Avancé puis sur le bouton Reconstruire.**

   Windows 8 vous prévient que cela risque d'être long car, ainsi que l'avait remarqué Woody Allen : « *L'éternité c'est long, surtout vers la fin* ».

4. **Cliquez sur OK.**

   Windows 8 réindexe tout. L'ancien index ne sera supprimé que quand le nouveau sera prêt.

Chapitre 8

Imprimer vos œuvres

Dans ce chapitre :

- Imprimer à partir d'une application de l'écran d'accueil.
- Imprimer des fichiers, des enveloppes et des pages Internet depuis le Bureau.
- Adapter le document à la page.
- Résoudre les problèmes d'impression.

Il vous arrivera parfois d'extraire des données de leur univers virtuel afin de les coucher sur un support plus tangible : une feuille de papier.

Ce chapitre est consacré à l'impression (pas celle que vous produisez, mais celle que vous faites, ou inversement). Vous apprendrez comment faire tenir un document sur une feuille sans qu'il soit tronqué.

Nous aborderons aussi la mystérieuse et méconnue notion de file d'attente, qui permet d'annuler l'impression des documents envoyés à l'imprimante, avant qu'ils gâchent du papier.

Imprimer à partir d'une application

L'écran d'accueil de Windows 8 se comporte très différemment du classique Bureau. Conçu principalement pour les appareils mobiles à écran tactile, il est censé afficher en permanence des informations utiles pendant que vous êtes en déplacement.

Bon nombre d'applications sont dépourvues d'une fonction d'impression, et celles qui sont imprimables ne proposent que peu de paramètres d'impression. Voici comment imprimer à partir d'une application de l'écran d'accueil :

1. **Dans l'écran d'accueil, ouvrez l'application contenant l'information à imprimer.**

   Toutes les applications ne sont pas imprimables et il est malheureusement difficile de savoir lesquelles le sont et lesquelles ne le sont pas. Les étapes qui suivent ne s'appliquent donc qu'à certaines applications.

2. **Affichez la barre d'icônes puis cliquez sur l'icône Périphériques.**

   Procédez de l'une des manières suivantes :

   - **Souris :** dirigez le pointeur de la souris jusque dans le coin inférieur droit. Cliquez ensuite sur Périphériques.
   - **Clavier :** appuyez sur Windows+K. Le panneau Périphériques est aussitôt affiché.

   - **Écran tactile :** effleurez du bord droit vers l'intérieur de l'écran, puis touchez l'icône Périphériques.

   Windows affiche tous les périphériques utilisables par l'application, y compris – espérons-le – l'imprimante.

3. **Cliquez sur l'icône de l'imprimante.**

   Si plusieurs imprimantes sont affichées, cliquez sur celle que vous désirez utiliser (les icônes sont légendées).

   Aucune icône d'imprimante n'est visible ? Cela signifie tout simplement que cette application ne possède pas de fonction d'impression (hormis celle de la prochaine astuce).

TRUC

   Appuyez sur les touches Windows+Impr.écran pour effectuer une copie de l'écran. L'image est enregistrée sous le nom `Capture d'écran.png` dans un sous-dossier `Capture d'écran` du dossier Mes images. Pour l'imprimer, cliquez du bouton droit sur l'image puis, dans le menu, choisissez Imprimer.

4. **Effectuez les réglages d'impression.**

   La fenêtre d'impression visible dans la Figure 8.1 montre un aperçu de ce qui sera imprimé, ainsi que le nombre de pages. Immobilisez le pointeur de la souris au-dessus de l'aperçu puis cliquez sur la flèche, comme sur la figure, pour parcourir les pages.

   Sur un écran tactile, effleurez l'aperçu pour passer d'une page à une autre.

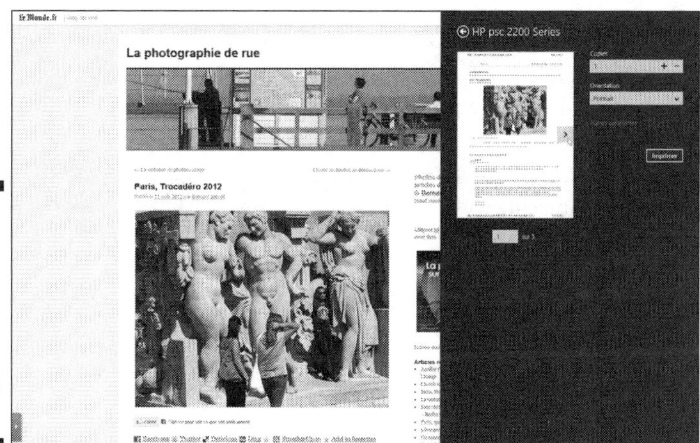

Figure 8.1 : Réglez l'impression et accédez à d'autres options en cliquant sur le lien Autres paramètres.

Pas assez d'options d'impression ? Cliquez sur le lien Autres paramètres. L'option Pages par feuille permet d'imprimer plusieurs pages sur une seule feuille de papier, ce qui est commode pour imprimer des petites photos.

5. **Cliquez sur le bouton Imprimer.**

   C'est parti !

Bien qu'il soit possible d'imprimer à partir de certaines applications, vous serez cependant confronté à quelques limitations :

- Beaucoup d'applications ne sont pas imprimables. C'est le cas d'un itinéraire calculé par l'application Cartes, et même d'un mois du calendrier.
- Quand vous imprimez une page Internet, vous êtes obligé de l'imprimer en totalité, ce qui peut provoquer l'impression d'innombrables feuilles alors que vous ne désirez imprimer qu'un extrait. Pour n'imprimer qu'une partie d'un site, reportez-vous à la section « Imprimer une page Internet ».
- Cliquer sur le lien Autres paramètres permet de choisir l'orientation Portrait ou Paysage, ou sélectionner le bac d'alimentation. Mais vous ne trouverez aucune fonction de mise en page, comme le réglage des marges ou l'ajout d'en-tête et de pied de page.

Bref, bien qu'il soit possible d'imprimer à partir des applications, cette possibilité ne vaut pas l'impression à partir du Bureau décrite dans le restant de ce chapitre.

Imprimer vos chef-d'œuvre

Conçu pour la productivité, le Bureau offre un contrôle plus élargi sur les travaux d'impression, mais au prix d'options beaucoup plus nombreuses.

Windows 8 est capable d'envoyer votre travail à l'imprimante d'une bonne demi-douzaine de façons. Voici les plus connues :

- Choisir l'option Imprimer, dans le menu Fichier.
- Cliquer sur l'icône Imprimer (généralement ornée dune petite imprimante).
- Cliquer du bouton droit sur l'icône d'un document et choisir Imprimer.
- Cliquer sur le bouton Imprimer, dans la barre d'outil ou de commandes d'un programme.
- Faire glisser l'icône d'un document et la déposer sur l'icône de l'imprimante.

Si une boîte de dialogue apparaît, cliquez sur OK, et Windows 8 envoie aussitôt la page à l'imprimante. Pour peu que l'imprimante soit allumée et contienne de l'encre et du papier, Windows se charge de tout en tâche de fond, pendant que vous continuez à travailler.

Si la page n'est pas correctement imprimée – texte tronqué, caractères grisâtres... –, vous devrez modifier les paramètres d'impression ou changer de qualité de papier, comme l'expliquent les sections qui suivent.

- Si une page de l'aide de Windows vous paraît utile, cliquez dessus du bouton droit et choisissez Imprimer. Ou alors, cliquez sur l'icône Imprimer, si vous en voyez une.
- Pour accéder rapidement à l'imprimante, ajoutez un raccourci sur le Bureau : cliquez dans le coin inférieur droit du Bureau et, dans la liste, choisissez Panneau de configuration. Dans la catégorie Matériel et audio, cliquez sur Afficher les périphériques et imprimantes. Cliquez du bouton droit sur l'icône de l'imprimante et choisissez Créer un raccourci. Pour imprimer, il suffira désormais de déposer l'icône du document sur l'icône de l'imprimante.
- Pour imprimer rapidement un lot de documents, sélectionnez toutes les icônes. Cliquez ensuite du bouton droit dans la

sélection et choisissez Imprimer. Windows 8 les envoie tous à l'imprimante, d'où ils émergeront les uns après les autres.

- Vous n'avez pas encore installé d'imprimante ? Allez au Chapitre 9 où j'explique comment faire.

Examiner la page avant de l'imprimer

Pour beaucoup, l'impression relève du mystère : ils cliquent sur Imprimer, et s'interrogent ave une pointe d'anxiété sur ce que la grosse boîte qui ronronne leur sortira. Avec un peu de chance – et de gros sel jeté par-dessus l'épaule gauche –, la page est bien imprimée. Autrement, une feuille aura été gâchée (sans parler du sel).

L'option Aperçu avant impression, qui Figure dans le menu Fichier de la plupart des programmes, permet de vérifier la mise en page. Elle affiche le travail en cours en tenant compte des paramètres d'impression, montrant ainsi le document tel qu'il sera imprimé. L'aperçu avant impression est commode pour repérer des problèmes de marge, des tailles de caractères mal choisies et autres défauts typographiques.

L'aperçu avant impression varie d'un programme à un autre, certains étant plus précis que d'autres, mais tous montrent assez fidèlement ce que sera l'impression.

Si l'aperçu vous convient, cliquez sur le bouton Imprimer, en haut de la boîte de dialogue. Mais si quelque chose ne va pas, cliquez sur le bouton Fermer pour revenir à votre travail et effectuer les corrections qui s'imposent.

Configurer la mise en page

En théorie, Windows affiche toujours votre travail tel qu'il sera imprimé. Si ce que vous imprimez diffère sensiblement de ce qui était affiché, un petit tour dans la boîte de dialogue Mise en page s'impose (Figure 8.2).

L'option Mise en page, qui Figure dans le menu Fichier de la plupart des programmes, sert à peaufiner le positionnement du document dans la page. La boîte de dialogue n'est pas la même d'un programme à un autre, mais le principe général ne change guère. Voici les paramètres les plus courants et à quoi ils servent :

- **Taille :** indique au programme le format du papier actuellement utilisé. Laissez cette option sur A4 afin d'utiliser les feuilles normalisées, ou choisissez un autre format (A3, A5, Enveloppe...) le

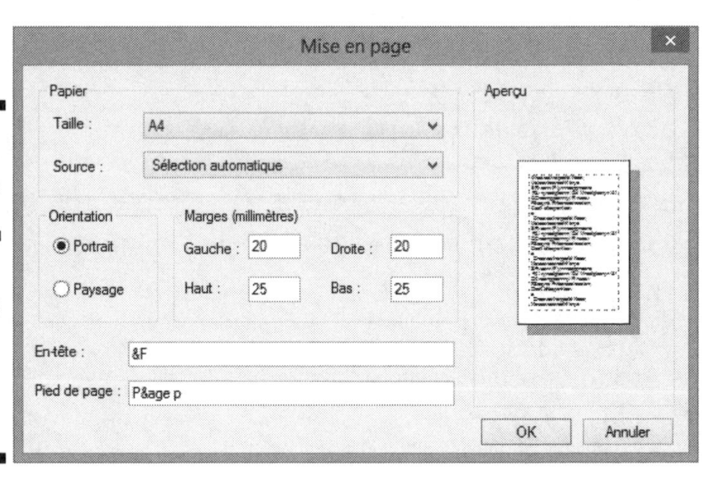

Figure 8.2 : Choisissez l'option Mise en page, dans le menu Fichier d'un programme, pour parfaire la présentation de votre travail dans la feuille de papier.

cas échéant. Reportez-vous éventuellement à l'encadré « Imprimer des enveloppes sans finir timbré ».

- **Source :** choisissez Sélection automatique ou Bac, à moins que vous ne possédiez une de ces imprimantes haut de gamme alimentées par plusieurs bacs de feuilles de divers formats. Quelques imprimantes proposent une option Feuille à feuille, où vous devez manuellement introduire chaque feuille.

- **En-tête** et **Pied de page :** vous tapez un code spécial, dans ces zones, pour indiquer à l'imprimante ce qu'elle doit y placer : numéro de page, date et heure, nom et/ou chemin du fichier... Par exemple, à la Figure 8.1, le code `&F`, dans le champ En-tête et le code `Page &p`, dans le pied de page, impriment le nom du fichier en haut de chaque feuille, ainsi le mot « Page » suivi du numéro de page en bas de la feuille.

Malheureusement, tous les programmes n'utilisent pas les mêmes codes de mise en page. Si un bouton en forme de point d'interrogation se trouve en haut à droite de la boîte de dialogue, cliquez dessus puis dans une zone En-tête ou Pied de page pour en savoir plus. Pas de bouton d'aide ? Appuyez sur la touche F1 et faite une recherche sur **Mise en page** dans le système d'aide.

- **Orientation :** laissez cette option sur Portrait pour imprimer des pages en hauteur, mais choisissez Paysage si vous préférez imprimer en largeur. Cette option est commode pour les tableaux (notez qu'il n'est pas nécessaire d'introduire le papier de côté, dans une imprimante à large laize).

Imprimer des enveloppes sans finir timbré

Bien qu'il soit très facile de cliquer sur l'option Enveloppe, dans la boîte de dialogue Mise en page, imprimer l'adresse au bon endroit est extraordinairement difficile. Sur certains modèles d'imprimantes, les enveloppes doivent être introduites à l'endroit, sur d'autres il faut les présenter à l'envers. Si vous n'avez plus le manuel de l'imprimante, le meilleur moyen de trouver le bon sens – si ces mots en ont encore un – est de faire des essais.

Après avoir trouvé comment introduire les enveloppes, mettez un pense-bête sur l'imprimante (l'utilisateur est oublieux) indiquant le sens à respecter.

Si l'impression d'enveloppes est vraiment un calvaire, essayez les étiquettes. Achetez celles de la marque Avery puis téléchargez un logiciel d'impression gratuit (`www.avery.fr/avery/fr_fr/Modeles-et-Logiciels/`). Compatible avec Microsoft Word – PC et Mac –, il affiche des petits rectangles de la taille des étiquettes dans une page. Tapez les adresses dedans, insérez une feuille d'étiquettes dans l'imprimante, et Word sortira une planche d'autocollants parfaitement présentés. Il n'est même plus nécessaire de les humecter en les passant sur la truffe du chien.

Ou alors, faites-vous faire un tampon en caoutchouc à vos nom et adresse. C'est plus encore rapide que l'imprimante et les autocollants.

- **Marges :** réduisez les marges pour faire tenir plus de texte dans une feuille. Il faut parfois les régler lorsqu'un document a été créé sur un autre ordinateur.
- **Imprimante :** si plusieurs imprimantes sont disponibles, cliquez sur ce bouton pour sélectionner celle que vous désirez utiliser. Cliquez aussi ici pour modifier ses paramètres, une tâche abordée à la prochaine section.

Après avoir configuré les paramètres utiles, cliquez sur OK pour les mémoriser. Et revoyez une dernière l'aperçu avant impression pour vous assurer que tout est correct.

Pour trouver la boîte de dialogue Mise en page dans certains programmes, dont Internet Explorer, cliquez sur la petite flèche près de l'icône de l'imprimante et choisissez Mise en page, dans le menu.

Régler les paramètres d'impression

Quand vous choisissez Imprimer, dans le menu Fichier d'un programme, Windows vous offre une dernière chance de peaufiner la page. La boîte de dialogue de la Figure 8.3 permet de diriger l'impression vers n'importe quelle imprimante installée dans l'ordinateur ou sur le réseau. Pendant que vous y êtes, il est encore possible de régler les paramètres d'impression, de choisir la qualité du papier et de sélectionner les pages à imprimer.

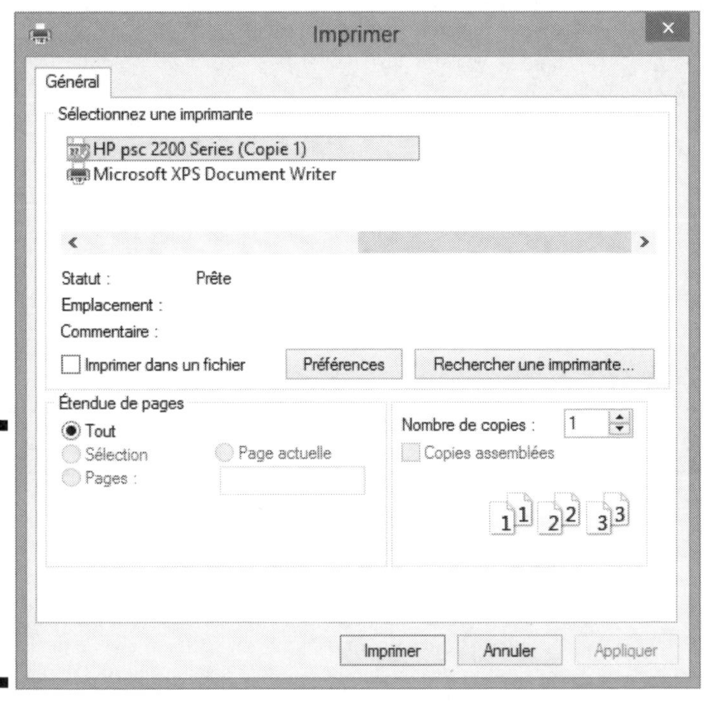

Figure 8.3 : La boîte de dialogue Imprimer permet de choisir l'imprimante et de la paramétrer.

Vous trouverez très certainement ces paramètres dans la boîte de dialogue :

- **Sélectionnez une imprimante :** ignorez cette option si vous n'avez qu'une seule imprimante, car Windows la sélectionne automatiquement. Mais si l'ordinateur accède à plusieurs imprimantes, c'est ici que vous en choisirez une.

  L'imprimante que vous risquez de trouver dans Windows 8, nommée Microsoft XPS Document Writer, envoie votre travail dans un fichier au format particulier, généralement pour être utilisé par un imprimeur ou tout autre professionnel de la PAO (Publication Assistée par Ordinateur). Vous n'utiliserez probablement jamais cette imprimante virtuelle.

- **Étendue de pages :** sélectionnez Tout, pour imprimer la totalité du document. Pour n'imprimer qu'une partie des pages, sélectionnez l'option Pages et indiquez celles qu'il faut imprimer. Par exemple, si vous tapez **1-4, 6**, vous imprimez les quatre premières pages d'un document ainsi que la sixième, mais ni la cinquième ni les autres. Si vous avez sélectionné un paragraphe, choisissez Sélection pour n'imprimer que lui. C'est un excellent moyen pour n'imprimer que les parties intéressantes d'une page Web, et non la totalité (qui peut être fort longue).
- **Nombre de copies :** le plus souvent, les gens n'impriment qu'un exemplaire. Mais s'il vous en faut davantage, c'est ici que vous l'indiquerez. L'option Copies assemblées n'est utilisable que si l'imprimante dispose de cette fonctionnalité, ce qui est rare. Elle imprime chaque travail à part. Autrement, elle imprime toutes les pages 1, puis toutes les pages 2, et ainsi de suite.
- **Préférences :** cliquez sur ce bouton pour accéder à la boîte de dialogue de la Figure 8.4, où vous choisissez les options spécifiques à votre modèle d'imprimante. Elle permet notamment de sélectionner différents grammages de papier, de choisir entre l'impression en couleur ou en niveaux de gris, de régler la qualité de l'impression et de procéder à des corrections de dernière minute de la mise en page.

Annuler une impression

Vous venez de réaliser qu'il ne fallait pas surtout pas envoyer le document de 26 pages vers l'imprimante ? Dans la panique, vous êtes tenté de l'éteindre tout de suite. Ce serait une erreur car après le rallumage, la plupart des imprimantes reprennent automatiquement l'impression.

Procédez comme pour purger le document de la mémoire de l'imprimante après l'avoir éteinte :

1. **Dans l'écran d'accueil, cliquez sur la vignette Bureau.**
2. **Amenez le pointeur de la souris dans le coin inférieur gauche, puis cliquez du bouton droit sur la vignette Accueil qui apparaît.**
3. **Dans le menu, choisissez Panneau de configuration.**
4. **Dans le panneau de configuration, sous Matériel et audio, cliquez sur Afficher les périphériques et imprimantes.**

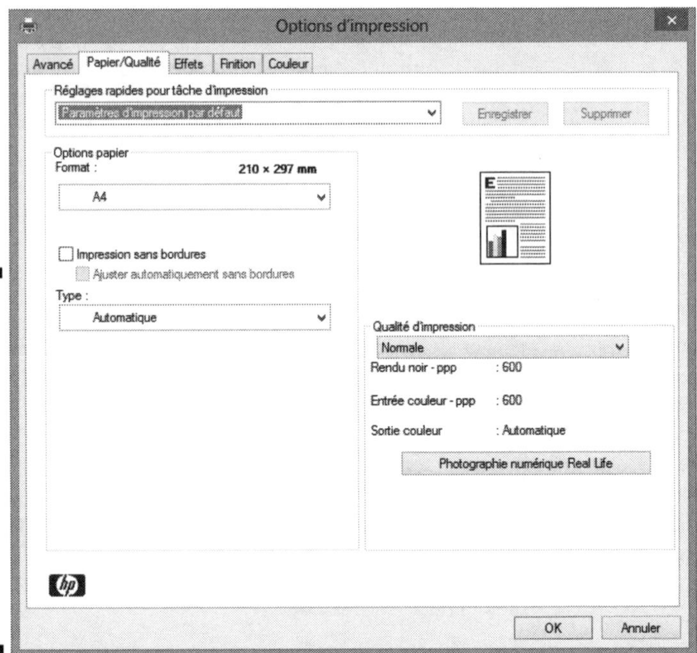

Figure 8.4 : La boîte de dialogue Préférences règle les paramètres spécifiques à votre imprimante, notamment le type de papier et la qualité d'impression.

5. **Cliquez du bouton droit sur le nom de l'imprimante ou sur son icône et dans le menu contextuel, choisissez Afficher les travaux d'impression en cours.**

   La boîte de dialogue de la Figure 8.5 apparaît. Elle contient la file d'attente des travaux à imprimer.

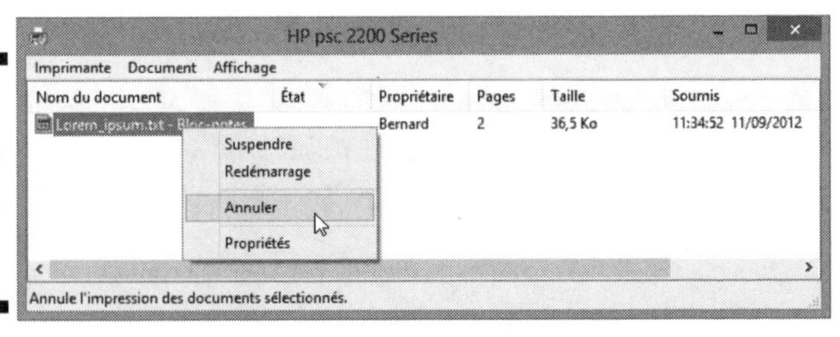

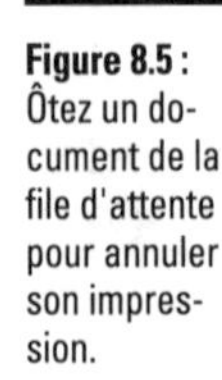

Figure 8.5 : Ôtez un document de la file d'attente pour annuler son impression.

3. **Cliquez du bouton droit sur le document incriminé et dans le menu, choisissez Annuler. Confirmez ensuite l'annulation.**

Faites-en éventuellement autant pour d'autres documents à ne pas imprimer.

Un délai d'une minute ou deux est parfois nécessaire pour qu'une annulation soit prise en compte. Pour accélérer les choses, cliquez sur Affichage > Actualiser. Lorsque la liste d'attente est purgée, ou que seuls subsistent les documents à imprimer, rallumez l'imprimante. Les travaux annulés ne seront pas imprimés.

- La file d'attente – appelée aussi « spouleur » – répertorie tous les documents qui attendent patiemment leur tour pour être imprimés. Vous pouvez modifier l'ordre par des glisser-déposer. En revanche, et en toute logique, rien ne peut être placé avant le document en cours d'impression.
- L'imprimante branchée à votre ordinateur est partagée par plusieurs utilisateurs, sur un réseau ? Les travaux envoyés par les autres ordinateurs se retrouvent dans votre file d'attente. C'est donc à vous d'annuler ceux qui ne doivent pas être imprimés.
- Si l'imprimante s'arrête en cours d'impression faute de papier, ajoutez-en. Vous devrez appuyer sur un bouton de l'imprimante pour reprendre l'impression. Ou alors, ouvrez la file d'attente, cliquez du bouton droit sur le document et choisissez Redémarrer.

- Vous pouvez envoyer des documents vers une imprimante même quand vous travaillez au bistrot du coin à partir de votre ordinateur portable. Quand vous le connectez à l'imprimante, la file d'attente s'en aperçoit et envoie vos fichiers. Attention : une fois qu'ils ont été placés dans la file d'attente, les documents sont mis en forme pour l'imprimante en question. Si par la suite vous connectez l'ordinateur portable à un autre modèle d'imprimante, l'impression ne sera peut-être pas correcte.

Imprimer une page Web

Très tentante de prime abord, l'impression des pages Web est rarement satisfaisante, notamment à cause de la marge droite qui tronque souvent la fin des lignes. La phénoménale longueur de certaines pages, ou les caractères si petits qu'ils sont à peine lisibles, font aussi partie des inconvénients.

Pire, la débauche de couleurs des publicités peut pomper les cartouches d'encre en un rien de temps. Quatre solutions sont cependant envisageables pour imprimer correctement des pages Web. Les voici par ordre d'efficacité décroissante :

- **Utilisez l'option Imprimer intégrée à la page Web.** Quelques sites Web proposent une discrète option Imprimer cette page, ou Version texte, ou Optimisé pour l'impression, *etc*. Elle élimine tout le superflu des pages Web et refait la mise en page en fonction des feuilles de papier. C'est le moyen le plus sûr d'imprimer une page Web.
- **Dans le navigateur Web, choisissez Fichier puis Imprimer.** Au bout d'un grand nombre d'années, certains concepteurs de sites Internet ont enfin compris que des visiteurs impriment leurs pages. Ils se sont donc débrouillés pour qu'elles se remettent d'elles-mêmes en forme lors de l'impression.
- **Copier la partie qui vous intéresse et la coller dans WordPad.** Sélectionnez le texte désiré, copiez-le et collez-le dans WordPad ou n'importe quel traitement de texte. Profitez-en pour supprimer les éléments indésirables ou superflus. Réglez les marges et imprimez tout ou une partie seulement. Le Chapitre 5 explique comment copier et coller.
- **Copier la page Web en partie ou en totalité puis la coller dans un traitement de texte.** Sélectionnez la partie qui vous intéresse, ou choisissez Sélectionner tout, dans le menu Édition d'Internet Explorer. Choisissez ensuite Copier – qui est dans le même menu – ou appuyez sur Ctrl+C. Ouvrez ensuite Microsoft Word ou un autre traitement de texte haut de gamme, et collez-y le document. En coupant les éléments indésirables et en remettant les paragraphes en forme, vous obtiendrez un document parfaitement imprimable.

Ces conseils vous aideront eux aussi à coucher une page Web sur papier :

- Si une page vous intéresse mais qu'elle n'a pas d'option d'impression, envoyez-la à vous-même par courrier électronique. L'impression de ce message sera peut-être plus réussie.

- Pour n'imprimer que quelques paragraphes d'une page Web, sélectionnez-les avec la souris (la sélection est expliquée au Chapitre 6). Dans Internet Explorer, cliquez sur l'icône Outils – en forme de roue dentée – puis choisissez Imprimer, puis Imprimer. La boîte de dialogue de la Figure 8.3 s'ouvre. À la rubrique Étendue de pages, cliquez sur Sélection.

- Si dans une page Web, un tableau ou une photo dépasse du bord droit, essayez de l'imprimer en mode Paysage plutôt que Portrait.

Résoudre les problèmes d'impression

Si un document refuse d'être imprimé, assurez-vous que l'imprimante est allumée, son cordon branché à la prise, et qu'elle est connectée à l'ordinateur.

Si c'est le cas, branchez-la à différentes prises électriques en l'allumant et en vérifiant si le témoin d'allumage est éclairé. Si ce n'est pas le cas, l'alimentation de l'imprimante est sans doute morte.

Il est souvent moins cher de racheter une imprimante que de la faire réparer. Si vous tenez à la vôtre, faites établir un devis de réparation avant de vous en débarrasser.

Vérifiez ces points si le témoin d'allumage réagit :

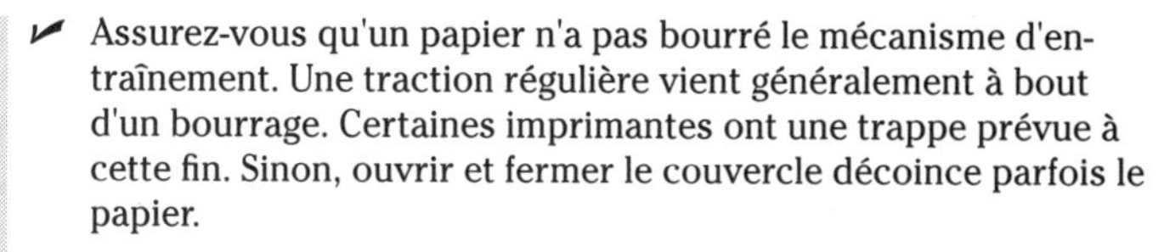

- Assurez-vous qu'un papier n'a pas bourré le mécanisme d'entraînement. Une traction régulière vient généralement à bout d'un bourrage. Certaines imprimantes ont une trappe prévue à cette fin. Sinon, ouvrir et fermer le couvercle décoince parfois le papier.

- Y a-t-il encore de l'encre dans la cartouche, ou du toner dans l'imprimante Laser ? Essayez d'imprimer une page

  de test : ouvrez le menu Démarrer puis cliquez sur le bouton Périphériques et imprimantes. Cliquez du bouton droit sur l'icône de l'imprimante, choisissez Propriétés de l'imprimante (NdT : et non Propriétés tout court), puis cliquez sur le bouton Imprimer une page de test. Vous saurez si l'ordinateur et l'imprimante parviennent à communiquer.

- Procédez à la mise à jour du pilote de l'imprimante, un petit programme qui facilite la communication entre Windows 8 et les périphériques. Allez sur le site Web du fabricant, téléchargez le pilote le plus récent pour votre modèle d'imprimante, puis exécutez-le. Nous y reviendrons au Chapitre 10.

Voici pour finir deux conseils qui contribueront à protéger votre imprimante et ses cartouches :

- Éteignez l'imprimante quand vous ne l'utilisez pas. Autrement, la chaleur qu'elle dégage risque de dessécher l'encre de la cartouche, réduisant sa durée de vie.

- Ne débranchez jamais une imprimante par sa prise pour l'éteindre. Utilisez toujours le bouton marche/arrêt. L'imprimante peut ainsi ramener la ou les cartouches à leur position de repos, évitant qu'elles sèchent ou se colmatent.

Choisir le bon papier

Si vous vous êtes arrêté un jour au rayon des papiers pour imprimantes, vous avez sans doute été étonné de la variété du choix. Parfois, l'usage du papier est clairement indiqué mais souvent, les caractéristiques sont sibyllines. Voici quelques indications :

- **Le grammage :** il indique le poids d'une feuille de un mètre carré. Celui d'un papier de bonne tenue doit être d'au moins 80 grammes. Un papier trop épais (au-delà de 120 ou 130 grammes) risque non seulement de bourrer dans l'imprimante, mais il coûte aussi plus cher en frais postaux.
- **Le papier pour imprimante à jet d'encre :** le dessus est traité pour que l'encre ne diffuse pas et produise un lettrage bien net. Veillez à l'insérer de manière à ce que le côté traité soit encré, et non le dessous, ce qui réduirait la qualité de l'impression.
- **Le papier pour photocopie :** il est traité pour accrocher les pigments de toner et résister à la température élevée de ces équipements. La technologie des photocopieuses et des imprimantes à laser étant la même, le papier pour photocopies convient aussi aux imprimantes Laser.
- **Le papier pour photos :** d'un grammage élevé et ayant reçu une couche de résine – ce qui justifie leur prix relativement élevé –, le papier photo est réservé au tirages. Quand vous l'insérez dans l'imprimante, veillez à ce que l'impression se fasse du côté brillant. Certains papiers sont équipés d'un petit carton qui facilite le cheminement parmi les rouleaux d'entraînement.
- **Étiquettes :** il en existe à toutes les tailles. Attention au risque de décollement lorsque la feuille se contorsionne à l'intérieur de l'imprimante. Vérifiez, dans le manuel, si les planches d'étiquettes sont acceptées ou non.
- **Transparents :** ce sont des feuilles en plastique spéciales, à séchage rapide, résistant à la fois aux contraintes mécaniques de l'imprimante et à la chaleur des rétroprojecteurs.

Avant tout achat, assurez-vous que le papier – surtout les papiers spéciaux – soit spécifiquement conçu pour votre type d'imprimante.

Troisième partie

Personnaliser et faire évoluer Windows 8

Dans cette partie...

Lorsque votre vie change, vous voulez que Windows 8 évolue au même rythme. Et c'est justement ici qu'intervient cette quatrième partie. Vous allez y découvrir le Panneau de configuration de Windows 8, cet outil qui vous permet de changer pratiquement tout, mis à part votre ordinateur lui même, bien sûr.

Le Chapitre 10 décrit les réglages tout à fait à portée des boutons de votre souris, et grâce auxquels vous pourrez maintenir votre ordinateur dans une forme olympique, pour qu'il reste fiable et fonctionne sans à coups. Si vous partagez votre belle machine avec d'autres personnes, vous y découvrirez aussi comment contrôler leurs comptes d'utilisateur pour que ce soit *vous* qui décidiez de ce qu'elles peuvent faire ou non.

Enfin, si vous êtes bientôt prêt à acheter ce second (ou troisième, ou quatrième, ou cinquième) ordinateur, un chapitre va vous montrer comment tous les relier pour construire un réseau domestique, grâce auquel tout le monde pourra partager la même connexion Internet, la même imprimante, et les mêmes fichiers.

Chapitre 9

Personnaliser Windows 8 avec les Panneaux de configuration

Dans ce chapitre :

- Comprendre les deux Panneaux de configuration de Windows.
- Modifier l'apparence de Windows 8.
- Changer de mode vidéo.
- Installer et supprimer des programmes et des applications.
- Régler le maniement de votre souris.
- Configurer automatiquement la date et l'heure de votre ordinateur.

Il y a beaucoup de films de science-fiction dans lesquels on vous montre un plan rapproché d'une sorte de panneau de contrôle dont sort une épaisse fumée, juste avant qu'il ne s'embrase. Si cela se produit dans Windows, courez acheter un second extincteur : Windows 8 contient *deux* panneaux de configuration !

Le panneau de configuration de l'écran d'accueil, appelé Paramètres du PC, est plein de gros boutons. Il sert en fait surtout à configurer des choses plutôt simples, comme la photo associée à votre compte ou encore à demander la correction automatique de l'orthographe. La version de bureau, l'arme lourde appelée tout bêtement *Panneau de configuration*, reprend tous les réglages plus poussés que l'on trouvait dans les versions précédentes de Windows.

Bien qu'ils soient distincts, ces deux panneaux joignent souvent leurs forces. Parfois, un clic dans le Panneau de configuration du bureau vous renvoie vers l'écran des Paramètres du PC pour que vous terminiez telle ou telle configuration.

Mais quelles que soient les rangées de commutateurs et autres boutons soigneusement rangés devant vous, l'objectif reste le même : vous permettre de personnaliser l'aspect, le comportement et vos rapports avec Windows 8. Ce chapitre explique quels réglages vous pourrez avoir à modifier, et desquels vous devriez vous tenir éloigné s'ils sont susceptibles de déclencher un incendie.

Un avertissement préalable : certains paramètres et réglages du Panneau de configuration ne peuvent être changés que par la personne qui possède le tout puissant compte appelé Administrateur (c'est généralement le propriétaire de l'ordinateur). Si Windows 8 refuse d'ouvrir le Panneau de configuration, faites appel à cet administrateur.

Trouver le bon réglage

Windows 8 comprend des centaines de réglages qui sont répartis entre deux *panneaux de configuration* totalement différents. Il est peu probable que le seul hasard vous conduise directement au réglage que vous voudriez modifier. Plutôt que de cliquer sans savoir où vous allez sur des tas de menus et de boutons, laissez Windows partir à la chasse à votre place.

Pour trouver le réglage dont vous avez besoin, suivez ces étapes :

1. **Depuis l'écran d'accueil, activez le volet Rechercher de la barre d'icônes.**

   Vous disposez de trois méthodes pour activer le volet Rechercher :

   - **Souris :** dirigez le pointeur dans le coin haut ou bas droit de votre écran. Lorsque la barre d'icônes apparaît, cliquez sur le bouton Rechercher.
   - **Clavier :** appuyez sur la combinaison de touches Windows+Q.

   - **Écran tactile :** effectuez un balayage à partir du côté droit de l'écran, puis tapez sur l'icône Rechercher.

2. **Dans le volet de recherche, cliquez sur le mot *Paramètres*.**

   Vous indiquez ainsi à Windows que vous voulez faire une recherche dans ses paramètres, et pas dans vos fichiers ou vos applications.

3. **Dans le champ Rechercher, saisissez un mot qui décrive le paramètre que vous souhaitez retrouver.**

   Lorsque vous tapez la première lettre, chaque paramètre qui contient ce caractère apparaît dans une liste. Si vous ne connaissez pas le nom exact de votre réglage, essayez de vous contenter d'un terme simple, comme **souris**, **affichage**, **utilisateur**, **sécurité**, ou quelque chose dans ce genre.

   Vous ne voyez rien qui vous convienne ? Appuyez sur la touche de retour arrière pour effacer le contenu du champ, et faites une nouvelle tentative avec un autre mot.

4. **Cliquez dans la liste sur le réglage voulu.**

   Windows vous conduit directement à la page qui concerne ce paramètre dans le panneau de configuration approprié.

Lorsque vous voulez accéder à tel ou tel réglage, commencez toujours par faire appel au volet Rechercher. Quelques minutes passées ici vous donneront toujours de meilleurs résultats que si vous tentez de parcourir les centaines de paramètres disséminés dans les deux panneaux de configuration de Windows 8.

Écran d'accueil et Paramètres du PC

Le « mini » Panneau de configuration de l'écran d'accueil, autrement dit la fenêtre Paramètres du PC, aurait sans doute plus de sens et d'intérêt si il se limitait à des réglages simples, comment changer de couleur ou autres modifications cosmétiques.

Mais, pour des raisons assez incompréhensibles, les gens de chez Microsoft l'ont truffé de commandes qui sont parmi les plus importantes de Windows 8. Pour ouvrir l'écran Paramètres du PC, suivez ces étapes :

1. **Depuis l'écran d'accueil, activez le volet Paramètres de la barre d'icônes.**

   Vous disposez de trois méthodes pour activer le volet Paramètres :

   - **Souris :** dirigez le pointeur dans le coin haut ou bas droit de votre écran. Lorsque la barre d'icônes apparaît, cliquez sur le bouton Paramètres.
   - **Clavier :** appuyez sur la combinaison touche Windows+I.
   - **Écran tactile :** effectuez un balayage à partir du côté droit de l'écran, puis tapez sur l'icône Paramètres.

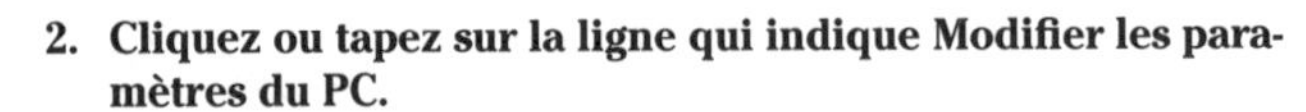

2. **Cliquez ou tapez sur la ligne qui indique Modifier les paramètres du PC.**

   L'écran Paramètres du PC s'affiche (voir Figure 9.1).

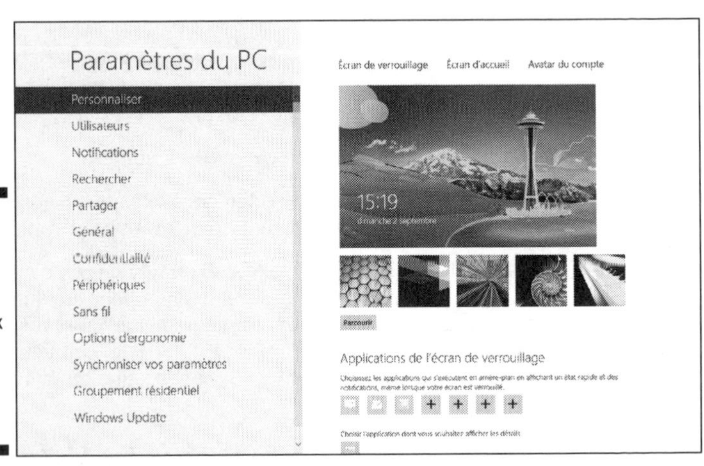

Figure 9.1 : L'écran Paramètres du PC propose de nombreux réglages courants (ou moins courants).

Comme son grand frère, le Panneau de configuration du bureau, l'écran Paramètres du PC décompose les réglages en différentes catégories. Voyons cela de plus près :

- **Personnaliser :** cette option vous permet de choisir une nouvelle image pour vos écrans d'accueil et de verrouillage (revoyez à ce sujet le Chapitre 2). La rubrique Avatar du compte vous propose de changer la vignette associée à votre compte d'utilisateur.

  La section Applications de l'écran de verrouillage, qui se trouve en bas de la fenêtre Paramètres du PC, vous permet d'activer ou de désactiver ce que Windows appelle des *états rapides*, c'est-à-dire des notifications qui devraient apparaître automatiquement dans l'écran de verrouillage. Cliquez par exemple sur l'application Calendrier, et l'écran de verrouillage affichera la date et l'heure de votre prochain rendez-vous.

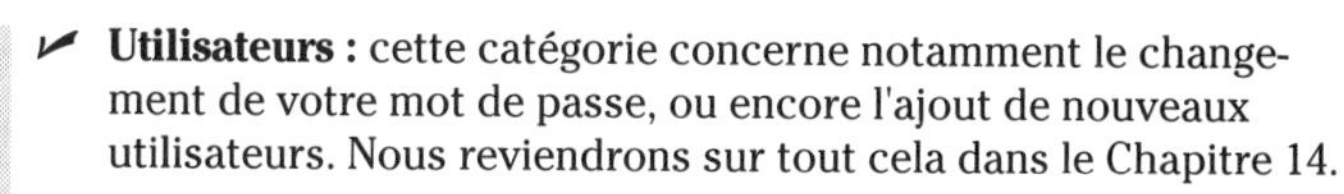

- **Utilisateurs :** cette catégorie concerne notamment le changement de votre mot de passe, ou encore l'ajout de nouveaux utilisateurs. Nous reviendrons sur tout cela dans le Chapitre 14.

- **Notifications :** les notifications sont de petits bandeaux de texte qui peuvent apparaître dans le coin supérieur droit de votre écran. Si vous trouvez ce système intéressant, autant ne toucher à rien ici. Par contre, si certaines de ces notifications vous gênent ou vous distraient dans vos activités, sélectionnez ici les programmes qui ont ou n'ont pas le droit de vous envoyer ce genre de message.
- **Rechercher :** vous pouvez ignorer en toute sécurité cette catégorie, à moins que vous ne vouliez empêcher une application ou son contenu d'être indexés. En règle générale et en principe, vous voulez que Windows indexe *tout*, afin que chaque information soit plus facile à retrouver.

- **Partager :** cette catégorie est destinée aux fans de réseaux sociaux, celles et ceux qui aiment partager ce qu' ils ou elles voient sur leurs écrans d'ordinateur. Vous pouvez ici choisir les applications qui vont servir à partager des informations. Windows 8 débute avec les applications Courrier et Contacts pour vous permettre d'échanger des courriels avec des « amis ». Lorsque vous installerez de nouveaux programmes communicants, ils pourront le cas échéant venir se greffer ici.
- **Général :** cette catégorie fourre-tout vous permet par exemple de désactiver le correcteur orthographique ou encore de vous passer de l'heure d'été. Bon. Mais ne rejetez pas totalement ces options. En effet, vous y trouvez également trois outils importants pour la survie de votre système : Actualiser votre PC sans affecter vos fichiers, Tout supprimer et réinstaller Windows, ainsi que Démarrage avancé. Nous reviendrons sur toutes ces choses un peu angoissantes dans le Chapitre 15.
- **Confidentialité :** avec cette catégorie, vous avez la possibilité d'empêcher les applications de connaître votre position géographique ou encore de partager votre nom et l'image de votre compte. Si la confidentialité vous préoccupe au plus haut point, voyez les boutons Effacer l'historique dans les catégories Rechercher et Général, ainsi que Effacer la liste, dans la catégorie Partager.

- **Périphériques :** se contente de lister tous vos *périphériques* (les matériels que vous avez branchés sur votre ordinateur). Vous pouvez y retrouver votre souris, votre écran, votre imprimante, votre appareil photo numérique, vos haut-parleurs et autres gadgets divers et variés. Pour autant, vous n'allez rien configurer ici. Tout ce qu'il vous est possible de faire, c'est de supprimer un dispositif ou d'en ajouter un nouveau. Pour cela, cliquez sur la ligne voulue, puis sur le bouton marqué d'un signe moins, ou inversement sur le bouton qui indique Ajouter un périphérique.

- **Sans fil :** vous pouvez ici activer ou désactiver le Wi-Fi, ou encore basculer en mode Avion.
- **Options d'ergonomie :** cette catégorie propose des réglages pour les personnes qui ont des problèmes de vue et/ou d'audition.

- **Synchroniser vos paramètres :** si vous vous êtes connecté à Windows 8 avec un compte Microsoft, cette catégorie vous permet de choisir les paramètres qui devraient être associés à ce compte. Si vous vous connectez par la suite à un autre ordinateur, ou un autre système également sous Windows 8, celui-ci appliquera automatiquement ces réglages de manière à ce que vous retrouviez vos couleurs favorites, votre arrière-plan, vos préférences linguistiques, certains paramètres de vos applications, et autres détails personnels mémorisés dans votre compte Microsoft.
- **Groupement résidentiel :** comme vous le verrez dans le Chapitre 11, cette catégorie vous permet de choisir les bibliothèques et appareillages qui peuvent être partagés dans votre *groupement résidentiel*. C'est en fait une manière simplifiée de partager des fichiers entre des ordinateurs connectés.
- **Windows Update :** cette catégorie vous indique d'un coup d'œil si Windows Update est ou non actif. Pour savoir si Microsoft a mis en ligne aujourd'hui des nouveautés intéressantes (et surtout utiles, comme des données récentes pour le travail de Windows Defender), cliquez sur le bouton Rechercher maintenant les mises à jour.

Le Panneau de configuration du bureau

Lorsque l'écran Paramètres du PC ne suffit pas, cela signifie qu'il est temps de sortir l'artillerie lourde. Avec le Panneau de configuration du bureau, vous pourriez bien passer toute une semaine à cliquer sur les icônes et à ajuster des réglages pour pousser Windows 8 dans ses derniers retranchements. Une partie de l'attrait de ce Panneau de configuration vient de son amplitude : il propose environ une cinquantaine d'icônes, et certaines de ces icônes activent des menus qui concernent des dizaines de réglages et de tâches.

Ne soyez cependant pas surpris si vous touchez à quelque chose dans le Panneau de configuration du bureau et que vous vous retrouvez tout à coup dans la version Paramètres du PC de l'écran d'accueil pour finir le travail. Ces deux panneaux semblent bien ne pas pouvoir se passer l'un de l'autre.

Pour ouvrir le Panneau de configuration du bureau, pointez vers le coin inférieur gauche de l'écran, et appuyez sur le bouton droit de la souris (vous pouvez aussi utiliser le raccourci touche Windows+X). Vous voyez s'afficher un menu comportant une grosse quinzaine de commandes. Cliquez sur la ligne Panneau de configuration et le tour est joué.

Pour vous éviter de vous perdre dans un dédale d'options, le Panneau de configuration est lui aussi divisé en un certain nombre de catégories (voir Figure 9.2).

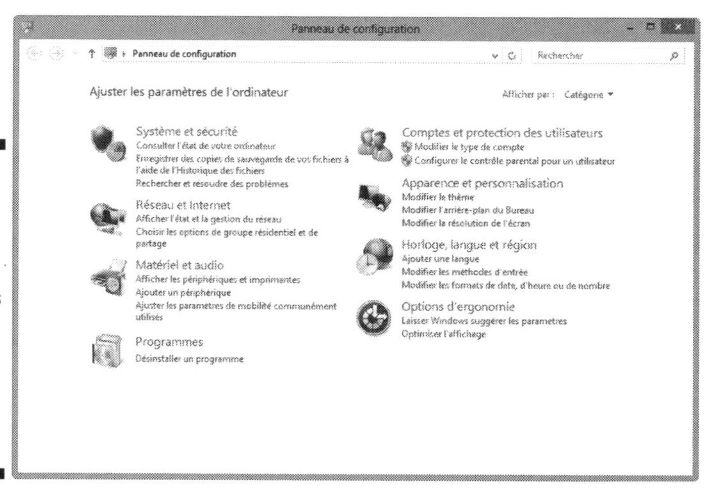

Figure 9.2 : Le Panneau de configuration du bureau regroupe des dizaines et des dizaines de réglages en huit catégories principales.

Sous le nom de chaque catégorie, vous trouvez des raccourcis vers les réglages les plus courants. Par exemple, le premier intitulé, Système et sécurité, propose d'entrée de jeu de consulter l'état de votre ordinateur, de faire appel à l'Historique des fichiers pour enregistrer des copies de sauvegarde, ou encore d'accéder à des outils de résolution des problèmes.

Certains contrôles ont du mal à trouver leur place dans une catégorie bien précise, tandis que d'autres servent surtout de raccourcis vers des réglages qui se trouvent ailleurs. Pour en voir plus, et donc en savoir plus, déroulez la liste Afficher par, en haut et à droite de la fenêtre, puis sélectionnez l'une des options Grandes icônes ou Petites icônes. Immédiatement, vous vous retrouvez avec des trillions d'icônes supplémentaires (voir Figure 9.3). Pour revenir à la vue par défaut, choisissez Catégorie dans la liste Afficher par.

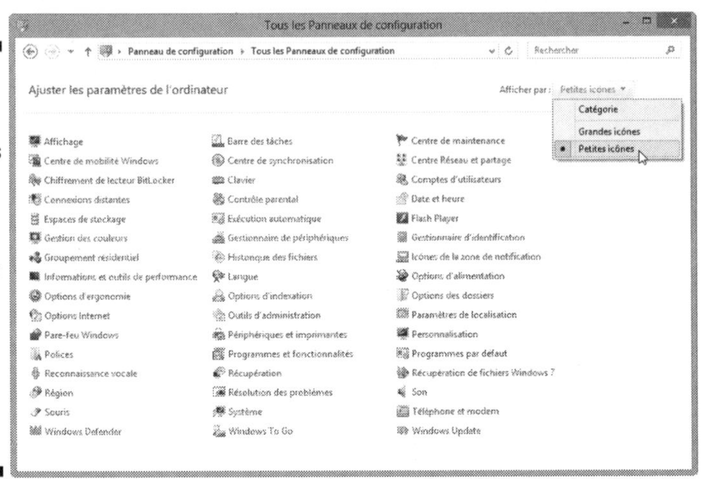

Figure 9.3 : Le mode Petites icônes affiche toutes les icônes du Panneau de configuration, et est certainement conçu pour les utilisateurs expérimentés et dotés d'une excellente vue.

Ne croyez pas que quelque chose s'est égaré au passage si votre Panneau de configuration n'est pas la réplique exacte de ce que vous voyez sur la Figure 9.2. Certains programmes, matériels ou encore modèles d'ordinateurs ajoutent couramment leurs propres icônes à ce panneau. Ces icônes varient également légèrement selon votre version de Windows 8 (revoyez à ce sujet le Chapitre 1).

Laissez le pointeur de votre souris planer quelques instants au-dessus d'une icône, d'un lien ou d'une catégorie qui ne vous évoque rien, et Windows 8 va afficher un message qui vous explique quel rôle il ou elle joue dans la vie (voilà une raison de plus pour convaincre les utilisateurs d'écrans tactiles d'utiliser tout de même une souris lorsqu'ils visitent le bureau de Windows).

Le Panneau de configuration du bureau concentre tous les principaux réglages de Windows 8 dans une fenêtre très bien organisée, mais ce n'est certainement pas le seul moyen d'accéder à la plupart de ces paramètres. Vous pouvez presque toujours y parvenir en cliquant droit sur l'élément que vous voulez modifier, que ce soit sur votre bureau lui-même, sur une icône ou encore dans un dossier, puis en choisissant dans le menu contextuel qui s'affiche la commande Propriétés.

La suite de ce chapitre décrit les catégories du Panneau de configuration illustré sur la Figure 9.2, les raisons de les visiter, et les raccourcis qui vous permettent d'accéder plus rapidement aux réglages voulus.

Système et sécurité

Comme une voiture qui aurait pris de l'âge, Windows 8 a besoin d'un peu de révision de temps à autre. En fait, une bonne maintenance est capable de le maintenir tellement en forme qu'une bonne partie du Chapitre 10 est consacrée à ce sujet. Vous y découvrirez comment accélérer le fonctionnement de Windows, comment libérer de l'espace sur votre disque dur, comment sauvegarder vos données, et comment créer un cocon de sécurité appelé un point de restauration.

Comptes et protection des utilisateurs

J'explique dans le Chapitre 11 comment créer des comptes séparés pour chacune des personnes qui utilisent votre PC. Ceci leur permet de travailler ou de jouer, tout en limitant les dommages qu'ils ou elles pourraient causer à Windows ou à vos fichiers.

Si vous voulez créer un compte d'utilisateur pour un visiteur, voici une petite astuce qui vous évitera de feuilleter tout de suite les pages de ce livre pour consulter le Chapitre 11 : activez la barre d'icônes dans l'écran d'accueil, cliquez sur le bouton Paramètres, puis sur Modifier les paramètres du PC. Choisissez ensuite Utilisateurs, et enfin Ajouter un utilisateur.

La catégorie Comptes et protection des utilisateurs contient aussi un lien vers le gestionnaire de contrôle parental, qui vous aide à fixer des limites pour l'accès de vos enfants à votre PC.

Réseau et Internet

Connectez votre PC à une box Internet, et Windows 8 se met immédiatement à avaler des tas d'informations en provenance du Web. Connectez-le à un autre PC, et il va tout de suite vouloir les relier pour former un groupement résidentiel, ou un autre type de réseau. Vous n'aviez pas encore de groupe résidentiel ? Voyez le Chapitre 11.

Même si Windows 8 fait très bien le travail sans avoir besoin d'assistance, la catégorie Réseau et Internet contient tout de même quelques outils utiles pour résoudre certains problèmes.

Apparence et personnalisation

C'est l'une des catégories les plus populaires. Apparence et personnalisation vous permet de changer le look et le comportement de Windows 8 de différentes manières. Vous trouvez ici une demi-douzaine d'icônes :

- **Personnalisation :** inutile de faire appel à des architectes d'intérieur. Avec cette icône, vous avez la possibilité de concevoir vous-même l'apparence de Windows. Placez une nouvelle image ou photographie sur l'arrière-plan de votre bureau, choisissez un nouvel écran de veille, ou modifiez la couleur de l'entourage des fenêtres. Bon, d'accord. Il est encore plus rapide de cliquer droit sur le fond du bureau et de choisir l'option Personnaliser dans le menu contextuel.

- **Affichage :** si Personnalisation sert à changer les couleurs de l'affichage, cette catégorie concerne quant à elle l'écran proprement dit de votre ordinateur. Par exemple, elle vous permet d'agrandir les caractères si vos yeux sont rougis de fatigue, d'ajuster la résolution du moniteur, ou encore de faire reconnaître un second écran.

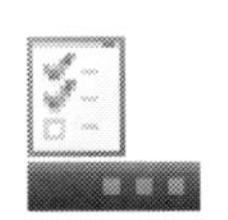

- **Barre des tâches :** vous pouvez ici ajouter de nouvelles icônes de programmes à votre barre des tâches, le bandeau qui se trouve en bas de votre bureau. Je traite cette manière simple d'éviter d'en passer par l'écran d'accueil dans le Chapitre 3 (entre nous, vous pouvez aussi cliquer droit sur la barre des tâches et choisir dans le menu l'option Propriétés pour arriver au même résultat).

- **Options d'ergonomie :** conçue pour aider les gens qui ont des besoins particuliers, cette icône contient des réglages destinés à rendre Windows plus praticable par les personnes qui rencontrent des problèmes de vision, d'audition ou encore de mouvement. Du fait que ces options d'ergonomie constituent une catégorie spécifique, j'y reviendrai plus loin dans ce chapitre.

- **Options des dossiers :** cette catégorie est surtout destinée aux utilisateurs expérimentés. Elle vous permet d'adapter l'aspect et le comportement des dossiers. Remarquez que vous pouvez aussi y accéder en ouvrant une fenêtre de dossier, puis en choisissant le menu Affichage et enfin le bouton Options.

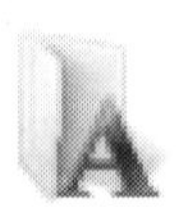

- **Polices :** vous pouvez ici visualiser, examiner, masquer ou supprimer les polices de caractères de votre système.

Dans les quelques sections qui suivent, nous allons nous attarder un peu sur la catégorie Apparence et personnalisation.

Changer l'arrière-plan du bureau

Un arrière-plan, ou papier peint si vous préférez, est simplement une image qui recouvre votre bureau. Pour le modifier, suivez ces étapes :

1. **Cliquez droit sur le fond de votre bureau, et choisissez la commande Personnaliser dans le menu qui apparaît.**
2. **Dans la fenêtre Personnalisation, cliquez sur le lien Arrière-plan du bureau, en bas et vers la gauche.**
3. **Choisissez une nouvelle image pour le fond de votre bureau.**

   Déroulez la liste Emplacement de l'image pour voir toutes les photographies et couleurs offertes par Windows (voir Figure 9.4). Si nécessaire, cliquez sur le bouton Parcourir pour accéder à des dossiers qui ne seraient pas proposés dans la liste. Vous avez bien entendu le droit de choisir vos propres photographies dès l'instant qu'elles sont accessibles.

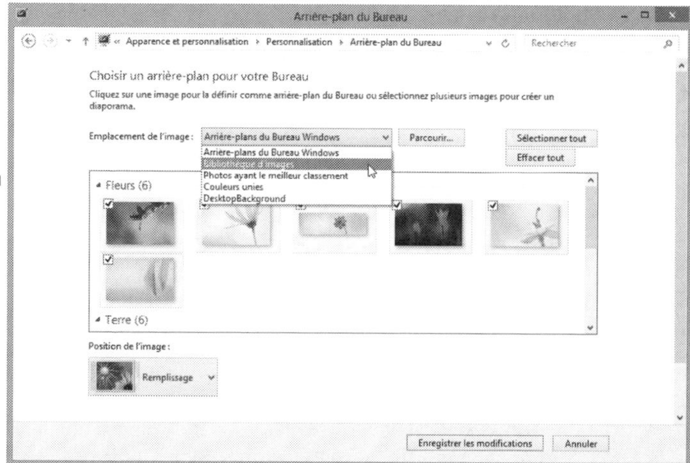

Figure 9.4 : Cliquez sur la liste Emplacement de l'image pour trouver d'autres arrière-plans pour votre bureau.

Les images d'arrière-plan peuvent être enregistrées dans de nombreux formats : BMP, GIF, JPG, JPEG, DIB ou encore PNG. Ceci signifie que vous avez la possibilité d'utiliser pratiquement n'importe quelle photo ou image trouvée sur le Web ou provenant d'un appareil numérique.

Lorsque vous cliquez sur la vignette d'une image, Windows l'affiche instantanément sur le fond du bureau. Si vous êtes satisfait du résultat, passez directement à l'Étape 5.

4. **Décidez si vous voulez remplir, ajuster, étirer ou encore centrer votre image.**

   Toutes les images ne remplissent pas parfaitement le bureau. Les petits dessins, par exemple, doivent être étirés pour remplir tout l'espace, ou bien être démultipliés en un certain nombre de rangées sur l'écran de manière à occuper celui-ci. Si le résultat ne vous enthousiasme pas, essayez l'une des options Remplissage ou Ajuster de la liste Position de l'image pour définir l'apparence de votre bureau, ou bien encore essayez de centrer l'image en acceptant de laissant un bord uni de chaque côté de celle-ci.

   Vous pouvez également varier les images en sélectionnant plusieurs photos. Dans ce cas, appuyez sur la touche Ctrl tout en cliquant sur chacune des vignettes qui vous intéressent. Le fond du bureau sera alors changé par défaut toutes les trente minutes,

5. **Cliquez sur le bouton Enregistrer les modifications pour valider votre nouvel arrière-plan.**

Vous trouvez soudain une magnifique image dont vous aimeriez faire votre arrière-plan alors que vous naviguez sur le Web ? Cliquez droit sur cette image et sélectionnez l'option Choisir comme image d'arrière-plan. Windows va alors copier cette illustration sur votre ordinateur et l'afficher sur le fond de votre bureau.

Choisir un écran de veille

Aux temps préhistoriques de l'informatique, les écrans risquaient de griller lorsqu'un programme restait affiché trop longtemps. Pour éviter ce genre d'inconvénient (le mot est peut-être trop faible ?), les utilisateurs installaient un *économiseur d'écran* de manière à éviter qu'un affichage trop statique ne ruine les photophores de leur moniteur. Ce problème n'existe plus sur les écrans d'aujourd'hui, mais les gens continuent à utiliser ce genre d'application pour des raisons plutôt esthétiques. D'ailleurs, on ne parle même plus d'économiseur d'écran, mais d'*écran de veille*. C'est tout dire !

Windows est fourni avec plusieurs écrans de veille. Pour en essayer un, suivez ces étapes :

1. **Cliquez droit sur le fond du bureau, et choisissez l'option Personnaliser dans le menu qui s'affiche. Dans la fenêtre Personnalisation, cliquez ensuite sur le lien Écran de veille.**

   La boîte de dialogue Paramètres de l'écran de veille apparaît.

2. **Déroulez la liste qui se trouve sous l'intitulé Écran de veille, et sélectionnez-y un modèle.**

   Cliquez ensuite sur le bouton Aperçu pour vous faire une idée du résultat (voir Figure 9.5). N'hésitez pas à tester tous les candidats avant de faire un choix définitif.

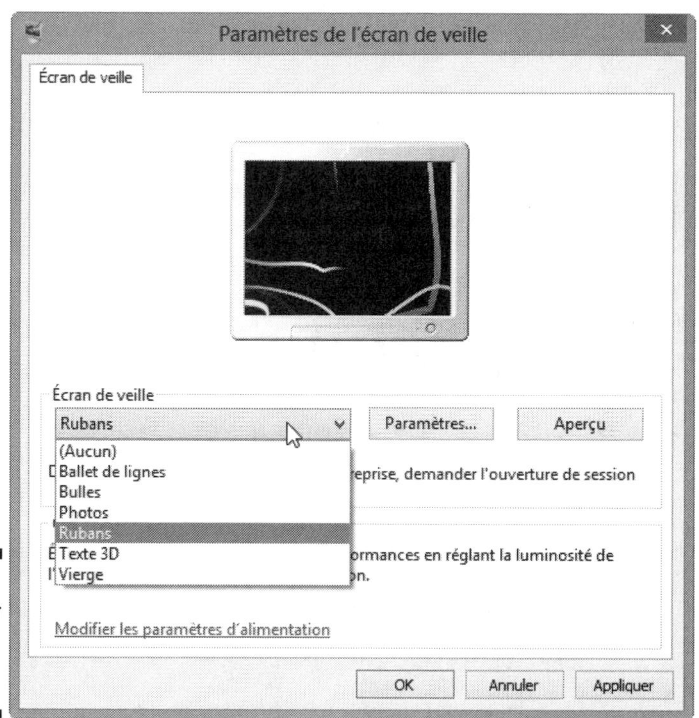

Figure 9.5 : Choisir, tester et configurer un écran de veille.

Cliquez également sur le bouton Paramètres. En effet, certains écrans de veille proposent différentes options, vous permettant par exemple de régler la vitesse de défilement des photographies.

3. **Dans le champ Délai, indiquez la durée d'inactivité de l'ordinateur au terme de laquelle l'écran de veille entrera en service.**

4. **Si vous le voulez, vous pouvez également ajouter un peu de sécurité en cochant la case À la reprise, demander l'ouverture de session.**

   Ceci peut vous éviter de voir votre ordinateur « squatté » pendant les quelques minutes où vous êtes parti faire une pause café. Dans ce cas, Windows demandera votre mot de passe lorsque vous bougerez la souris ou appuierez sur une touche du clavier.

5. **Quand vous avez terminé vos réglages, cliquez sur le bouton OK.**

   Windows sauvegarde vos définitions.

Si vous voulez *vraiment* augmenter la durée de vie de votre écran et consommer moins d'électricité, laissez de côté les écrans de veille. Il vaut bien mieux pour cela endormir votre PC : appuyez sur la combinaison de touches Windows+I, cliquez sur l'icône Marche/Arrêt, et choisissez dans le menu l'option Veille.

Changer le thème de Windows

Les *thèmes* sont simplement des collections de réglages qui définissent l'apparence de votre bureau. Vous pouvez par exemple enregistrer dans un thème la configuration de votre écran de veille et l'arrière-plan du bureau. Vous n'avez plus ensuite qu'à passer d'un thème à un autre pour changer le costume de votre PC.

Pour essayer l'un des thèmes prédéfinis de Windows, cliquez droit sur votre bureau et choisissez dans le menu l'option Personnaliser. Vous allez alors pouvoir choisir l'un des modèles proposés par Windows ou enregistrer le votre (voir Figure 9.6). Cliquez sur une vignette de thème, et Windows teste instantanément celui-ci.

Les thèmes sont classés en trois catégories :

- **Mes thèmes :** ce sont ceux que vous avez créés.
- **Thèmes Windows par défaut :** vous trouvez ici les thèmes choisis pour vous par Microsoft.
- **Thèmes à contraste élevé :** ils sont destinés en principe à des personnes qui rencontrent des problèmes visuels pour bien dis-

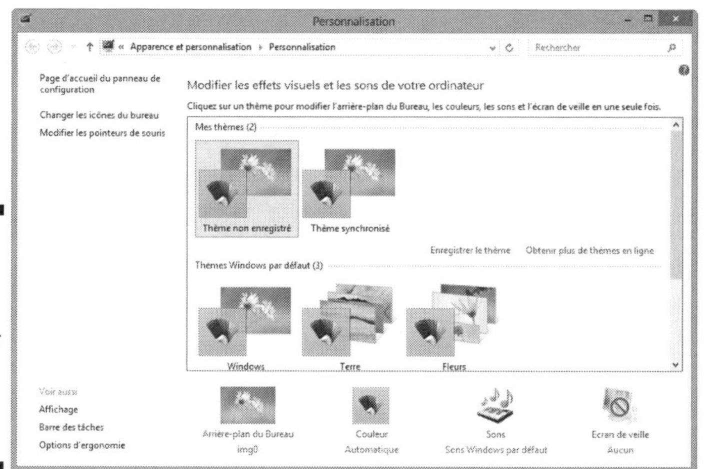

Figure 9.6 : Choisissez un thème prédéfini pour changer l'aspect de Windows et les sons qu'il utilise.

tinguer les éléments affichés, mais peuvent aussi servir à donner un look un peu rétro à Windows.

Vous pouvez tout à fait librement vous servir des liens qui apparaissent en bas de la fenêtre Personnalisation pour ajuster l'arrière-plan du bureau, les couleurs, les sons associés au système et aux programmes, ainsi que l'écran de veille. Quand vous êtes satisfait de vos choix, sauvegardez vos réglages en cliquant sur le lien Enregistrer le thème. Donnez-lui un nom à votre convenance.

Changer la résolution de l'écran

La *résolution de l'écran* fait partie de ces multiples paramètres que l'on conFigure une bonne fois pour toutes, et que l'on oublie ensuite. Cette résolution détermine la quantité d'informations graphiques que Windows est capable d'afficher sur votre écran. Si vous l'augmentez, il sera capable d'afficher plus de *pixels*. Si vous la diminuez, tout deviendra plus grand, mais vous verrez moins de choses.

Pour trouver la résolution la plus confortable pour vos yeux, ou bien si un programme ou un jeu vous suggère de changer cette résolution ou de *mode vidéo*, suivez ces étapes :

1. **Cliquez droit sur une partie vide de votre bureau, et choisissez l'option Résolution d'écran dans le menu qui s'affiche.**

   La fenêtre Résolution d'écran apparaît (voir Figure 9.7).

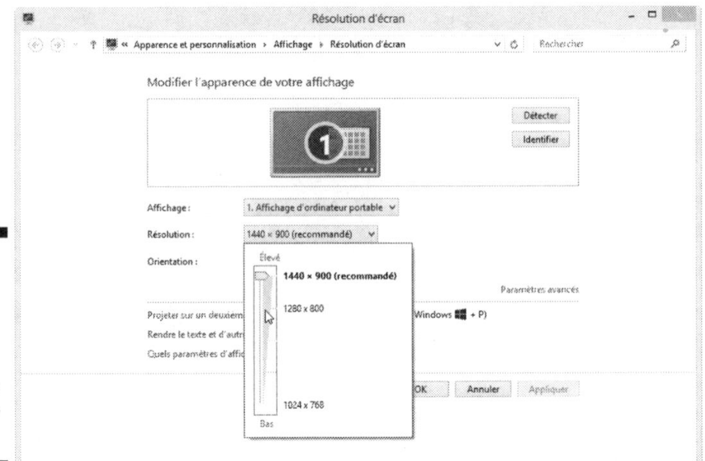

Figure 9.7 : Plus la résolution est élevée, et plus Windows pourra afficher d'informations.

2. **Cliquez sur la liste qui se trouve à droite de l'intitulé Résolution, puis servez-vous de votre souris pour faire glisser le curseur vers le haut ou vers le bas.**

   Observez la petite fenêtre d'aperçu qui est affichée en haut de la fenêtre. Plus vous montez le curseur, et plus elle s'agrandit. Cela signifie que Windows pourra afficher davantage d'informations, mais aussi que ces informations seront plus petites sur l'écran. Et inversement si vous faites descendre le curseur…

   Il n'y pas ici de choix qui serait bon ou mauvais, mais il est tout de même conseillé d'appliquer la résolution recommandée par Windows (et n'oubliez pas aussi que vous aurez besoin de pas mal de pixels si vous voulez regarder des vidéos dans de bonnes conditions).

   Windows 8 vous permet d'accrocher une application sur un bord de votre bureau à la condition que la résolution d'écran soit de 1366 x 768 ou plus (l'accrochage des applications est décrit dans le Chapitre 3).

3. **Vérifiez ce que donne votre affichage en cliquant sur le bouton Appliquer. Si cela vous convient, cliquez ensuite sur le bouton Conserver les modifications (ou sinon sur Rétablir).**

   Si vous changez la résolution, Windows vous donne quinze secondes pour confirmer votre choix en cliquant sur le bouton Conserver les modifications. Admettons qu'un problème quelconque vous empêche justement de voir ce bouton. Au bout d'un certain temps, Windows constate que vous ne validez pas ce mode, et il revient à la résolution précédente, celle dans laquelle votre écran était parfaitement lisible.

4. **Quand vous êtes satisfait du résultat, cliquez sur le bouton OK.**

   Une fois votre résolution d'affichage ajustée à vos besoins et vos désirs, vous n'aurez probablement plus jamais à y revenir, à moins que vous ne changiez plus tard d'écran. Une autre raison de revenir à cette fenêtre, c'est l'ajout d'un second moniteur à votre PC. Voyez ce qu'en dit l'encadré qui suit.

Doubler l'espace de travail avec un second écran

Vous voilà à la tête non plus d'un, mais de deux écrans. Vous avez peut-être récupéré le second sur un PC moribond, ou c'est un cadeau qu'on vous a fait, ou toute autre bonne raison. Branchez-le sur votre PC, placez-le à côté du premier écran, et voilà votre bureau Windows doublé. Windows 8 va en effet étendre par défaut votre espace de travail sur les deux moniteurs. De quoi par exemple consulter une encyclopédie en ligne d'un côté, tout en rédigeant votre article de l'autre.

Pour réussir cette épreuve de gymnastique, votre ordinateur a besoin d'une carte graphique avec deux *ports*. Et ces ports doivent avoir un format compatible avec les *connecteurs* de vos écrans. Ceci ne pose aucun problème sur la plupart des appareils modernes (ordinateurs, portables, tablettes et écrans). Par exemple, de nombreuses tablettes et PC portables disposent d'un port HDMI qui permet de connecter un écran supplémentaire.

Une fois le branchement réalisé, cliquez droit sur le fond de votre bureau et choisissez dans le menu l'option Résolution d'écran. La fenêtre correspondante va apparaître, mais vous devriez cette fois y voir un deuxième dessin d'écran. Le premier contient un gros chiffre 1, et le second un gros chiffre 2. Si vous ne voyez pas cela, cliquez sur le bouton Détecter. Et si ce n'est pas suffisant, vérifiez vos branchements ainsi que l'allumage du deuxième écran.

Cliquez sur l'une des ces vignettes et faites-la glisser de manière à ce que la disposition de ces écrans virtuels corresponde bien à l'emplacement physique sur votre bureau de vos écrans réels. Cliquez ensuite sur OK. De cette manière, Windows pourra étendre l'affichage du bureau dans la bonne direction.

Pour configurer votre second moniteur depuis l'écran d'accueil, ouvrez la barre d'icônes (ou appuyez sur la combinaison de touches Windows+K). Choisissez alors l'icône Deuxième écran. Vous disposez alors de quatre modes de fonctionnement : Écran du PC (le second moniteur est ignoré), Dupliquer (les deux écrans affichent la *même* chose), Étendre (le bureau est agrandi pour occuper les deux écrans) et Deuxième écran uniquement (l'écran de base du PC s'éteint).

Matériel et audio

La catégorie Matériel et audio de Windows 8 affiche quelques visages familiers (voir Figure 9.8). L'icône Affichage, par exemple, se retrouve également dans la catégorie Apparence et personnalisation, décrite dans la section précédente.

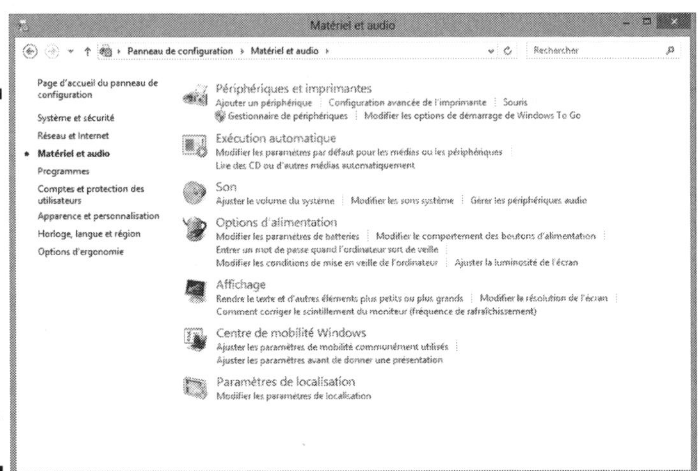

Figure 9.8 : La catégorie Matériel et audio vous permet de contrôler les aspects physiques de votre PC, comme l'affichage, les sons et les divers périphériques.

Cette partie contrôle les éléments de votre PC que vous pouvez toucher physiquement ou brancher. Il est possible ici d'ajuster les réglages de votre affichage, de votre souris, de vos haut-parleurs, de votre clavier, de vos imprimantes, de votre scanner, de votre appareil photo numérique, de votre contrôleur de jeu ou encore de votre tablette graphique, *etc.*

Pour autant, il n'y a pas de motif valable pour passer son temps ici, d'autant que la plupart de ces paramètres se retrouvent ailleurs, par exemple en cliquant droit sur une icône et en choisissant dans le menu la commande Propriétés.

Que vous arriviez à ces pages après avoir ouvert le Panneau de configuration ou *via* un raccourci, les sections qui suivent décrivent les raisons les plus populaires de les visiter.

Ajuster le volume et les sons

La rubrique Son vous permet d'ajuster le volume audio de votre PC, ce qui peut-être bien pratique si vous essayer de jouer discrètement sur votre tablette Windows pendant une réunion particulièrement ennuyeuse.

Les tablettes sous Windows 8 possèdent généralement un dispositif de réglage du volume sonore sur leur bord gauche (ou droit). Le bouton du haut augmente le volume, et celui du bas le diminue. Réglez le son comme il faut un peu avant de commencer à jouer à Angry Birds dans la salle de conférence...

Pour régler le volume audio depuis votre bureau, cliquez sur la petite icône de haut-parleur, à droite de la barre des tâches, puis faites glisser le curseur pour augmenter ou réduire le son (voir Figure 9.9). Si vous ne voyez pas cette icône, cliquez droit sur l'horloge, choisissez Propriétés, puis l'option Activé sur la ligne Volume. Cliquez sur OK. Votre haut-parleur est réactivé.

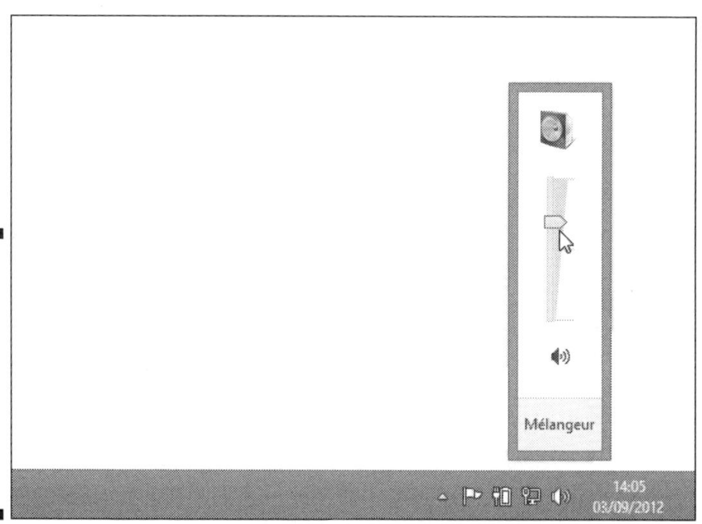

Figure 9.9 : Cliquez sur l'icône de haut-parleur, puis faites glisser le curseur pour ajuster le volume sonore.

Pour rendre votre PC muet, cliquez sur l'icône du haut-parleur qui se trouve en bas du contrôle de volume (reportez-vous à la Figure 9.9). Un nouveau clic sur cette icône, et l'ordinateur retrouve sa voix.

Cliquez sur le mot Mélangeur, en bas du contrôle de volume, et vous pourrez alors configurer plus finement le niveau sonore pour différentes applications. Vous pouvez tranquillement faire exploser des mines dans votre jeu favori, pendant que votre programme de messagerie vous avertira en douceur de l'arrivée d'un nouveau courrier (malheureusement, les sons pour l'écran d'accueil ne peuvent pas être configurés ici).

Pour ajuster rapidement le niveau sonore depuis l'écran d'accueil, faites apparaître la barre d'icônes en effleurant l'écran depuis son bord droit. Tapez alors sur l'icône Paramètres, puis sur l'icône Son. Une glissière s'affiche alors. Faites glisser le curseur vers le haut ou vers le bas pour ajuster le volume. Descendez tout en bas pour rendre l'ordinateur muet.

Installer ou configurer des haut-parleurs

La plupart des PC sont fournis avec seulement deux haut-parleurs. D'autres en ont quatre, et d'autres encore, destinés au jeu ou au Home cinéma, peuvent en posséder jusqu'à huit. Pour prendre en compte toutes ces configurations possibles, Windows 8 inclut un outil de configuration et de test de haut-parleurs.

Si vous installez de nouvelles enceintes, ou si vous n'êtes pas certain que votre installation actuelle est parfaitement configurée, suivez ces étapes :

1. **Depuis le bureau, cliquez droit sur l'icône du haut-parleur, à droite de la barre des tâches. Dans le menu qui s'affiche, choisissez l'option Périphériques de lecture.**

2. **Dans la boîte dialogue Son, cliquez sur la ligne l'icône qui correspond à votre matériel, puis sur le bouton Configurer.**

   La boîte de dialogue Configurer les haut-parleurs apparaît (voir Figure 9.10).

3. **Cliquez sur le bouton Tester. Ajustez si nécessaire les réglages de vos haut-parleurs, puis cliquez sur le bouton Suivant.**

   Windows 8 va vous demander de choisir le nombre de haut-parleurs à utiliser et de valider leur position. Chacun va jouer un son à son tour pour que vous puissiez bien vous rendre compte du résultat.

4. **Cliquez sur Terminer pour clore la configuration. Recommencez la même procédure pour vos autres dispositifs audio. Cliquez sur OK quand vous avez fini.**

Tant que vous y êtes, vous devriez aussi tester le réglage de volume de votre micro en cliquant sur l'onglet Enregistrement de la boîte de dialogue Son. Parcourez également les réglages des autres gadgets audio que vous auriez pu vous offrir.

Si vos haut-parleurs et votre micro n'apparaissent pas dans cette boîte de dialogue, c'est que Windows 8 ne les a pas reconnus, et donc qu'il

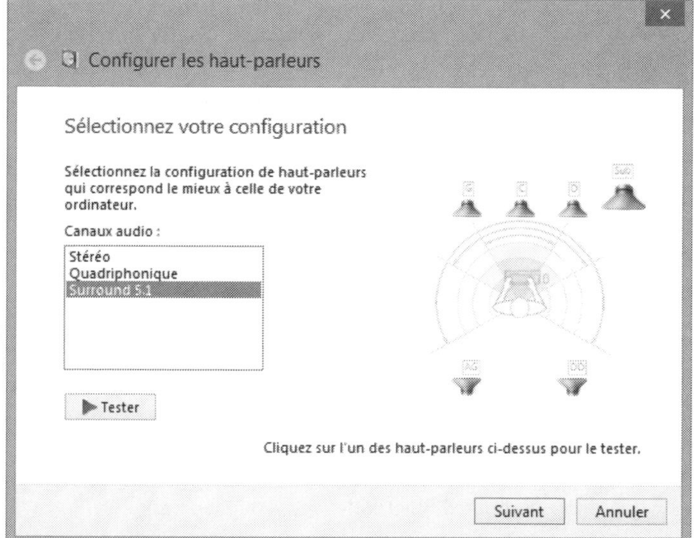

Figure 9.10 : Cliquez sur le bouton Configurer pour tester vos haut-parleurs un par un.

ne sait pas qu'ils sont branchés sur votre PC. Cela signifie généralement que vous devez installer un nouveau *pilote*, un travail ennuyeux que je traite dans le Chapitre 10.

Ajouter un gadget Bluetooth

La technologie Bluetooth vous permet de connecter des appareils sans fil à votre ordinateur, ce qui peut vous aider à faire un peu de ménage sur votre bureau. Avec une tablette, il est possible d'ajouter ainsi une souris et un clavier sans s'accaparer un de vos ports USB.

Les liaisons Bluetooth peuvent aussi permettre une communication sans fil entre votre téléphone portable et votre ordinateur ou votre tablette, du moins si votre matériel et votre fournisseur d'accès vous y autorisent.

Pour ajouter un dispositif Bluetooth à votre système, suivez ces étapes :

1. **Assurez-vous tout d'abord que votre appareil Bluetooth est bien allumé et opérationnel.**

   Parfois, il vous suffit d'actionner un commutateur. Dans d'autres cas, il faut appuyer sur un bouton jusqu'à ce que sa petite lumière commence à clignoter.

2. **Dans l'écran d'accueil, activez la barre d'icônes, cliquez sur l'icône Paramètres, puis sur le bouton Modifier les paramètres du PC.**

   Vous disposez de trois méthodes pour activer le volet Paramètres :

   - **Souris :** dirigez le pointeur dans le coin haut ou bas droit de votre écran. Lorsque la barre d'icônes apparaît, cliquez sur le bouton Paramètres.
   - **Clavier :** appuyez sur la combinaison de touches Windows+I.
   - **Écran tactile :** effectuez un balayage à partir du côté droit de l'écran, puis tapez sur l'icône Paramètres.

3. **Cliquez dans le volet de gauche sur le bouton Périphériques.**

   Le volet des périphériques s'affiche sur la droite de l'écran. Vous y retrouvez tous les dispositifs connectés à votre système. L'ordinateur va rapidement commencer à rechercher un nouvel appareil Bluetooth se trouvant à proximité.

   Si rien ne se passe, repartez de l'Étape 1 et vérifiez que votre gadget Bluetooth est bien allumé (attendez tout de même une trentaine de secondes avant de recommencer).

4. **Lorsque le nom de votre dispositif apparaît dans la liste des périphériques, choisissez son nom en cliquant dessus ou en tapotant.**

5. **Si nécessaire, saisissez le code associé à votre matériel puis demandez à jumeler le tout.**

   C'est là que la situation se complique. Pour des raisons de sécurité, vous devez prouver que vous êtes bien assis devant votre *propre* ordinateur, et que vous n'êtes pas un vulgaire malfrat qui tenterait de le pirater. Malheureusement, les appareils emploient des techniques plus ou moins différentes pour vous demander de prouver votre innocence.

   Parfois, vous devez entrer une chaîne secrète de chiffres (un *passcode*) aussi bien sur votre dispositif Bluetooth que sur votre ordinateur. En règle générale, ce code se dissimule quelque part dans le manuel de votre appareil. Mais vous devez faire vite avant que l'autre bout de la chaîne se lasse et arrête d'attendre.

   Dans certains cas, par exemple avec une souris Bluetooth, vous devez appuyer à ce moment sur un petit bouton. Les téléphones portables peuvent aussi vous demander d'appuyer ou de cliquer sur quelque chose lorsque les codes sont identiques des deux côtés.

En cas de doute, tapez **0000** au clavier. C'est souvent le code universel et par défaut offert aux possesseurs frustrés de matériel Bluetooth qui tentent de connecter leurs gadgets.

Une fois l'ordinateur et le dispositif Bluetooth correctement appariés, le nom et l'icône de celui-ci vont apparaître dans la liste des périphériques de l'écran Paramètres du PC.

Pour ajouter un appareil Bluetooth depuis le bureau de Windows 8, cliquez dans la barre des tâches sur l'icône correspondante. Demandez alors à ajouter un dispositif Bluetooth, puis passez à l'Étape 3 de la liste ci-dessus. Si vous ne voyez pas cette icône, cliquez sur le bouton Afficher les icônes cachées (la flèche verticale qui se trouve un peu avant l'horloge). Vous devriez pouvoir trouver votre bonheur dans la fenêtre qui s'affiche (sinon, c'est certainement que votre ordinateur n'est pas équipé pour le Bluetooth).

Ajouter une console de jeu Xbox 360

Le Panneau de configuration vous permet d'ajouter ou de paramétrer la plupart des accessoires susceptibles d'être connectés à votre système, mais la console Xbox 360 constitue une exception. Il faut en effet délivrer votre autorisation Xbox pour qu'elle soit acceptée par votre ordinateur.

Pour que Windows 8 et votre console Xbox acceptent de communiquer, saisissez votre manette de jeu, placez-vous devant votre téléviseur, et suivez ces étapes :

1. **Allumez votre Xbox 360, et connectez-vous avec le même compte que celui que vous utilisez pour accéder à Windows 8.**

   Si vous avez utilisé des comptes Microsoft différents sur l'ordinateur et sur la Xbox, rien n'est perdu. Déconnectez-vous, puis créez un *autre* compte utilisateur sous Windows 8 en utilisant le nom et le mot de passe actifs sur votre Xbox 360. Après tout, c'est *aussi* un compte Microsoft !

   Connectez-vous sous Windows 8 avec ce compte chaque fois que vous voudrez utiliser l'une de vos applications Xbox Windows 8.

2. **Sur votre Xbox 360, accédez aux paramètres système, puis aux paramètres de la console, et enfin au « compagnon » Xbox.**

3. **Vous devriez voir deux commutateurs disponible/indisponible. Placez-vous en mode disponible.**

4. **Ouvrez l'une de vos applications Windows 8 Xbox et demandez à vous connecter.**

   Après quelques instants, la connexion devrait être établie et affichée sur l'écran de votre téléviseur. C'est fait !

Ajouter une imprimante

Les constructeurs d'imprimantes étant incapables de se mettre d'accord sur une procédure d'installation standard, deux voies s'offrent éventuellement à vous :

- Certains fabricants vous demandent simplement de brancher l'imprimante en reliant un câble à un port USB de votre ordinateur. Windows 8 détecte alors automatiquement le nouveau matériel, le reconnaît et l'installe. Il ne vous reste plus qu'à mettre de l'encre ou du toner, insérer du papier dans le bac prévu à cet effet, et c'est tout.
- D'autres fabricants utilisent une approche moins souple. Ils vous demandent d'installer leur logiciel *avant* de connecter l'imprimante. Et celle-ci risque de ne pas fonctionner correctement si vous ne respectez pas cet ordre d'installation.

Il n'y a hélas qu'une seule façon de savoir comment vous y prendre : consulter le manuel de l'imprimante (dans le meilleur des cas, vous trouverez dans le carton de celle-ci un joli document plein de couleurs qui décrit toute la procédure à suivre).

Si votre imprimante n'est pas livrée avec un ou deux CD-ROM, insérez vos cartouches, mettez du papier dans le bas, et suivez ces étapes :

1. **Windows 8 étant actif et bien éveillé, branchez l'imprimante sur votre PC et allumez-la.**

   Windows 8, avec un peu de chance, va afficher rapidement un message vous informant que votre imprimante a été installée avec succès. Mais ne vous en contentez pas et effectuez quelques tests.

2. **Ouvrez le Panneau de configuration du bureau.**

   Vous disposez de trois méthodes pour activer le Panneau de configuration :

- **Souris :** dirigez le pointeur dans le coin en bas et à gauche de votre écran. Dans le menu qui apparaît, cliquez sur la ligne Panneau de configuration.
- **Clavier :** depuis le bureau, appuyez sur la combinaison touche Windows+I, sélectionnez la ligne Panneau de configuration et appuyez sur Entrée.

- **Écran tactile :** depuis le bureau, effectuez un balayage à partir du côté droit de l'écran, puis tapez sur l'icône Paramètres, et enfin sur Panneau de configuration.

3. **Dans la catégorie Matériel et audio, cliquez sur le lien Périphériques et imprimantes.**

   Le Panneau de configuration va afficher les périphériques présents, dont les imprimantes. Avec un peu de chance, vous allez y retrouver la vôtre. Quand vous avez localisé son icône, cliquez droit sur celle-ci puis choisissez dans le menu l'option Propriétés de l'imprimante. Dans la boîte de dialogue qui apparaît, cliquez sur le bouton Imprimer une page de test. Si tout se déroule comme vous l'espériez, vous avez terminé. Félicitations.

   La page de test ne s'est pas imprimée correctement ? Vérifiez que tous les éléments de l'emballage ont bien été retirés de l'imprimante, et qu'elle est bien alimentée en encre ou en toner. Si cela ne suffit pas, il est bien possible que le matériel soit défectueux. Il ne vous reste plus qu'à retourner à la boutique où vous l'avez acheté, ou à contacter le service après-vente adéquat.

   Windows 8 possède par défaut une imprimante appelée Microsoft XPS Document Printer. Comme ce n'est pas *réellement* une imprimante, vous pouvez l'ignorer sans problème.

Et voilà. Pour la plupart des utilisateurs, tout cela est suffisant et l'imprimante fonctionne très vite comme un charme. Dans le cas contraire, reportez-vous au Chapitre 8 pour plus d'explications sur les problèmes d'impression.

Si plusieurs imprimantes sont attachées ou connectées à votre ordinateur, cliquez droit sur l'icône de celle dont vous vous servez le plus souvent, et choisissez l'option Définir comme imprimante par défaut dans le menu contextuel. Windows 8 s'en servira alors automatiquement, sauf spécification contraire de votre part.

- Pour supprimer une imprimante dont vous ne vous servez plus, cliquez droit sur l'icône qui la représente dans le Panneau de configuration, et choisissez dans le menu l'option Supprimer le périphérique. Son nom n'apparaîtra plus lorsque vous lancerez une impression à partir d'une application. Si Windows 8 vous propose de désinstaller aussi les pilotes et tout le logiciel associé, cliquez sur Oui (à moins que vous pensiez avoir à réinstaller ce matériel dans l'avenir).

- Vous pouvez modifier les paramètres d'impression dans la plupart des programmes. Ouvrez le menu Fichier, ou son équivalent, et sélectionnez-y la commande Imprimer, ou Configuration de l'impression, ou quelque chose du même style. La fenêtre qui s'affiche vous permet de définir une taille de papier, de configurer graphismes et polices de caractères, et plein d'autres choses encore, par exemple l'impression recto-verso.

- Pour partager rapidement une imprimante sur un réseau, créez un groupement résidentiel (voyez à ce sujet le Chapitre 11). Avec un peu de chance, votre imprimante devrait être facilement accessible à tous les utilisateurs du réseau.
- Si le logiciel associé à votre imprimante vous semble confus, essayez de cliquer sur un bouton Aide ou son équivalent dans la boîte de dialogue correspondante. Chaque imprimante a ses propres options et paramètres, et Windows 8 ne peut pas tout savoir sur votre modèle particulier.

Horloge, langue et région

Microsoft a conçu cette rubrique essentiellement pour les utilisateurs itinérants, ceux qui voyagent loin et traversent les fuseaux horaires. Sinon, cette information n'apparaît le plus souvent qu'une seule fois, lors de la première mise en route de l'ordinateur. Windows 8 se souvient de la date et de l'heure, même quand votre PC est éteint.

Les possesseurs de machines portables, comme ceux qui doivent travailler dans différentes langues, apprécieront cependant de pouvoir adapter facilement tout cela à leurs besoins.

Pour découvrir cette autre dimension, cliquez droit dans le coin en bas et à gauche de l'écran, puis choisissez dans le menu qui s'affiche l'option Panneau de configuration. Cliquez alors sur le lien Horloge, langue et région. Trois sections sont maintenant proposées :

- **Date et heure :** rien que d'évident ici. Vous pouvez d'ailleurs obtenir le même résultat en cliquant droit sur l'horloge qui est affichée à droite de la barre des tâches, puis en choisissant dans le menu l'option Ajuster la date/l'heure.

- **Langue :** si vous êtes bilingue, ou multilingue, visitez cette rubrique lorsque vous travaillez sur des documents où vous devez saisir des caractères dans différentes langues.

- **Région :** vous voyagez aux États-Unis ? Cliquez sur l'icône de cette catégorie, puis, sous l'onglet Formats, choisissez dans la liste Format l'option Anglais (États-Unis). Windows va alors appliquer les symboles monétaires et le format de date pour ce pays. Tant que la boîte de dialogue Région est ouverte, activez aussi l'onglet Localisation. Ouvrez la liste Localisation d'origine, et choisissez là aussi États-Unis (ou tout autre pays dans lequel vous vous trouvez).

Ajouter ou supprimer des programmes

Qu'il s'agisse de vérifier l'inscription d'un nouveau programme, ou de supprimer une ancienne application, la catégorie Programmes du Panneau de configuration devrait gérer le travail sans grandes douleurs. L'une de ses rubriques, Programmes et fonctionnalités, affiche la liste des applications actuellement installées (voir Figure 9.11).

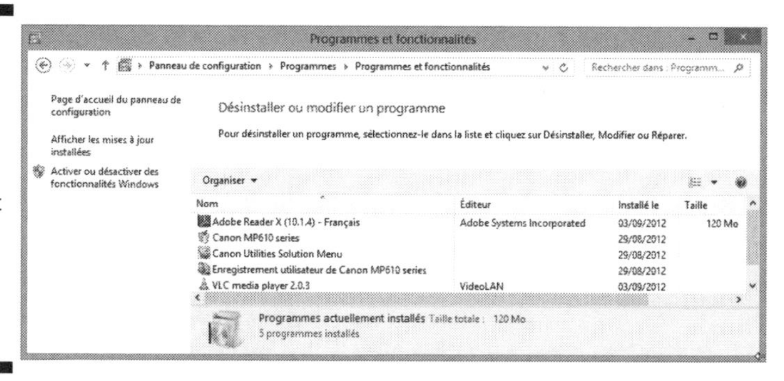

Figure 9.11 : La fenêtre Désinstaller ou modifier un programme vous permet de gérer les applications présentes sur votre système.

Cette section explique comment supprimer un programme, ou en modifier certaines caractéristiques, et comment en installer de nouveaux.

Supprimer des applications et des programmes

Supprimer une application de votre ordinateur ne réclame pas beaucoup d'efforts. Cliquez droit sur une vignette dans l'écran d'accueil.

Dans la barre qui apparaît en bas de l'écran, cliquez sur l'icône Désinstaller. C'est tout.

Pour retirer une application de bureau indésirable, ou pour modifier sa configuration, faites appel au Panneau de configuration en suivant ces étapes :

1. **Cliquez droit dans le coin inférieur gauche de l'écran, et choisissez dans le menu qui s'affiche l'option Panneau de configuration.**

2. **Lorsque le Panneau de configuration apparaît, choisissez Désinstaller un programme dans la catégorie Programmes.**

   La fenêtre Désinstaller ou modifier un programme apparaît (reportez-vous à la Figure 9.11). Vous y trouvez toutes les applications installées, ainsi que leur éditeur, leur taille, la date d'installation et leur numéro de version, du moins si ces informations sont disponibles.

   Si vous voulez libérer de l'espace sur votre disque dur, cliquez sur l'en-tête d'une des colonnes Installé le ou Taille pour trouver les programmes les plus anciens ou les plus volumineux. Désinstallez ensuite les applications déjà presque rejetées dans les oubliettes de votre ordinateur.

3. **Cliquez sur la ligne du programme dont vous ne voulez plus, puis sur l'un des boutons Désinstaller, Modifier ou Réparer.**

   La barre d'icônes qui est affichée au-dessus des noms des programmes affiche toujours un bouton Désinstaller, mais certaines applications ajoutent également un bouton intitulé Modifier ou Réparer. Voyons cela d'un peu plus près :

   - **Désinstaller :** supprime totalement (si tout va bien) le programme de votre PC. Notez que certains programmes affichent à la place Désinstaller/Modifier.

   - **Modifier :** vous permet de modifier certaines fonctionnalités du programme, ou encore d'en supprimer certaines parties.

   - **Réparer :** si un programme est endommagé, cette option lui demande de s'autocontrôler et de remplacer les fichiers endommagés par une version toute fraîche. Vous pourrez alors avoir besoin du CD ou du DVD d'origine selon les demandes émises par le programme.

4. **Lorsque Windows vous demande si vous êtes certain de ce que vous faites, cliquez sur Oui.**

Selon le bouton sur lequel vous avez cliqué, Windows 8 va éliminer l'application de votre PC, ou bien relancer son programme d'installation pour qu'il opère la mise à jour ou la procédure de réparation adaptée.

Une fois un programme désinstallé, sa disparition est définitive (vous pourrez toujours le réinstaller si vous avez gardé les fichiers ou le CD d'origine). Contrairement aux autres éléments que vous supprimez, un programme désinstallé ne laisse aucune trace dans la Corbeille.

Lorsque vous voulez désinstaller un programme, passez toujours par le Panneau de configuration. Ne vous contentez pas d'effacer les fichiers ou les dossiers de l'application. Cela risquerait fort de ne pas résoudre le problème et vous pourriez bien voir s'afficher des messages d'erreur plus ou moins incompréhensibles.

Installer de nouveaux programmes

De nos jours, la plupart des programmes s'installent automatiquement dès que vous insérez leur CD-ROM (ou leur DVD) dans votre lecteur, ou que vous faites un double clic sur leur fichier une fois le téléchargement terminé.

Si vous n'êtes pas sûr qu'un programme s'est installé correctement, accédez à l'écran d'accueil et regardez si sa vignette s'y trouve bien (généralement sur le côté droit de l'écran). Si vous voyez cette vignette, cela signifie (ou doit signifier) que l'installation s'est déroulée normalement.

Dans le cas contraire, voici quelques conseils qui pourraient bien vous aider :

- Pour installer des programmes, vous devez être connecté avec un compte au niveau Administrateur (ce qui est normalement et automatiquement le cas de l'acheteur de l'ordinateur). Ceci permet d'éviter que les enfants, des amis indésirables ou toute autre personne avec un compte limité ou invité, puisse infecter votre ordinateur avec un programme malveillant. Les comptes d'utilisateur sont expliqués au Chapitre 11.
- Les programmes récupérés sur l'Internet sont normalement stockés dans le dossier Téléchargements de Windows 8 (ouvrez le bureau depuis l'écran d'accueil, puis cliquez sur l'icône de l'Explorateur Windows dans la barre des tâches). Faites alors un double clic sur le nom du programme que vous venez de télécharger pour l'installer.

- Nombre de programmes font preuve de gourmandise en vous proposant lors de leur installation de créer un nouveau raccourci sur le bureau, dans l'écran d'accueil *et* dans la barre d'accès rapide. Dites Oui à tout. Vous pourrez ainsi lancer le programme depuis votre bureau si vous n'appréciez pas l'écran d'accueil, et réciproquement. Et si vous changez d'avis, aucun problème : cliquez droit sur l'icône du programme, et choisissez selon le cas Supprimer ou encore Détacher ce programme de la barre des tâches pour vous débarrasser de cette icône.

- Une bonne idée, c'est de toujours créer un point de restauration avant d'installer un nouveau programme (voyez à ce sujet le Chapitre 10). Si celui-ci commence à vous jouer des tours, servez-vous l'utilitaire de restauration du système pour revenir à un état stable de Windows et retrouver celui-ci dans l'état où il se trouvait avant cette installation.

Modifier Windows 8 pour l'adapter à votre handicap

Pratiquement personne ne rencontre de problèmes particuliers avec Windows 8, mais rien ne dit que vous ne puissiez pas vous trouvez face à certaines difficultés. C'est pourquoi le Panneau de configuration propose toute une série d'options afin d'améliorer son ergonomie.

Si votre vue n'est plus ce qu'elle était autrefois, le fait de pouvoir agrandir la taille des caractères affichés à l'écran vous paraîtra certainement appréciable.

Pour modifier ces réglages dans Windows 8, suivez ces étapes :

1. **Chargez le Panneau de configuration du bureau :**

   Vous disposez de trois méthodes pour activer le Panneau de configuration :

   - **Souris :** dirigez le pointeur dans le coin en bas et à gauche de votre écran. Dans le menu qui apparaît, cliquez sur la ligne Panneau de configuration.
   - **Clavier :** depuis le bureau, appuyez sur la combinaison de touches Windows+I, sélectionnez la ligne Panneau de configuration et appuyez sur Entrée.

   - **Écran tactile :** depuis le bureau, effectuez un balayage à partir du côté droit de l'écran, puis tapez sur l'icône Paramètres, et enfin sur Panneau de configuration.

2. **Dans le Panneau de configuration, cliquez deux fois de suite sur le lien Options d'ergonomie.**

   La fenêtre correspondante s'affiche (voir Figure 9.12). La voix de Windows s'active aussi pour vous expliquer comment choisir et configurer ces outils.

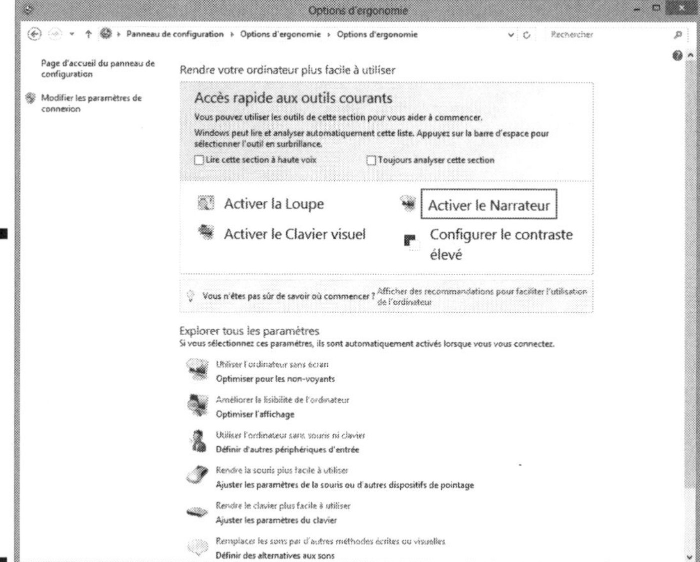

Figure 9.12 : La fenêtre Options d'ergonomie propose de multiples aides pour les utilisateurs victimes de certains handicaps.

3. **Cliquez sur le lien Afficher des recommandations pour faciliter l'utilisation de l'ordinateur.**

   De cette manière, Windows va afficher un questionnaire qui vous permettra de juger des adaptations dont vous avez besoin (ou qui permettra à une personne qui vous aide de le faire pour vous). Après quoi, Windows ajustera automatiquement ses réglages pour s'adapter à vos problèmes.

   Si cela ne vous convient pas, passez à l''Étape 4.

4. **Effectuez manuellement les modifications voulues.**

   La fenêtre Options d'ergonomie propose divers commutateurs pour vous aider à mieux contrôler votre clavier, votre souris, vos sons ou encore votre affichage :

- **Activer la loupe :** si vous avez des problèmes de vue, la loupe agrandit l'affichage sur l'écran pour que vous puissiez mieux repérer la position de la souris.
- **Activer le narrateur :** cet outil lit à haute voix les textes affichés à l'écran pour les personnes qui rencontrent des difficultés visuelles. Le résultat est impressionnant, même s'il est parfois peut-être un peu trop envahissant...
- **Activer le clavier visuel :** affiche un clavier sur l'écran. Vous pouvez alors taper vos caractères en cliquant sur des touches virtuelles.
- **Configurer le contraste élevé :** élimine la plupart des couleurs à l'écran de manière à ce que les personnes ayant des difficultés de vision puissent mieux distinguer les fenêtres et la position du pointeur de la souris.

Choisissez les options voulues pour activer immédiatement les fonctionnalités correspondantes. Refermez la fenêtre Options d'ergonomie pour annuler ces aides. Sinon, passez à l'Étape 5.

5. **Choisissez un réglage spécifique dans la section Explorer tous les paramètres.**

Ici, Windows 8 vous permet d'opérer des réglages plus fins de manière à configurer certains réglages, notamment pour :

- Optimiser l'affichage pour les non ou malvoyants.
- Utiliser l'ordinateur sans souris et sans clavier.
- Ajuster la sensibilité de la souris et du clavier pour compenser des difficultés de mouvement.
- Remplacer les sons par d'autres types d'alertes.
- Rendre certaines tâches plus faciles à accomplir.

Certaines associations peuvent proposer une assistance pour aider les personnes handicapées à opérer ces réglages afin qu'elles puissent utiliser leur ordinateur dans les meilleures conditions possibles.

Chapitre 10

Un Windows plus sûr et plus efficace

Dans ce chapitre :

- Créer votre propre point de restauration.
- Sauvegarder votre ordinateur avec l'Historique des fichiers.
- Libérer de la place sur votre disque dur.
- Rendre votre ordinateur plus rapide.
- Rechercher et installer un nouveau pilote.

Si vous avec *déjà* des problèmes avec Windows 8, c'est au Chapitre 15 que vous devez vous rendre. Mais sachez tout de suite que Windows 8 offre des outils de maintenance et de réparation plus nombreux et plus efficaces que jamais. Mais si votre PC semble fonctionner raisonnablement bien, et que ce « raisonnablement » ne vous paraît pas suffisant, restez avec moi. Ce chapitre vous explique comment continuer dans cette voie le plus longtemps possible.

Vous allez trouver ici une sorte de « checklist », chaque section décrivant une tâche assez simple, et surtout nécessaire, pour que Windows (et vous avec) soit en pleine forme. Vous découvrirez par exemple ici comment activer la sauvegarde automatique des fichiers avec le programme de Windows 8 appelé *Historique des fichiers*.

Si quelqu'un vous dit que votre ordinateur a un mauvais pilote, ne le prenez pas comme une insulte personnelle. Un *pilote* est un petit programme qui aide Windows à dialoguer avec divers dispositifs liés à votre ordinateur. Ce chapitre vous explique aussi comment vous débarrasser d'un mauvais pilote pour mettre le bon derrière le volant.

En plus de tout ce qui est décrit dans ce chapitre, assurez-vous que ses outils Windows Update (pour les mises à jour) et Windows Defender (pour se débarrasser des intrus malveillants) sont bien activés en mode de pilotage automatique. Si nécessaire, reportez-vous au Chapitre 11. Ces programmes font un gros travail pour aider votre ordinateur à fonctionner en toute sécurité.

Créer un point de restauration

Windows 8 prend ses distances avec les points de restauration des versions précédentes. Il propose à la place de nouveaux outils (actualiser et réinstaller totalement Windows). Nous y reviendrons dans le Chapitre 15. Mais les fans des points de restauration ne sont pas oubliés, et il est toujours possible de faire appel à ceux-ci pour remettre votre PC dans un état antérieur où il se sentait en meilleure santé.

Pour créer un point de restauration, suivez ces étapes :

1. **Ouvrez l'écran d'accueil, et commencez à taper *restauration*. Cliquez ensuite sur le mot Paramètres dans le volet de recherche.**

   Si vous commencez à saisir directement quelque chose dans l'écran d'accueil, Windows 8 affiche automatiquement le volet de recherche. Par défaut, cette recherche est effectuée dans les applications. Bien entendu, votre mot ne va rien donner. En cliquant sur Paramètres, vous demandez à Windows de reprendre cette recherche, mais cette fois dans tout ce qui concerne ses réglages et sa configuration.

2. **Vous devriez très vite voir s'afficher sur la gauche de l'écran un bouton intitulé Créer un point de restauration. Cliquez sur ce lien.**

   Vous êtes renvoyé vers le bureau, et la fenêtre Propriétés système s'affiche. L'onglet Protection du système y est activé. Vous y trouvez une liste d'options concernant la restauration du système.

3. **Cliquez sur le bouton Créer, vers le bas de la fenêtre (pour qu'il soit accessible, il faut que la protection d'un ou plusieurs disques soit activée dans la zone Paramètres de protection – sélectionnez si nécessaire un lecteur et cliquez sur le bouton Configurer). Entrez un nom pour votre nouveau point de restauration puis cliquez sur Créer.**

   Windows fait le travail demandé, puis vous informe que le point de restauration a été créé. Cliquez sur Fermer. Vous pouvez refermer la boîte de dialogue Propriétés système.

En créant vos propres points de restauration les bons jours, vous saurez immédiatement lesquels utiliser lorsque le temps se couvre. Je vous expliquerai dans le Chapitre 15 comment ressusciter votre ordinateur à partir d'un point de restauration.

Windows 8 et ses outils de maintenance

Windows 8 contient toute une trousse d'outils pour l'aider à fonctionner au mieux. Certains s'exécutent automatiquement, ce qui limite votre intervention à vérifier qu'ils sont bien activés. D'autres vous aident à prévenir des désastres potentiels en sauvegardant les fichiers de votre PC.

Pour accéder à cette trousse de survie, ouvrez votre bureau et cliquez droit dans le coin inférieur gauche de l'écran. Un menu va s'afficher. Cliquez alors sur l'option Panneau de configuration. Cliquez sur le premier lien, Système et sécurité.

Depuis le bureau, effleurez l'écran en partant du bord droit de celui-ci, tapez sur l'icône Paramètres, puis sur le lien Panneau de configuration, en haut du volet.

Voici les outils dont vous aurez le plus besoin:

- **Historique des fichiers :** c'est le nouveau programme de sauvegarde de Windows 8. Il tisse un filet de sécurité autour des fichiers enregistrés dans vos quatre bibliothèques, ce qui vous permet d'en retrouver des copies en bon état si par malheur les choses tournaient mal. Vous n'avez donc aucune excuse si vous ne l'activez pas. Tous les disques durs peuvent mourir un jour, et vous y avez enregistré des tas et des tas de souvenirs.

- **Système :** les types du support technique adorent cette catégorie. Vous y trouvez votre version de Windows, le type de composants que contient votre PC, la description de votre ordinateur ou encore un note indiquant ce que pense Windows de ses performances.

- **Windows Update :** cet outil permet à Microsoft d'installer automatiquement des mises à jour de sécurité (et d'autres aussi) sur votre PC, ce qui est en général une bonne chose. C'est pourquoi je vous conseille d'activer ce mode automatique, si ce n'est pas encore fait.

- **Options d'alimentation :** vous n'êtes pas certain de savoir si votre PC est en veille, s'il hiberne ou s'il est tout simplement éteint ? Le Chapitre 3 vous explique les différences entre ces états, et ce chapitre vous montre comment ajuster le degré de léthargie que subit de votre ordinateur vous vous appuyez sur le bouton d'arrêt (ou lorsque vous refermez le couvercle de votre ordinateur portable).

- **Outils d'administration :** cette catégorie *a priori* rébarbative contient une pépite. Il s'agit d'un programme de nettoyage qui permet d'éliminer plein de déchets sur votre disque dur afin de libérer de la place.

Ces différentes tâches sont décrites plus en détails dans les sections qui suivent.

Sauvegarder votre ordinateur avec l'Historique des fichiers

Malheureusement, votre disque dur peut mourir un jour, entraînant avec lui dans la tombe tout ce qu'il contient : des années de photographies numériques, vos musiques, vos lettres, vos données financières, les vieux documents que vous aviez numérisés, et plus largement tout ce que vous aviez pu créer et enregistrer sur votre PC.

C'est pourquoi vous devez régulièrement sauvegarder vos fichiers. Si votre disque dur arrête de respirer (disons plutôt, de tourner), ces copies de sauvegarde vous sauveront du désastre.

Windows 8 propose une nouvelle solution de sauvegarde appelée *Historique des fichiers*. Une fois que vous l'avez activée, cet historique sauvegarde automatiquement le contenu de vos bibliothèques, une fois par heure. Ce programme est facile à activer, facile à configurer, s'exécute automatiquement, et sauvegarde tout ce dont vous pourrez avoir besoin un jour.

Mais avant que l'Historique des fichiers ne devienne opérationnel, vous avez besoin de deux choses :

- **Un disque dur externe :** pour pouvoir réaliser automatiquement ces sauvegardes, il vous faut un disque dur externe, transportable, et donc tout simplement un disque dur dans sa coquille. Cette coquille est branchée à l'aide d'un cordon sur un port USB de votre ordinateur. Windows 8 reconnaît alors immédiatement le disque dur. Il vous suffit de le laisser connecté pour que les sauvegardes s'effectuent automatiquement.

  Un **lecteur flash** (ces petits objets bon marché appelés également clés USB) peut aussi être utilisé avec l'Historique des fichiers. Mais, comme leur capacité de mémoire est généralement très limitée par rapport à celle d'un disque dur externe, il est probable que ce genre de solution ne vous permettra pas de sauvegarder tous vos fichiers.

- **Activer l'Historique des fichiers :** cet outil est livré gratuitement avec toutes les versions de Windows. Mais il ne fera rien tant que vous ne lui aurez pas donné l'ordre de démarrer.

Pour que Windows 8 puisse automatiquement sauvegarder votre travail toutes les heures, suivez ces étapes :

1. **Branchez votre disque dur sur un port USB de votre ordinateur.**

   Le seul truc à attraper, c'est d'insérer dans le bon sens la fiche rectangulaire aplatie qui se trouve au bout du câble.

2. **Un message de notification devrait apparaître en haut et à droite de votre écran. Cliquez ou tapez dessus pour choisir ce que doit faire Windows des lecteurs amovibles.**

   Ce message s'affiche normalement chaque fois que vous connectez un nouveau dispositif de stockage, comme un disque dur externe ou une clé USB (voir Figure 10.1). Vous devriez le voir aussi bien sur votre bureau que dans l'écran d'accueil.

STOREX (F:)
Cliquez pour sélectionner l'action à exécuter avec lecteurs amovibles.

Figure 10.1 : Tapez ou cliquez sur le message de notification.

   Vous ne voyez pas ce message ? Ou bien vous voulez choisir vous-même la configuration de l'Historique des fichiers ? Dans les deux cas, passez à l'Étape 4.

3. **Sélectionnez l'option Configurer ce lecteur pour la sauvegarde Historique des fichiers (voir Figure 10.2). La fenêtre Historique des fichiers du Panneau de configuration apparaît. Cliquez sur le bouton Activer.**

   Il se peut qu'un autre message vous demande si vous aimeriez recommander ce lecteur aux autres membres de votre groupement résidentiel. Si la capacité du disque est suffisante pour satisfaire aux besoins de tout le monde, cliquez sur Oui. Et si vous désirez le garder pour vos seules sauvegardes personnelles, choisissez Non.

   L'Historique des fichiers va commencer à sauvegarder des copies de vos bibliothèques. Comme c'est la première fois, l'opération peut prendre de quelques minutes à quelques heures en fonction du nombre et de la taille de vos fichiers.

STOREX (F:)

Choisir l'action pour : lecteurs amovibles

Accélérer mon système
Windows ReadyBoost

Configurer ce lecteur pour la sauvegarde
Historique des fichiers

Ouvrir le dossier et afficher les fichiers
Explorateur de fichiers

Ne rien faire

Figure 10.2 : Sélectionnez ici l'option Configurer ce lecteur pour la sauvegarde Historique des fichiers.

Si vous ne voyez apparaître aucun message lorsque vous branchez votre disque externe, rien n'est perdu. Passez à l'Étape 4.

4. **Ouvrez le Panneau de configuration.**

   Vous disposez de trois méthodes pour activer le Panneau de configuration :

   - **Souris :** dirigez le pointeur dans le coin en bas et à gauche de votre écran. Dans le menu qui apparaît, cliquez sur la ligne Panneau de configuration.
   - **Clavier :** depuis le bureau, appuyez sur la combinaison de touches Windows+I, sélectionnez la ligne Panneau de configuration et appuyez sur Entrée.

   - **Écran tactile :** depuis le bureau, effectuez un balayage à partir du côté droit de l'écran, puis tapez sur l'icône Paramètres, et enfin sur Panneau de configuration.

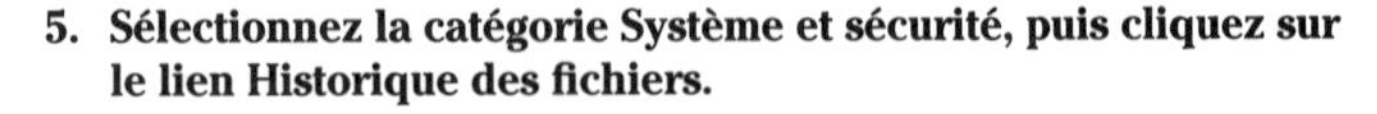

5. **Sélectionnez la catégorie Système et sécurité, puis cliquez sur le lien Historique des fichiers.**

   La fenêtre Historique des fichiers s'affiche. Le programme va s'efforcer de déterminer quelle unité de disque il peut utiliser pour vos sauvegardes. S'il fait le bon choix, passez à l'Étape 7. Sinon, continuez à l'Étape 6.

6. **Si vous avez besoin de changer de disque, cliquez sur le lien Sélectionner un lecteur, à gauche de la fenêtre. Choisissez alors une autre unité de stockage.**

7. **Cliquez sur le bouton Activer.**

   Ce bouton lance le démarrage de l'Historique des fichiers (voir Figure 10.3).

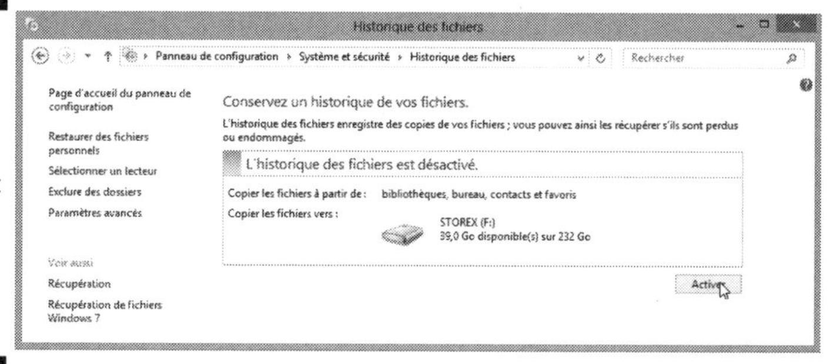

Figure 10.3 : Cliquez sur le bouton Activer pour créer automatiquement des sauvegardes de vos fichiers toutes les heures.

L'Historique des fichiers fait un travail remarquable pour vous faciliter l'existence, et ce de manière totalement automatique. Pour autant, quelques connaissances un peu plus poussées à son sujet vous seront utiles :

- Si vous essayez de sauvegarder une unité de disque en réseau sur un autre PC, Windows vous demandera d'entrer le nom et le mot de passe d'un compte Administrateur sur l'autre machine.

- L'Historique des fichiers sauvegarde tout ce qui se trouve dans vos bibliothèques (Documents, Musique, Images et Vidéos) ainsi que le contenu du dossier Public. Ce qui paraît naturel, puisque c'est là que vous stockez normalement vos fichiers. Pour ajouter de nouveaux dossiers ou pour éliminer certaines bibliothèques (vos vidéos sont par exemple déjà conservées ailleurs), cliquez sur le lien Exclure des dossiers (il se trouve à gauche sur la Figure 10.3).

- Normalement, Windows 8 effectue une sauvegarde toutes les heures. Pour modifier ce réglage, cliquez, toujours sur la gauche de la fenêtre, sur le lien Paramètres avancés. Choisissez la fréquence voulue dans la liste Enregistrer les copies de fichiers puis cliquez sur le bouton Enregistrer les modifications (vous pouvez aller de toutes les dix minutes à une fois par jour).

- Lorsque vous activez l'Historique des fichiers, Windows lance immédiatement la procédure de sauvegarde, même si rien n'est encore programmé. Ceci vient du fait que Windows 8 est toujours extrêmement vigilant et qu'il ne veut pas risquer de vous faire perdre quoi que ce soit. Après tout, votre disque dur va peut-être vous lâcher dans moins de dix minutes...
- J'explique dans le Chapitre 15 comment restaurer des fichiers qui ont été sauvegardés avec l'Historique. Mais vous pourriez peut-être aller y jeter un coup d'œil tout de suite. Non seulement l'Historique des fichiers travaille dans l'urgence, mais il vous permet en plus de comparer l'état actuel des fichiers avec les versions enregistrées quelques temps auparavant. Ceci vous permet de rappeler à la vie de meilleures versions dans le cas où vous auriez récupéré les pires.

- Windows 8 place vos sauvegardes dans un dossier appelé FileHistory du disque que vous avez choisi. Ne déplacez pas ce dossier, ou sinon Windows 8 risque de ne plus pouvoir le retrouver le jour où vous aurez besoin d'effectuer une restauration.

Trouver des informations techniques sur votre ordinateur

Si vous voulez jeter un coup d'œil sur les dessous de Windows 8, ouvrez le Panneau de configuration du bureau. Choisissez alors la catégorie Système et sécurité, puis cliquez sur Système.

Rappelons que vous disposez de trois méthodes pour activer le Panneau de configuration :

- **Souris :** dirigez le pointeur dans le coin en bas et à gauche de votre écran. Dans le menu qui apparaît, cliquez sur la ligne Panneau de configuration.
- **Clavier :** depuis le bureau, appuyez sur la combinaison de touches Windows+I, sélectionnez la ligne Panneau de configuration et appuyez sur Entrée.

- **Écran tactile :** depuis le bureau, effectuez un balayage à partir du côté droit de l'écran, puis tapez sur l'icône Paramètres, et enfin sur Panneau de configuration.

La fenêtre Système affiche un certain nombre d'informations techniques sur les entrailles de votre système (voir Figure 10.4) :

Figure 10.4 : Cliquez sur l'icône Système pour afficher des informations techniques sur votre PC.

- **Édition Windows :** Windows 8 existe en plusieurs versions, chacune ayant été décrite dans le Chapitre 1. Vous trouvez ici celle qui est installée sur votre ordinateur particulier.

- **Système :** Windows évalue la puissance de votre PC sur une échelle allant de 1 (tragique) à 9,9 (extraordinaire). Le type du processeur, ou son cerveau si vous voulez, ainsi que la quantité de mémoire vive installée dans l'ordinateur sont également indiquez ici.

- **Paramètres de nom d'ordinateur, de domaine et de groupe de travail :** cette section identifie le nom de votre ordinateur ainsi que son *groupe de travail*, un terme utilisé lorsque plusieurs machines sont reliées en réseau (les réseaux sont traités dans le Chapitre 12).

- **Activation de Windows :** pour empêcher les gens d'acheter une seule copie de Windows pour l'installer sur plusieurs ordinateurs, Microsoft exige que Windows 8 soit *activé*, un processus qui enchaîne le système d'exploitation à une et une seule machine.

Le volet placé à gauche de la fenêtre propose également certaines tâches plus avancées qui pourront peut-être vous servir un jour de grande panique, lorsque quelque chose semble mal tourner sur votre PC et que vous cherchez l'issue de secours. Voyons brièvement cela :

- **Gestionnaire de périphériques :** cette option liste tout ce que contient votre ordinateur, mais avec une présentation franchement inamicale. Si vous voyez un point d'exclamation devant le nom d'un matériel, cela signifie qu'il y a un problème avec lui. Faites un double clic dessus pour voir les explications que donne Windows à ce sujet. Parfois, un bouton proposant une aide à la résolution du problème apparaît. Cliquez bien sûr dessus pour que Windows tente de régler lui-même la situation.

- **Paramètres d'utilisation à distance :** rarement utilisé, cet outil complexe permet à des techniciens de prendre le contrôle de votre PC *via* l'Internet. Assurez-vous que c'est vraiment un technicien et qu'il est compétent. Vous pourrez alors le laisser faire pour résoudre vos difficultés.
- **Protection du système :** cette option vous permet de créer des points de restauration (reportez-vous à l'encadré qui se trouve au début de ce chapitre). Vous pouvez également utiliser ce lien pour restaurer votre PC dans un état antérieur, disons dans un jour où il était en bien meilleure forme.
- **Paramètres système avancés :** seuls les technogourous aiment passer du temps ici. Tous les autres utilisateurs peuvent s'en passer.

La plupart des réglages et paramètres qui se trouvent dans la fenêtre Système sont plutôt compliqués. Ne vous cassez pas trop la tête avec eux, à moins de savoir exactement ce que vous faites, ou que quelqu'un d'une assistance technique vous dise de changer tel ou tel paramètre.

Libérer de l'espace sur votre disque dur

Windows 8 lui-même occupe un certain espace sur votre disque dur, même s'il est plus mince que certaines versions précédentes. Si vos programmes commencent à se plaindre d'un manque de place, essayez ce qui suit :

1. **Ouvrez le Panneau de configuration du bureau.**

   Vous disposez de trois méthodes pour activer le Panneau de configuration :

   - **Souris :** dirigez le pointeur dans le coin en bas et à gauche de votre écran. Dans le menu qui apparaît, cliquez sur la ligne Panneau de configuration.
   - **Clavier :** depuis le bureau, appuyez sur la combinaison de touches Windows+I, sélectionnez la ligne Panneau de configuration et appuyez sur Entrée.

- **Écran tactile :** depuis le bureau, effectuez un balayage à partir du côté droit de l'écran, puis tapez sur l'icône Paramètres, et enfin sur Panneau de configuration.

2. **Cliquez sur la catégorie Système et sécurité. Dans la rubrique Outils d'administration (vers le bas de la fenêtre), choisissez ensuite le lien Libérer de l'espace disque.**

   Si plusieurs disques sont attachés à votre PC, Windows va vous demander lequel il doit nettoyer.

3. **Conservez le choix par défaut, autrement dit votre disque principal C:, et cliquez sur OK.**

   Le programme de nettoyage va calculer la quantité d'espace qu'il pourrait libérer et vous présenter le résultat dans la fenêtre Nettoyage de disque dur (voir Figure 10.5). L'espace maximal récupérable est indiqué en haut de la fenêtre.

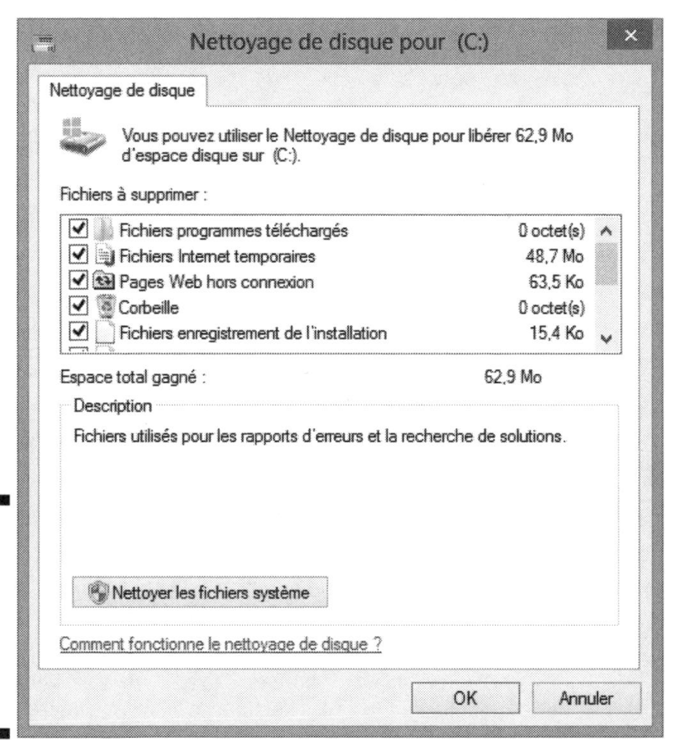

Figure 10.5 : Cochez toutes les cases pour libérer un maximum d'espace disque.

4. **Cochez toutes les cases puis cliquez sur OK.**

   Lorsque vous cochez une case, la section Description vous explique ce qui va être supprimé. Quand vous cliquez sur OK, Windows vous demande si vous êtes *totalement* sûr de vouloir continuer.

   Cliquez aussi sur le bouton Nettoyer les fichiers système. Il supprime les détritus générés par votre PC, pas par vous.

5. **Cliquez sur le bouton Supprimer les fichiers.**

   Windows va commencer par vider votre corbeille, détruire les résidus de sites Web visités antérieurement, et ainsi de suite.

Un bouton d'arrêt plein de pouvoirs

Au lieu d'appuyer sur le bouton d'arrêt de votre PC, vous devriez éteindre Windows 8 en cliquant sur son *propre* bouton Marche/Arrêt (voyez aussi à ce sujet le Chapitre 2). Avec cette méthode, vous disposez de trois options : Veille, Arrêter et Redémarrer.

Veille, le mode le plus populaire, place votre ordinateur dans un état semi-comateux, peu consommateur en énergie, dont il peut se réveiller très rapidement.

Mais le bouton Marche/Arrêt de Windows n'est pas accessible immédiatement. Pour gagner du temps, dites à votre ordinateur ce qu'il doit faire lorsque vous l'atteignez : se mettre en veille, ou s'arrêter ?

La même question se pose aux utilisateurs de portables : l'ordinateur doit-il se mettre en veille ou s'arrêter quand le couvercle est refermé ?

Pour répondre à cette question, suivez ces étapes :

1. **Ouvrez le Panneau de configuration du bureau. Choisissez ensuite la catégorie Système et sécurité.**

   Vous disposez de trois méthodes pour activer le Panneau de configuration :

   - **Souris :** dirigez le pointeur dans le coin en bas et à gauche de votre écran. Dans le menu qui apparaît, cliquez sur la ligne Panneau de configuration.
   - **Clavier :** depuis le bureau, appuyez sur la combinaison touche Windows+I, sélectionnez la ligne Panneau de configuration et appuyez sur Entrée.

- **Écran tactile :** depuis le bureau, effectuez un balayage à partir du côté droit de l'écran, puis tapez sur l'icône Paramètres, et enfin sur Panneau de configuration.

2. **Cliquez sur l'icône Options d'alimentation.**

   La fenêtre des options d'alimentation s'affiche. Par défaut, c'est le mode Utilisation normale (recommandé) qui est activé.

3. **Dans le volet de gauche, choisissez le lien Choisir l'action des boutons d'alimentation.**

   La fenêtre illustrée sur la Figure 10.6 apparaît.

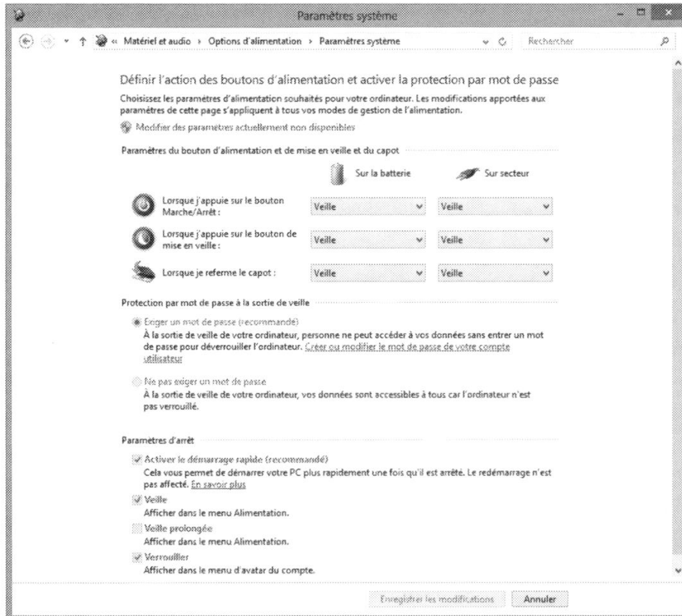

Figure 10.6 : Choisissez la réaction de votre ordinateur quand vous appuyez sur le bouton d'arrêt.

4. **Sélectionnez les modifications que vous voulez apporter aux réglages par défaut.**

   En utilisant les listes qui sont proposées dans la fenêtre, vous avez la possibilité de demander au bouton Marche/Arrêt de votre PC de ne rien faire, de se mettre en veille, ou bien en veille prolongée, ou bien encore d'arrêter la machine. En cas de doute, choisissez Veille.

Les portables et les tablettes disposent de plus d'options que les PC de bureau. Vous pouvez ainsi personnaliser leur comportement selon que vous êtes branché sur le secteur ou que vous travaillez uniquement avec la batterie. Ceci vous permet d'être à pleine puissance dans le premier cas, et d'économiser l'énergie dans le second.

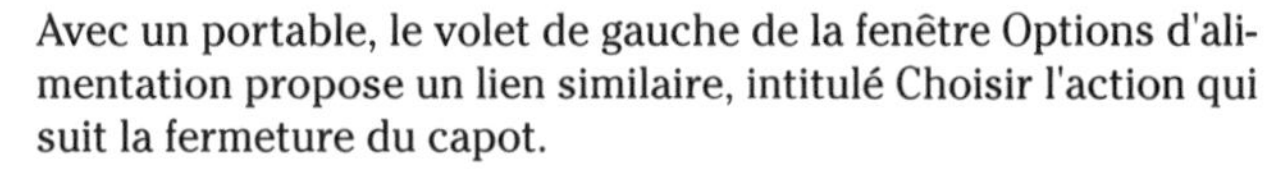

Avec un portable, le volet de gauche de la fenêtre Options d'alimentation propose un lien similaire, intitulé Choisir l'action qui suit la fermeture du capot.

Pour plus de sécurité, sélectionnez le bouton radio Exiger un mot de passe (recommandé). Ceci forcera toute personne qui « réveillerait » votre ordinateur à saisir votre mot de passe pour accéder à Windows, et donc à vos informations.

Configurer des périphériques qui ne marchent pas (une histoire de pilotes)

Windows est livré avec un arsenal de *pilotes*, qui sont des programmes lui permettant de communiquer avec les gadgets branchés sur votre PC. Normalement, Windows 8 reconnaît automatiquement vos nouveaux matériels, et tout fonctionne pour le mieux dans le meilleur des mondes. Parfois, Windows 8 va voir sur l'Internet s'il trouve des instructions lui permettant de terminer automatiquement le travail.

Mais il peut aussi arriver que ce beau compte de fées ne se déroule pas comme espéré. Vous branchez quelque chose qui est trop nouveau pour que Windows 8 le connaisse, ou quelque chose de trop ancien pour qu'il s'en souvienne. À moins qu'un appareil connecté à votre PC ne commence à perdre la tête, et qu'un message bizarre vous demande d'installer un nouveau pilote (ou *driver* si la chose ne connaît pas le français).

Dans de tels cas, il va vous falloir trouver et installer vous-même un pilote Windows 8 adapté à ce matériel. Les meilleurs pilotes sont fournis avec un programme d'installation qui enregistre automatiquement le logiciel au bon endroit, ce qui doit suffire à résoudre le problème. Mais les pires pilotes vous laissent vous débrouiller par vos propres moyens.

Si Windows 8 ne reconnaît pas automatiquement, et donc n'installe pas, le pilote qui convient à votre nouveau matériel (même si vous redémarrez votre PC), suivez ces étapes :

1. **Visitez le site Web du constructeur et téléchargez la dernière version en date du pilote pour Windows 8.**

   Le nom du site Web du fabricant est généralement écrit quelque part sur l'emballage ou dans la documentation. Sinon, vous pouvez effectuer une recherche sur Google ou Bing en tapant son nom. Vous avez alors une bonne chance de tomber sur quelque chose comme `www.lefabricantdemonmatériel.fr`, ou `.com`, ou encore `.com/fr`.

   Recherchez dans les menus du site Web les liens Support, Téléchargements, voir Downloads (c'est pareil, mais en anglais). Vous devez alors entrer généralement le nom de votre modèle, voire son numéro de série, votre système d'exploitation (en l'occurrence Windows 8), ou d'autres informations encore avant de pouvoir accéder au pilote. Certains sites Web vous demandent même de créer un compte justifiant que vous avez bien acheté un produit de leur marque.

   Vous ne trouvez aucun pilote dédié à Windows 8 ? Essayez alors de télécharger une version pour Windows 7 ou même Vista. Bien souvent, le résultat est le même.

2. **Une fois le programme téléchargé, lancez son installation.**

   Il suffit dans certains cas de valider le message affiché par votre navigateur Web, et dans d'autres de faire un double clic sur le nom du fichier. Si c'est ce qui se produit, vous êtes pratiquement sauvé. Sinon, passez à l'Étape 3.

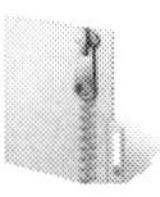

   Si l'icône du fichier que vous venez de télécharger montre comme une petite fermeture éclair, cliquez droit dessus et choisissez dans le menu qui s'affiche l'option Extraire tout afin de *décompresser* son contenu dans un nouveau dossier. Windows 8 donne à ce dossier le même nom que le fichier, ce qui permet de le retrouver plus facilement.

3. **Cliquez droit dans le coin inférieur gauche du bureau et choisissez dans le menu contextuel l'option Gestionnaire de périphériques.**

   La fenêtre correspondante apparaît. Elle affiche la liste de tous les dispositifs qui se trouvent dans votre ordinateur ou qui lui sont attachés. Celui qui vous pose problème devrait se signaler par la présence sur sa gauche d'une icône figurant un point d'exclamation sur fond jaune.

4. **Cliquez sur la ligne correspondant au matériel suspect. Ouvrez ensuite le menu Action, en haut de la fenêtre, et choisissez-y l'option Ajouter un matériel d'ancienne génération.**

   Cette commande lance l'assistant Ajout de matériel qui vous guide pas à pas dans la procédure d'installation de votre matériel en installant si nécessaire votre nouveau pilote. Mais reconnaissons que cette technique a parfois de quoi dérouter même des utilisateurs expérimentés...

Pour éviter ce genre de problème, le mieux est de toujours avoir des pilotes à jour. Même ceux que vous trouvez sur le disque fourni dans l'emballage d'un nouveau matériel sont bien souvent déjà périmés (mais toujours utilisables). Visitez le site Web du constructeur, et téléchargez la dernière version en date des pilotes. Il y a de bonnes chances pour qu'elle règle certains problèmes que d'autres utilisateurs ont pu rencontrer par le passé.

Vous avez des problèmes avec un nouveau pilote ? Revenez au Gestionnaire de périphériques, faites un double clic sur la ligne du matériel incriminé, puis activez l'onglet Pilote dans la boîte de dialogue qui apparaît. Respirez un grand coup, puis cliquez sur le bouton Version précédente. Windows 8 élimine le pilote que vous veniez d'installer pour réactiver la version antérieure. Ce qui ne règle pas forcément votre problème...

Vous venez de découvrir Windows 8. Les constructeurs de matériels aussi... Microsoft aime sortir de nouvelles versions de Windows. Ils aiment mettre sur le marché de nouveaux appareils. Et pour mieux vous poussez à changer d'imprimante ou autre périphérique, ils laissent de côté la mise à jour de leurs pilotes qui étaient destinés à d'anciennes versions de Windows. Pas de chance pour vous. Désolé...

Chapitre 11

Partager un ordinateur avec plusieurs personnes

Dans ce chapitre :

- Comprendre les comptes d'utilisateurs.
- Ajouter, supprimer et modifier un compte d'utilisateur.
- Se connecter sur l'écran d'accueil.
- Changer d'utilisateur.
- Partager des fichiers entre plusieurs comptes.
- Comprendre les mots de passe.

Windows permet à plusieurs personnes de partager un ordinateur, un portable ou une tablette sans que personne ne puisse jeter un coup d'œil sur les fichiers des autres.

Le secret ? Windows associe à chaque personne un *compte d'utilisateur* personnel qui l'isole efficacement des autres. Lorsque quelqu'un clique sur son nom et saisit son mot de passe, l'ordinateur lui donne accès à ce qui lui appartient, et uniquement à cela. Il affiche en particulier l'écran d'accueil et le bureau de *cette* personne, ses propres réglages, ses programmes et ses fichiers. Il lui interdit de regarder dans les dossiers possédés par d'autres utilisateurs.

Ce chapitre vous explique comment configurer des comptes d'utilisateurs séparés pour chacun des membres de votre famille, y compris le

« propriétaire » de l'ordinateur, ou pour toute autre visiteur occasionnel, susceptible d'accéder à votre système.

Mais vous découvrirez également comment briser certains de ces murs, de manière à pouvoir partager des informations entre les comptes pour que chacun puisse par exemple admirer les photos de vacances ou de fêtes, tout en gardant secrètes vos lettres d'amour.

Comprendre les compte d'utilisateurs

Windows 8 préfère, sans tout de même l'exiger, que vous définissiez un compte d'utilisateur pour chaque personne qui utilise votre PC. Un tel compte fonctionne un peu comme une invitation personnalisée à une soirée : chacun porte un badge à son nom, ce qui aide Windows à savoir qui est assis devant le clavier. Il existe en fait trois types de comptes d'utilisateur : Administrateur, Standard et Invité. Pour commencer à jouer avec le PC, l'utilisateur doit cliquer sur son propre nom dans l'écran de démarrage (voir Figure 11.1).

Figure 11.1 : Windows 8 permet à chaque utilisateur d'accéder à son propre compte.

Windows 8 autorise chaque type de compte à effectuer, ou non, tel ou tel type de tâche. Prenons une image. Si l'ordinateur était un hôtel, le compte Administrateur serait celui du gérant, le type qui doit avoir la clé de toutes les chambres. Un client aurait un compte Standard, lui donnant accès à sa chambre et aux parties communes. Un compte

Invité serait dévolu à un simple visiteur devant repartir le soir même. Pour utiliser un langage un peu plus « informatique », tous ces types de comptes ont des caractéristiques bien précises :

- **Administrateur :** l'administrateur contrôle tout l'ordinateur. Il peut décider qui a le droit de jouer avec le PC, et de ce que chaque autre utilisateur peut ou ne peut pas faire. Dans le cas d'un ordinateur sous Windows 8, c'est généralement son propriétaire qui détient ce compte seigneurial. L'administrateur crée des comptes pour chacun des autres membres de la famille ou de l'équipe, et il décide des autorisations qu'il délivre ou qu'il refuse.
- **Standard :** les titulaires d'un compte Standard ont accès à la majeure partie de l'ordinateur, mais ils ne peuvent pas lui apporter des changements importants. Ils n'ont par exemple pas le droit d'installer de nouveaux programmes. Mais ils sont autorisés à lancer ceux qui existent, à la condition toutefois que l'administrateur les ait installés pour tout le monde.
- **Invité :** les invités sont autorisés à jouer avec l'ordinateur, mais celui-ci ne les reconnaît pas par leur nom. Ce genre de compte ressemble assez au type Standard, mais sans aucune confidentialité. Si tout un chacun peut se connecter en tant qu'invité, le bureau conservera l'aspect qui lui a donné le dernier utilisateur. C'est très bien pour naviguer sur le Web, mais pas plus.

Voici quelques règles classiques à appliquer lorsqu'un même ordinateur doit être partagé entre plusieurs personnes :

- Dans une famille, les parents ont en général un compte Administrateur, les enfants ont chacun leur compte Standard, et la nounou doit se contenter d'un compte Invité.
- Dans un appartement partagé par plusieurs personnes, le propriétaire du PC se réserve le compte Administrateur, et les colocataires possèdent un compte Standard ou Invité (selon leur degré de proximité, ou encore selon qu'ils ont ou non rangés et nettoyés la cuisine la semaine dernière).

Pour que personne d'autre que vous n'ait la possibilité d'accéder à votre propre compte, vous devez le protéger par un mot de passe (nous y reviendrons plus loin dans ce chapitre).

Parfois, quelqu'un se connecte avec son compte, mais l'ordinateur finit par se mettre en veille si aucune action du clavier ou de la souris n'est enregistrée pendant un certain temps. Lorsque le PC se réveille, seul le nom du compte et l'image associée apparaissent sur l'écran.

Attribuez-vous aussi un compte Standard

Si un morceau de programme malveillant arrive à se glisser dans votre ordinateur, et que vous êtes connecté en tant qu'administrateur, cette chose diabolique peut causer beaucoup de ravages. C'est très dangereux, car un compte Administrateur peut supprimer ou endommager à peu près tout et n'importe quoi. C'est pourquoi Microsoft suggère de créer *deux* comptes pour vous-même : un compte Administrateur *et* un compte Standard. Au quotidien, servez-vous du second, et n'ouvrez une session avec le premier que pour réaliser des tâches de maintenance.

De cette manière, Windows vous traitera exactement comme n'importe quel autre utilisateur standard. Lorsque l'ordinateur est sur le point de faire quelque chose de potentiellement nuisible, ou simplement trop poussé, Windows 8 vous demande de saisir le nom et le mot de passe du compte d'administrateur. Entrez ces informations, et Windows vous laissera passer la porte. Mais vous savez alors que quelque chose est sans doute suspect, ou du moins risque de modifier des paramètres importants de l'ordinateur.

Il est certain qu'avoir un second compte est une astreinte. Mais après tout, c'est comme sortir sa clé pour ouvrir la porte de son domicile. Vous verrouillez votre habitation pour votre sécurité. Avec Windows, c'est pareil.

Les comptes d'invités peuvent accéder à l'Internet, mais uniquement si vous disposez d'une connexion rapide, de type ADSL ou câble.

Modifier un compte utilisateur ou ajouter un nouveau compte

En tant que citoyens de seconde zone, les comptes Standard ont moins de droits. Ils peuvent par exemple exécuter des programmes et changer l'image qui leur est associée, ou encore modifier leur mot de passe. Mais le pouvoir *réel* est détenu par l'administrateur. Lui seul peut créer ou supprimer n'importe quel autre compte, supprimant ainsi de l'ordinateur le nom, les fichiers et les paramètres du condamné. C'est pourquoi il ne faut jamais se fâcher avec l'administrateur d'un ordinateur !

Si vous êtes administrateur, créez un compte Standard pour chaque personne qui aura le droit d'accéder à votre ordinateur. Ce type de compte donne suffisamment de contrôle pour qu'ils puissent travailler ou jouer, tout en évitant qu'un petit malin ne détruise accidentellement des fichiers importants, ou ne perturbe le bon fonctionnement de Windows.

Ajouter un compte d'utilisateur

Les administrateurs ont le pouvoir d'ajouter de nouveaux comptes à partir de l'option Paramètres du PC de l'écran d'accueil. Suivez ces étapes :

1. **Ouvrez la barre d'icônes, puis cliquez sur Paramètres, et enfin sur Paramètres du PC en bas du volet.**

   Vous pouvez pour cela placer le pointeur de votre souris dans le coin supérieur droit de l'écran d'accueil, effleurer l'écran depuis le bord droit de celui-ci en allant vers l'intérieur, ou encore faire appel à la combinaison de touches Windows+C.

2. **Dans l'écran Paramètres du PC, choisissez la catégorie Utilisateurs.**

   L'écran de votre compte d'utilisateur apparaît (voir Figure 11.2). Vous pouvez ici modifier vos propres paramètres, mais aussi ajouter une autre personne.

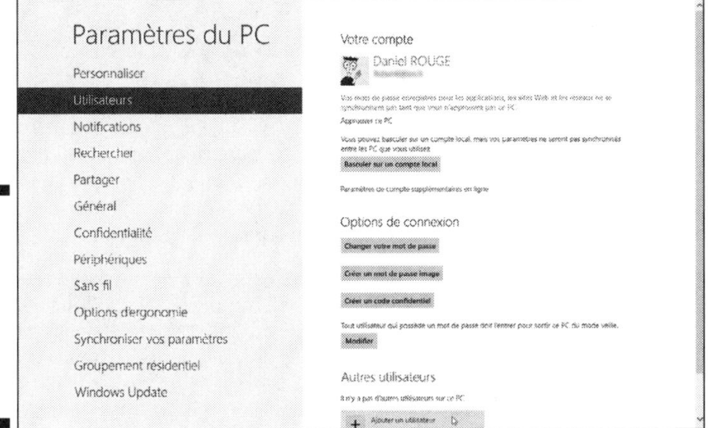

Figure 11.2 : Cliquez sur les mots Ajouter un utilisateur pour créer un nouveau compte.

Tout que vous y êtes, vous pouvez profiter de l'occasion pour modifier les données qui vous concernent, changer votre mot de passe, ou même passer d'un compte Microsoft à un compte local (je vais expliquer cela plus en détails dans la prochaine étape).

3. **Pour créer un nouveau compte, cliquez sur les mots Ajouter un utilisateur. Choisissez ensuite le type de compte à définir dans la fenêtre qui apparaît.**

   Microsoft complique les choses, comme le montre bien la fenêtre Ajouter un utilisateur, illustrée sur la Figure 11.3. Il vous force en effet à dire quel type de compte de messagerie vous allez définir pour votre nouvel utilisateur ou votre nouvelle utilisatrice. Deux choix s'offrent à vous :

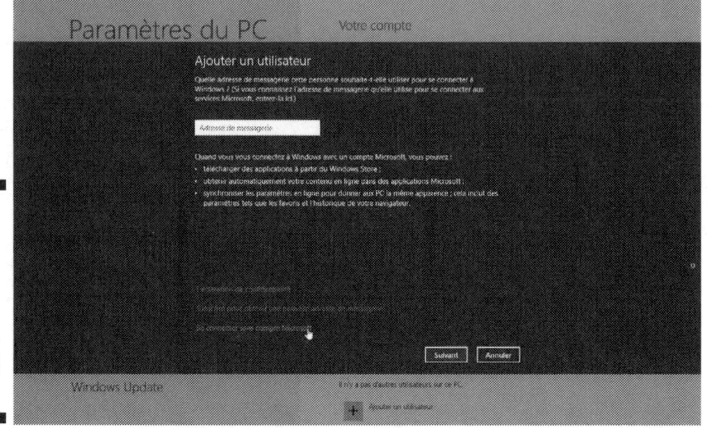

Figure 11.3 : Entrez une adresse de messagerie ou signez pour un nouveau compte Microsoft.

- **Compte local :** sélectionnez cette option pour les membres de votre famille, ou bien les gens que les comptes Microsoft et leurs « privilèges » n'intéressent pas. Elle permet à la personne d'utiliser l'ordinateur avec un compte générique. Pour définir un compte local, cliquez sur le lien Se connecter sans compte Microsoft, puis passez à l'Étape 5.

- **Compte Microsoft :** sélectionnez cette option si quelqu'un l'a *explicitement demandé*. Comme je l'ai expliqué au Chapitre 2, un compte Microsoft est une adresse de messagerie qui vous relie à Microsoft, à ses ordinateurs et à son service commercial. L'utilisateur peut alors acheter des applications avec sa carte bancaire, gérer ses fichiers sur le « nuage » Internet avec SkyDrive, ou encore accéder à d'autres gadgets maison. Pour créer un compte Microsoft, passez à l'étape suivante.

4. **Pour créer un compte d'utilisateur version Microsoft, saisissez l'adresse de messagerie correspondante dans le champ qui se trouve en haut de l'écran, cliquez sur Suivant, puis Terminer.**

Le nouveau compte va devenir accessible depuis l'écran de démarrage.

Lorsque la personne veut utiliser l'ordinateur, elle choisit le compte qui correspond à son adresse de messagerie et elle saisit le mot de passe version Microsoft associé à cette adresse. Windows ira vérifier sur l'Internet que tout va pour le mieux dans le meilleur des mondes, et c'est parti. Vous avez terminé votre travail d'administrateur. Sinon...

5. **Cliquez sur les mots Se connecter sans compte Microsoft (vous les voyez en bas de la Figure 11.3).**

   Inquiet de vous voir préférer un compte local plutôt qu'un merveilleux compte Microsoft, Windows affiche une page de confirmation avec trois boutons : Compte Microsoft, Compte local et Annuler. Non, franchement, là, vous devez faire erreur ?

6. **Persévérez et cliquez sur le bouton Compte local.**

   Et oui ! Vous voulez *vraiment* utiliser un compte local. Après tout, et comme Microsoft ne s'avoue pas vaincu, vous aurez toujours la possibilité de convertir plus tard ce malheureux compte local en un superbe compte Microsoft !

   Un nouvel écran apparaît. Il vous demande d'entrer un nom d'utilisateur (autrement dit, le nom du compte), un mot de passe qui vous devrez confirmer une seconde fois, ainsi qu'une indication personnelle qui pourra servir si la personne oublie son mot de passe.

7. **Remplissez correctement les champs.**

   Pour le nom du compte, utilisez par exemple le prénom de la personne, son diminutif ou un surnom. Choisissez quelque chose de facile à mémoriser pour le mot de passe et l'indication. Le nouvel utilisateur pourra changer tout cela une fois qu'il sera connecté à son compte.

8. **Cliquez sur le bouton Suivant, puis sur le bouton Terminer.**

   Il ne vous reste plus, bien sûr, qu'à communiquer à la personne son nom d'utilisateur et son mot de passe. Ce nom apparaîtra maintenant dans l'écran de démarrage pour qu'elle puisse commencer à utiliser l'ordinateur.

Contrairement aux anciennes versions de Windows, Windows 8 crée des comptes de type Standard pour tous les nouveaux utilisateurs. Vous pouvez si vous le souhaitez les transformer par la suite en compte Administrateur (voir la prochaine section). Mais c'est très vivement déconseillé…

Modifier un compte utilisateur existant

La fenêtre Paramètres du PC de l'écran d'accueil (et son mini Panneau de configuration) vous permet de créer un nouveau compte pour un membre de votre famille ou pour un ami. C'est ce que nous avons vu dans la section précédente. Il vous sert aussi à personnaliser votre propre compte, à changer votre mot de passe ou encore à basculer entre compte Microsoft et compte local.

Mais avant de changer quoi que ce soit, ou encore de supprimer un compte, vous devez faire appel à toute la puissance du Panneau de configuration du bureau.

Pour modifier un compte d'utilisateur existant, suivez-ces étapes :

1. **Activez le bureau, puis ouvrez le Panneau de configuration.**

   Vous disposez de trois méthodes pour activer le Panneau de configuration :

   - **Souris :** dirigez le pointeur dans le coin en bas et à gauche de votre écran. Dans le menu qui apparaît, cliquez sur la ligne Panneau de configuration.
   - **Clavier :** depuis le bureau, appuyez sur la combinaison de touches Windows+I, sélectionnez la ligne Panneau de configuration et appuyez sur Entrée.

   - **Écran tactile :** depuis le bureau, effectuez un balayage à partir du côté droit de l'écran, puis tapez sur l'icône Paramètres, et enfin sur Panneau de configuration.

2. **Dans le Panneau de configuration, ouvrez la catégorie Comptes et protection des utilisateurs.**

3. **Cliquez sur le lien Comptes d'utilisateurs, puis sur Gérer un autre compte.**

   La fenêtre Gérer les comptes apparaît (voir Figure 11.4). Elle affiche tous les comptes actuellement définis sur votre ordinateur.

   Tant que vous y êtes, vous pouvez profiter de l'occasion pour activer le compte appelé Invité. Cliquez sur ce nom, puis sur le bouton Activer dans la fenêtre suit. Un compte Invité est un moyen simple et sûr de permettre à d'autres personnes d'ac-

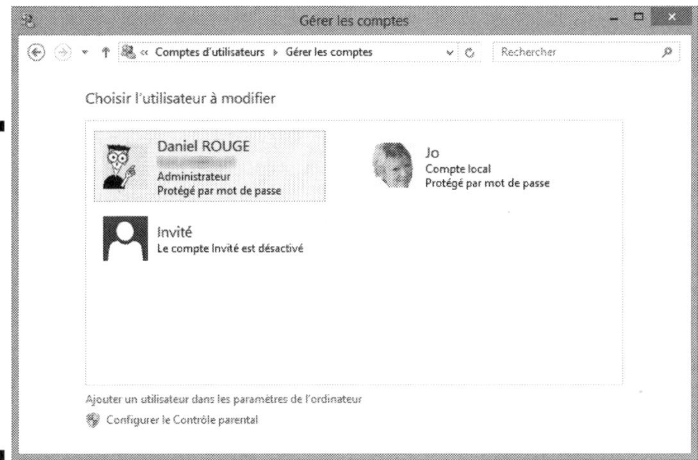

Figure 11.4 : La fenêtre Gérer les comptes vous permet de modifier les caractéristiques des autres comptés enregistrés sur l'ordinateur.

céder à votre PC, sans qu'ils puissent toucher à vos fichiers ou faire quoi que ce soit qui risquerait de nuire à votre système.

4. **Cliquez sur le nom du compte que vous voulez modifier.**

   Windows 8 affiche une page montrant l'image associée au compte et proposant une série de choix :

   - **Modifier le nom du compte :** vous avez ici l'opportunité de corriger un nom mal orthographié, ou de le remplacer par un pseudonyme à votre convenance, par exemple pour changer *Jeanne* en *Dragon flamboyant*.
   - **Modifier le mot de passe :** tout compte devrait posséder un mot de passe pour le protéger des autres utilisateurs. Vous pouvez en créer un ici si ce n'est pas encore fait, ou encore modifier le mot de passe actuel.
   - **Configurer le Contrôle parental :** c'est un peu comme un œuf de Pâques offert aux parents. Le contrôle parental vous permet de définir les plages horaires pendant lesquelles l'utilisateur du compte a le droit d'accéder à l'ordinateur, ainsi que de limiter les applications et les jeux dont il peut se servir.
   - **Modifier le type de compte :** comprenez ici faire la promotion d'un compte Standard au rang envié d'Administrateur, ou inversement de dégrader un compte Administrateur au rang subalterne de Standard.

Tout PC sous Windows *doit* absolument posséder un compte Administrateur, et si possible un seul. Sinon, plus personne ne pourra accéder à la configuration du PC en général, et des comptes en particulier !

- **Supprimer le compte :** ne choisissez pas cette option à la légère, car supprimer un compte détruit également les fichiers qui lui sont associés. Si vous maintenez tout de même ce choix, cliquez dans la fenêtre qui suit sur le bouton Conserver les fichiers. Ceci enregistrera les fichiers de la personne dont vous effacez le compte dans un dossier placé sur votre bureau afin qu'ils puissent être récupérés par la suite.
- **Gérer un autre compte :** vos modifications sont sauvegardées, et vous pouvez continuer à modifier les réglages d'un autre compte.

5. **Quand vous avez terminé, refermez la fenêtre en cliquant sur la croix rouge qui se trouve à droite de sa barre de titre.**

   Toute modification opérée sur un compte d'utilisateur est immédiatement appliquée.

Passer rapidement d'un utilisateur à un autre

Windows 8 permet à toute une famille, une troupe de colocataires ou aux employés d'une petite société de partager le même ordinateur. Celui-ci mémorise tous les fichiers et programmes de chaque utilisateur disposant d'un compte. Maman peut jouer aux échecs avant de rendre le clavier à sa grande fille qui va aller tchatcher avec ses copines. Quand Maman revient, une heure ou deux plus tard, sa partie d'échecs en est exactement là où elle l'avait laissé, ce qui lui a laissé le temps de réfléchir à une attaque surprise.

Passer d'un utilisateur à un autre est facile et rapide. Lorsque quelqu'un d'autre veut accéder à son compte, par exemple pour consulter ses messages, suivez ces étapes :

1. **Revenez si nécessaire à l'écran d'accueil.**

   Pour cela, appuyez sur la touche Windows de votre clavier. Avec la souris, vous pouvez aussi pointer le coin inférieur gauche du bureau et cliquer sur la vignette qui représente l'écran d'accueil.

Sur un écran tactile, effectuez un balayage en partant du bord droit de l'écran afin d'afficher la barre d'icônes. Tapez ensuite sur l'icône Accueil.

2. **Cliquez sur l'image de votre compte d'utilisateur, en haut et à droite de l'écran.**

   Un menu s'affiche (voir Figure 11.5).

Figure 11.5 : Le menu liste les noms de tous les comptes d'utilisateurs autorisés à utiliser l'ordinateur.

3. **Choisissez le nom de l'utilisateur dont vous voulez activer le compte.**

   Windows vous laisse connecté, mais il affiche immédiatement l'écran d'ouverture de session de l'autre personne pour qu'elle puisse saisir son mot de passe.

Lorsque l'autre utilisateur n'a plus besoin de l'ordinateur, il lui suffit de reprendre les étapes ci-dessus. Cette fois, la personne va choisir dans le menu l'option Se déconnecter. Windows referme alors sa session, ce qui vous permet de reprendre la vôtre, en tapant bien entendu votre mot de passe pour retrouver votre propre écran d'accueil ou votre bureau.

Gardez présent à l'esprit les remarques suivent pour bien gérer l'utilisation du PC par de multiples utilisateurs :

- Lorsque le nombre de comptes est assez important, vous pouvez ne plus vous souvenir de celui que vous utilisez. Dans ce cas, revenez à l'écran d'accueil. Le nom actuel et l'image associée sont affichés en haut et à droite de l'écran. De plus, l'écran d'ouverture de Windows affiche le mot Connecté sous le nom de chaque utilisateur pour lequel une session est ouverte.

- Ne redémarrez pas le PC si quelqu'un d'autre est encore connecté, car cette personne perdrait tout le travail qui n'a pas encore été sauvegardé. Windows 8 vous demandera de toute manière une confirmation, ce qui vous laisse une chance de demander à l'autre personne de reprendre sa session et d'enregistrer ses documents.

- Si un compte d'utilisateur Standard essaie de modifier un réglage du système ou d'installer un logiciel, une fenêtre va s'ouvrir pour demander l'autorisation de l'Administrateur. Si vous acceptez cette action, entrez dans cette fenêtre votre mot de passe. Windows 8 effectue alors l'action demandée, exactement comme si vous l'aviez déclenchée dans votre propre compte.

Partager des fichiers entre comptes

Normalement, le système de comptes d'utilisateurs dresse un mur entre les fichiers de chacun, ce qui évite que Noé n'aille voir ce que fait Nathan, et réciproquement. Mais comment faire si Noé rédige par exemple un rapport conjointement avec Nathan ? Bien sûr, chacun pourrait transmettre à l'autre une copie de son travail *via* sa messagerie, ou encore copier ces fichiers sur une clé USB qui serait échangée à chaque étape du travail.

Mais il y a plus simple en faisant appel aux bibliothèques de Windows. Placez une copie du ou des fichiers voulus dans un dossier *public* d'une de vos bibliothèques. Ce dossier public est visible dans la bibliothèque de *tout le monde*. Chacun peut donc y accéder, modifier son contenu et même le supprimer. Et ceci vaut également pour toute personne qui se connecterait avec le compte Invité.

Plus largement, un dossier public est accessible depuis les autres ordinateurs connectés au PC *via* un groupement résidentiel (une façon simple de créer un réseau, qui sera décrite dans le Chapitre 12).

Voici comment trouver un dossier public et y enregistrer les fichiers qui peuvent être partagés avec les autres utilisateurs :

1. **Depuis le bureau, ouvrez l'Explorateur de fichiers.**

   Si vous êtes dans l'écran d'accueil, cliquez d'abord sur la vignette du bureau afin d'activer celui-ci.

Le volet de gauche de l'Explorateur de fichiers affiche notamment vos quatre bibliothèques : Documents, Images, Musique et Vidéos.

2. **Faites un double clic sur le nom de la bibliothèque dans laquelle vous voulez partager votre fichiers.**

   Ouvrez par exemple ainsi la bibliothèque Musique (voir Figure 11.6) Vous pouvez y voir deux sous-dossiers appelés Ma musique et Musique publique.

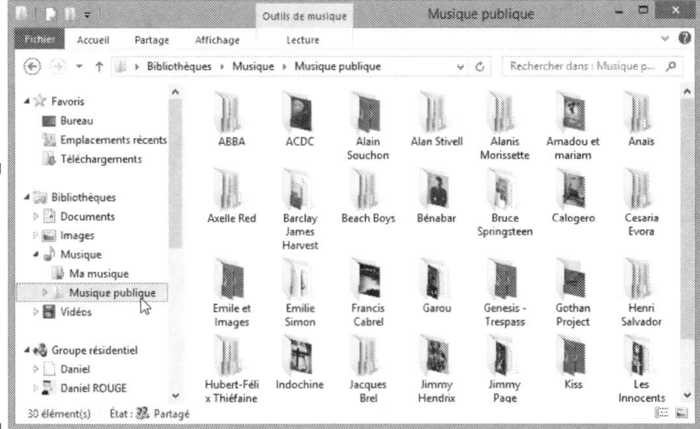

Figure 11.6 : Lorsque vous placez des fichiers une bibliothèque publique, tout titulaire d'un compte peut y accéder.

Pour simuler un double clic sur un écran tactile, tapez deux fois de suite rapidement.

Toutes vos bibliothèques contiennent de manière permanente le contenu du dossier public, ainsi que celui de votre dossier personnel (comme Mes documents, Ma musique, *etc.*).

La beauté d'un dossier public réside dans le fait qu'il est visible dans les bibliothèques de tout le monde. Si Chloé place une chanson dans son dossier Musique publique, elle apparaîtra automatiquement dans le même dossier chez Virginie, Noé et Nathan.

3. **Copiez les fichiers et/ou les dossiers que vous voulez partager avec les autres utilisateurs dans le dossier public approprié.**

   Vous pouvez sélectionner les éléments dans le volet de droite, et les faire glisser directement sur l'icône du dossier public dans le volet de gauche. Dès que la copie est terminée, tout un chacun peut en profiter, mais aussi en faire ce qu'il veut, y compris renommer ou supprimer les fichiers. C'est d'ailleurs pourquoi il est généralement préférable de *copier* les fichiers dans un dossier public plutôt que de les y *déplacer*.

Voici quelques conseils supplémentaires sur l'utilisation des dossiers publics :

- Pour voir exactement ce que vous partagez, examinez vos propres bibliothèques dans l'Explorateur de fichiers. Par exemple, pour afficher les contenus audio que vous partagez, faites un double clic sur le mot Musique dans le volet de navigation, puis cliquez sur Musique publique. N'oubliez jamais que les autres utilisateurs peuvent faire ce qu'ils veulent avec ce qui s'y trouve.
- Si vous remarquez dans un dossier public quelque chose que vous ne voulez plus partager, déplacez-le en sens inverse vers votre propre dossier personnel. Par exemple, faites glisser *cet* album des Beatles du dossier Musique publique vers le dossier Ma musique. Plus de partage !
- Si votre PC est relié à un réseau (voyez à ce sujet le Chapitre 12), vous pouvez créer un *groupement résidentiel*, ce qui est une façon simple de partager des fichiers à la maison ou dans une petite entreprise. Une fois ce groupement activé, tous les utilisateurs des PC du réseau pourront accéder au contenu des bibliothèques qui ont été partagées. C'est un procédé simple et pratique pour partager photos, musiques et vidéos.

Changer l'image d'un compte d'utilisateur

Voici quelque chose d'important : vous *voulez* remplacer cette horrible silhouette que Windows affecte par défaut à votre compte d'utilisateur. Trouvez quelque chose qui vous ressemble plus en choisissant une image sur votre disque dur (ou un autre support), ou encore en vous prenant en photo avec la caméra de votre ordinateur.

Pour modifier l'image associée à un compte d'utilisateur, revenez à l'écran d'accueil et cliquez sur la vignette de votre compte, en haut et à droite de cet écran. Dans le menu qui s'affiche, choisissez l'option Modifier l'avatar du compte. Windows présente alors l'écran qui est illustré sur la Figure 11.7.

La page Avatar du compte propose deux options :

- **Parcourir :** pour choisir une image qui est déjà enregistrée sur votre ordinateur, cliquez sur le bouton Parcourir. Un écran Fichiers apparaît. Il montre les images que vous avez déjà utilisées

Figure 11.7 : Windows 8 permet à chaque utilisateur de choisir son propre avatar.

pour des comptes. Pour voir le contenu de votre bibliothèque d'images, cliquez sur le titre Fichiers, puis sélectionnez Images dans le menu qui s'affiche. Cliquez sur la vignette voulue, puis sur le bouton Choisir cette image. Vous pouvez alors refermer la page Paramètres du PC pour revenir à l'écran d'accueil et constater que votre nouvel *avatar* est bien là.

- **Créer un avatar de compte :** cette option n'est disponible que si une caméra est attachée à votre ordinateur (ce qui est le cas avec les portables comme avec les tablettes). Elle vous permet si possible de choisir entre l'application de gestion de la caméra de Windows, ou un autre programme adapté que vous auriez vous-même installé.

Voici quelques conseils supplémentaires pour bien choisir votre avatar :

- Une fois votre photo choisie, elle est attachée à votre compte Microsoft et à tout ce à quoi vous vous connectez avec ce compte : votre téléphone Microsoft, par exemple, les sites Web de Microsoft, ou encore tout ordinateur sous Windows 8 auquel vous accédez *via* ce compte.
- Vous pouvez parfaitement repérer une image intéressante sur l'Internet et la télécharger vers votre dossier Images pour l'utiliser comme avatar (dans votre navigateur, cliquez droit sur l'image voulue et choisissez dans le menu contextuel l'option Enregistrer sous).

- Ne vous souciez pas de savoir si l'image est trop petite ou trop grande. Windows 8 ajuste automatiquement sa taille pour qu'elle remplisse l'espace dévolu à la vignette de l'avatar.
- Seuls les titulaires d'un compte de type Administrateur ou Standard peuvent changer leur avatar. Les invités n'auront droit qu'à une anonyme silhouette grise…

Mots de passe et sécurité

Avoir un compte d'utilisateur n'a aucun intérêt et aucun sens si vous ne lui associez pas un mot de passe. Sinon, n'importe qui peut cliquer sur votre nom dans l'écran de verrouillage et aller voir tout ce que contiennent vos fichiers (et même les détruire !).

Les administrateurs, en particulier, *doivent* avoir des mots de passe. Sinon, cela revient à autoriser tout un chacun à faire ce qu'il veut avec le PC.

Pour créer ou modifier un mot de passe, suivez ces étapes :

1. **Ouvrez la barre d'icônes, cliquez sur le bouton Paramètres, puis sur la ligne Modifier les paramètres du PC.**

   Vous pouvez aussi pointer avec la souris le coin haut ou bas sur le bord droit de l'écran, effleurer celui vers le centre, ou encore utiliser la combinaison de touches Windows+C.

2. **Dans le volet de gauche, sélectionnez la catégorie Utilisateurs.**

   La page de votre compte d'utilisateur apparaît (reportez-vous à la Figure 11.2).

3. **Cliquez sur le bouton Changer votre mot de passe.**

   Si vous n'avez pas encore défini de mot de passe, ce bouton affichera à la place Créer un mot de passe.

4. **Choisissez un mot de passe dont vous pourrez facilement vous souvenir, et tapez-le dans le champ Nouveau mot de passe. Saisissez la même chose dans le champ Entrez le nouveau le mot de passe.**

   Saisir deux fois un mot de passe permet d'éliminer le risque d'une erreur.

   Si vous modifiez un mot de passe existant, vous devez d'abord saisir l'ancienne version dans un premier champ avant de définir le nouveau (c'est fait pour éviter qu'un individu mal intentionné n'arrive pas à changer votre mot de passe pendant que vous êtes parti faire une pause).

5. **Saisissez également une indication personnelle qui vous aidera à retrouver votre mot de passe si vous en arriviez à l'oublier.**

   Cette indication ne doit bien sûr avoir de sens que pour vous. Ne mettez pas, par exemple « Ma couleur de cheveux ». Trop facile. Si vous êtes au travail, vous pourriez par choisir « Le réalisateur de mon film préféré », ou encore « Le plat favori de mon fils ». Si vous êtes à la maison, trouvez quelque chose que vous seul (et pas vos enfants) savez. Et n'hésitez pas à changer régulièrement de mot de passe.

   Pour plus d'informations sur les mots de passe, reportez-vous au Chapitre 2.

Créer un disque de réinitialisation du mot de passe

Un disque de réinitialisation du mot de passe est une sorte de clé qui vous permet d'ouvrir à nouveau votre compte *local* dans le cas où vous auriez oublié votre mot de passe.

Vous ne pouvez *pas* créer un disque de réinitialisation du mot de passe avec un compte Microsoft.

Suivez ces étapes :

1. **Dans la barre d'icônes, cliquez sur Rechercher, puis sur Paramètres.**
2. **Dans le champ Rechercher, commencez à taper *disque de réinitialisation*. Dès que le bouton Créer un disque de réinitialisation du mot de passe apparaît à gauche de l'écran, cliquez dessus.**

Un assistant vous vous guider dans la création de ce « disque » sur une clé USB ou une carte mémoire.

Le jour où vous oubliez votre mot de passe, insérez votre disque de réinitialisation. Windows 8 va vous demander de choisir un nouveau mot de passe, et la vie va reprendre son cours. N'oubliez pas de ranger votre disque de réinitialisation dans un endroit *vraiment* sûr, car toute personne qui le trouverait pourrait accéder à votre compte.

Vous pouvez changer autant de fois que vous le voulez de mot de passe. Le disque de réinitialisation sera toujours là pour vous donner une clé grâce à laquelle vous arriverez à déverrouiller votre compte.

Bien que l'indication que vous avez choisie devrait vous aider à vous souvenir de votre mot de passe, il n'est pas non plus inutile de créer en plus un disque de réinitialisation de celui-ci. Voyez l'encadré qui suit.

Chapitre 12

Mettre des ordinateurs en réseau

Dans ce chapitre :

- Comprendre les parties d'un réseau.
- Choisir entre réseau filaire et réseau sans fil.
- Configurer un petit réseau.
- Se connecter sans fil.
- Créer un groupement résidentiel pour partager des fichiers.
- Partager une connexion Internet, des fichiers et des imprimantes en réseau.

Acheter un PC supplémentaire peut engendrer de nouveaux problèmes : comment faire en sorte que plusieurs ordinateurs partagent une même connexion Internet et la même imprimante ? Et comment partager des fichiers entre plusieurs machines ?

La solution porte un nom : *réseau*. Lorsque vous connectez deux PC ou plus, Windows les présente les uns aux autres, leur permettant automatiquement d'échanger des informations, de partager une connexion Internet ou encore de se servir de la même imprimante pour éditer des documents.

De nos jours, la plupart des ordinateurs sont capables de dialoguer sans avoir à jongler avec des quantités de câbles. Ces connexions *sans fil* permettent aux ordinateurs de papoter par le biais d'ondes radio plutôt qu'en passant par des fils.

Ce chapitre explique comment relier tous les ordinateurs de la maison (ou du bureau) de manière à ce qu'ils puissent partager des choses.

Mais attention ! Vous trouverez aussi ici des explications un peu techniques. Ne vous y risquez pas trop, à moins de disposer d'un compte d'administrateur, et de ne pas craindre un peu de prise de tête avant de constater au final que cela marche…

Comprendre les réseaux et leurs composants

Un *réseau* est un ensemble formé de deux ordinateurs au moins qui sont connectés pour partager des fichiers. Mais les réseaux concernent un champ qui peut aller du « agréablement simple » au « terriblement complexe ». Pour autant, tous les réseaux partagent plusieurs points communs :

- **Un routeur :** cette petite boîte est comme un agent qui règle la circulation des données entre les ordinateurs et en contrôle le flux. La plupart des routeurs (les *box* des fournisseurs d'accès Internet si vous préférez) supportent à la fois les connexions filaires et sans fil.
- **Un adaptateur réseau :** chaque ordinateur a besoin de son propre *adaptateur réseau*, un truc électronique qui l'aide à communiquer avec les autres. Vous trouvez d'une part les adaptateurs filaires, qui assurent donc la connexion par l'intermédiaire d'un câble. Et il y a les adaptateurs sans fil (typiquement, le fameux Wi-Fi) qui transforment les données en signaux radio qui sont transférées entre ordinateur et routeur.
- **Câbles réseau :** les ordinateurs qui sont connectés en Wi-Fi n'ont pas besoin de câbles. Ceux-ci sont indispensables aux autres pour qu'ils soient branchés sur le routeur (ou la box, comme vous voulez).

Lors que vous connectez un modem sur un routeur, celui-ci distribue immédiatement le signal Internet à chaque ordinateur du réseau.

La distinction entre modem (l'appareil qui reçoit les signaux) et routeur (celui qui les diffuse) ne se pose pas avec les *box* des fournisseurs d'accès Internet qui intègrent les deux.

La plupart des réseaux domestiques ressemblent à une espèce de toile d'araignée avec des fils qui relient le routeur aux ordinateurs (voir Figure 12.1). D'autres PC, tablettes, smartphones et divers gadgets n'ont quant à eux même pas besoin de câbles pour participer au réseau.

Le routeur (ou la box) répartit efficacement les données entre tous les ordinateurs et autres gadgets qui lui sont connectés, de manière à ce que la connexion Internet puisse être partagée par tous.

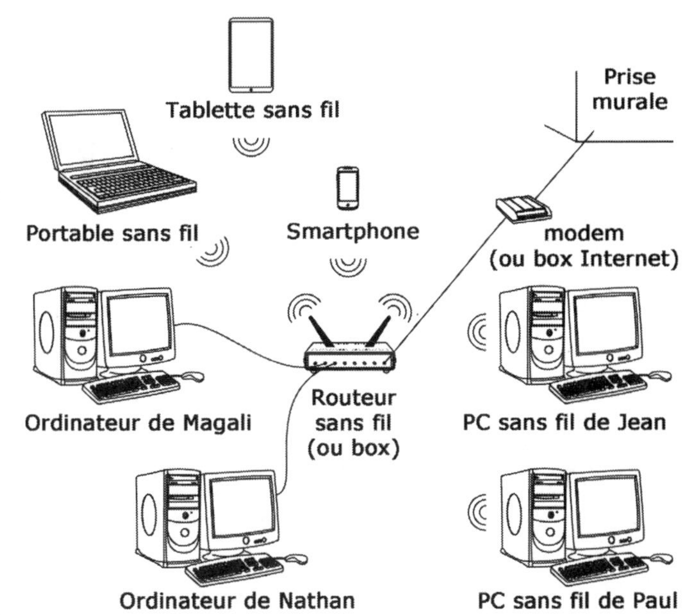

Figure 12.1 : Un réseau ressemble à une toile d'araignée, tous les ordinateurs et autres composants communiquant avec un routeur central grâce à des câbles ou bien sans fil.

Windows permet aussi à plusieurs ordinateurs de partager la même imprimante. Si deux personnes tentent d'imprimer un document ou une photo en même temps, il en met une tâche

en attente, puis reprend ce travail une fois l'imprimante libérée de son autre tâche.

Un routeur sans fil délivre un signal Internet à *tous* les matériels Wi-Fi connectés dans son environnement, pas seulement aux ordinateurs sous Windows. Cela inclut donc les smartphones, les tablettes, les ordinateurs portables, les iPad d'Apple, et même certains systèmes de Home Cinéma et de loisirs (télévisions, lecteurs Blu-ray, consoles, *etc.*). Sans oublier tout le voisinage...

Configurer un petit réseau

Si vous devez mettre en réseau un tas d'ordinateurs, vous avez probablement besoin d'un autre livre que celui-ci. En général, les réseaux sont assez faciles à configurer, mais partager leurs ressources est un travail qui peut devenir rapidement très complexe, surtout si les ordinateurs contiennent des données sensibles. Par contre, si vous avez

Réseau sans fil ou réseau filaire ?

Vous pouvez facilement relier par un câble des ordinateurs qui sont posés sur le même bureau ou qui se trouvent dans la même pièce. Au-delà, ces câbles deviennent encombrants. La plupart des ordinateurs actuels (notamment les portables sous leurs différentes formes, de mêmes que les tablettes et les téléphones portables) possèdent un adaptateur sans fil (Wi-Fi si vous préférez) qui leur permet de communiquer par ondes radio.

Mais plus vous vous éloignez du signal (ou plus il y a de murs qui s'interposent), et plus celui-ci faiblit. Et plus il faiblit, plus la connexion ralentit et devient mauvaise. Deux ou trois murs intermédiaires peuvent suffire à empêcher des ordinateurs de se parler. De plus, les réseaux sans fils sont généralement plus compliqués à configurer que les réseaux filaires.

De surcroît, les solutions filaires sont aussi plus rapides, plus efficaces, plus sûres et en définitive moins onéreuses. Mais si votre épouse ne veut pas voir des câbles passer le long des murs, le Wi-Fi peut être votre meilleure option. Et pour un maximum d'efficacité, combinez les deux : filaire dans votre bureau, sans fil dans le reste de la maison…

D'autre part, les boîtiers CPL constituent une autre façon de concevoir un réseau filaire, car ils utilisent non pas des câbles apparents, mais votre propre installation électrique : vous branchez vos boîtiers CPL (pour Courant Porteur en Ligne) sur des prises, et le tour est joué. De plus en plus répandue, cette solution peut donner de très bons résultats (par exemple pour relier la box à votre téléviseur), mais elle est aussi nettement plus chère et dépend totalement de la qualité de votre installation électrique. Le seul moyen de savoir si elle peut vous convenir, c'est d'essayer… Il vaut mieux alors se faire prêter un jeu de boîtiers CPL pour effectuer des tests avant de se lancer dans un achat !

juste besoin de connecter entre eux quelques machines, que ce soit chez vous ou au bureau, la procédure est beaucoup plus simple.

Dans cette section, nous allons donc voir ce dont vous avez besoin, comment réaliser votre installation, et comment configurer votre réseau dans Windows 8.

Les composants du réseau

Pour constituer votre réseau, vous avez pour l'essentiel besoin de trois éléments :

- **Un routeur :** c'est lui qui joue le rôle du magicien. De nos jours, les routeurs que l'on trouve sur le marché comprennent un modem, c'est-à-dire le composant qui se charge de tout ce qui concerne la connexion Internet elle-même, un émetteur/récepteur sans fil (seule la norme dite 802.11a/b/g/n est à considérer sans se poser de question) et un certain nombre de prises pour y brancher toutes sortes d'appareils (ordinateur, téléphone, téléviseur, et ainsi de suite). Pour la plupart d'entre nous, ce routeur va se présenter sous la forme d'une « box » ADSL fournie par votre prestataire Internet et qui comprend tout ce dont vous avez besoin (y compris une prise gigogne, dite filtre ADSL, qui vient s'insérer sur l'arrivée de votre ligne de téléphone).
- **Des adaptateurs réseau (facultatif) :** les ordinateurs contiennent systématiquement un adaptateur filaire (ou *Ethernet*), et Wi-Fi pour ce qui concerne les portables. Si vous avez un ordinateur dépourvu du Wi-Fi, vous trouverez facilement de quoi réparer cela en achetant un petit adaptateur venant se brancher sur un port USB.
- **Des câbles réseau (facultatif) :** vous n'avez pas ou ne voulez plus du Wi-Fi ? Achetez des câbles *Ethernet*, qui ressemblent à des cordons de téléphone mais avec une prise (dite RJ45) un peu plus grosse. Il vous faut dans ce cas un câble par machine. Prenez-les d'une longueur suffisante et de bonne qualité.

Configurer une connexion sans fil

Si vous avez opté pour le routeur sans fil de votre fournisseur d'accès Internet (une *chose*box), tout devrait y être configuré à l'avance, et vous n'avez normalement à vous préoccuper de rien. Si : de bien noter le numéro de téléphone de l'assistance du prestataire, et de faire preuve d'une bonne dose de patience le jour où vous en avez besoin...

Vous avez évidemment pris un abonnement ADSL avec téléphone inclus. Mais comme justement, votre problème, c'est que votre box refuser d'accéder à l'Internet, le téléphone qui va avec ne répond plus... Et pas question évidemment de pouvoir accéder au site Web du prestataire. Avoir un téléphone portable à portée de main est donc indispensable.

Sinon, et dans le cas ou vous possédériez un routeur acheté dans le commerce, vous aurez besoin de deux informations essentielles :

- **Un nom réseau (SSID) :** c'est un nom court qui permet d'identifier chaque ordinateur ou appareil mis en réseau. Dans le cas d'une box, il est automatiquement attribué par celle-ci.

Sinon, choisissez quelque chose de court et de simple à retenir, l'important étant que chaque appareil doit avoir un identifiant unique.

- **Une clé de sécurité :** pour préserver la sécurité de vos données, tout routeur devrait posséder une clé, ce qui permet d'encrypter les informations pour qu'une personne mal intentionnée ne puisse pas (en théorie) les décoder. Il existe à l'heure trois formats pour ces clés : WEP (c'est mieux que rien), WPA (c'est bien mieux que WEP) et WPA2 (c'est encore meilleur). Avec une box, cette clé de sécurité est prédéfinie et réputée unique, et vous la trouvez écrite sur une étiquette collée sur le boîtier.

Notez par écrit les informations qui vous sont fournies (le nom SSID et la clé de sécurité). Vous en aurez certainement besoin le jour où vous aurez un problème. D'autre part, la clé de sécurité est indispensable pour connecter un nouvel appareil Wi-Fi à votre réseau sans fil.

Configurer Windows 8 pour le connecter à un réseau

En principe, tout est très simple dans le cas d'une box et d'un réseau filaire : vous branchez un côté de votre câble Ethernet dans le port réseau de votre ordinateur, vous branchez l'autre extrémité dans un des ports de votre box (n'importe lequel fera l'affaire, sauf si l'un de ces ports est spécifiquement dédié à la télévision), vous allumez la box et vous attendez qu'elle soit opérationnelle, vous allumez votre ordinateur, vous ouvrez votre session Windows 8 et c'est tout. L'Internet est à vous ! Et si vous avez d'autres systèmes filaires à ajouter, c'est pareil.

Configurer une connexion sans fil est une histoire différente. Une fois votre box (ou votre routeur) opérationnelle, vous devez expliquer à Windows 8 comment s'y connecter. Voyons rapidement comment procéder :

1. **Dans l'écran d'accueil, ouvrez la barre d'icônes puis cliquez sur Paramètres.**

   Vous disposez de trois méthodes pour activer le volet Paramètres :

   - **Souris :** dirigez le pointeur dans le coin haut ou bas droit de votre écran. Lorsque la barre d'icônes apparaît, cliquez sur le bouton Paramètres.
   - **Clavier :** appuyez sur la combinaison de touches Windows+I.

- **Écran tactile :** effectuez un balayage à partir du côté droit de l'écran, puis tapez sur l'icône Paramètres.

2. **Cliquez sur l'icône du réseau, vers le bas du volet des paramètres.**

   La forme de l'icône varie en fonction de votre environnement et de votre mode de connexion :

- **Disponible (sans fil) :** votre réseau sans fil est reconnu et actif. Passez à l'Étape 3.

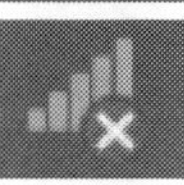

- **Non disponible (sans fil) :** vous n'êtes pas à portée, ou pas reconnu par le routeur ou la box. Rapprochez l'ordinateur de celle-ci, et vérifiez aussi qu'elle est bien allumée et opérationnelle.

- **Disponible (filaire) :** le câble est bien branché entre l'ordinateur et la box, et tous deux semblent être au mieux de leur forme.

- **Non disponible (filaire) :** le câble n'est pas branché correctement, ou bien l'ordinateur n'a pas encore été détecté par la box (pensez à vérifier aussi que celle-ci est bien active).

Dans le dernier cas (réseau filaire non disponible), et si votre câble est bien branché des deux côtés, essayez ceci : éteignez tout (ordinateur et box), puis rallumez d'abord la box et attendez que tous ses voyants soient au vert (ou une autre couleur, selon sa provenance), allumez ensuite l'ordinateur. Avec un peu de chance, tout devrait être rétabli.

3. **Dans le cas d'une connexion sans fil disponible, cliquez sur son icône.**

   Windows va respirer l'air tout autour de lui, puis lister tous les réseaux sans fil disponibles. Si tout va bien, c'est le vôtre qui apparaît en premier, et tout est pour le mieux dans le meilleur des mondes. Remarquez que ce nom est son identifiant SSID, comme nous l'avons vu plus haut.

4. **Cliquez sur le nom de votre routeur ou de votre box. Vous devriez voir s'afficher des informations vous disant que la connexion est bien établie, et que tout cela s'est fait automatiquement. Sinon, choisissez le nom du « bon » réseau sans fil, puis cliquez sur le bouton Connecter.**

Si vous cochez la case Connexion automatique avant de cliquer sur le bouton Connecter, Windows va la prochaine fois, comme il le dit, se connecter automatiquement à ce réseau sans fil, ce qui devrait vous éviter toute nouvelle manipulation.

5. **Entrez le code de sécurité associé à la box ou au routeur.**

   Voyez le cas échéant l'étiquette collée à votre box, ou ressortez le papier sur lequel vous avez noté ce code. Il se peut aussi que le système ait prévu un appariement automatique en appuyant sur un bouton de la box.

6. **Une fois la connexion établie, indiquez que votre réseau est privé et si vous voulez partager vos fichiers avec ses autres utilisateurs.**

   Vous ne pouvez en arriver à cette étape que si tout s'est bien déroulé avant.

7. **Validez les autres options de manière à pouvoir partager fichiers et imprimantes sur le réseau.**

Vous devrez le cas échéant recommencer la procédure de saisie du code de sécurité et les étapes suivantes lorsque vous ajouterez de nouveaux gadgets Wi-Fi à votre réseau.

TRUC

Si vous rencontrez toujours des problèmes, essayez ce qui suit :

- Les téléphones fixes sans fil et les fours à micro-ondes sont connus pour interférer avec les réseaux Wi-Fi. Placez votre téléphone sans fil dans une autre pièce, et ne faites pas cuire un plat cuisiné pendant que vous naviguez sur le Web.

- Si vous travaillez sur le bureau de Windows, la barre des tâches affiche également, près de l'horloge, une icône qui vous montre l'état de votre réseau. Vous pouvez vous en servir pour vous connecter à votre réseau sans fil, exactement comme dans le volet Paramètres de l'écran d'accueil.

Configurer ou connecter un groupement résidentiel

Créer un réseau entre vos ordinateurs et autres gadgets appropriés leur permet de partager facilement diverses ressources : connexion Internet, imprimantes et même vos fichiers. Mais comment faire pour partager *certains* fichiers tout en gardant aux autres leur caractère privé ?

La solution proposée par Windows est ce que Microsoft appelle un *groupement résidentiel* (ou groupe résidentiel, c'est pareil). C'est un mode de fonctionnement en réseau simple, dans lequel sont partagés les fichiers dont tout le monde peut profiter sans grands risques :

musiques, vidéos, photos et aussi l'imprimante de la famille. Activez ce groupement résidentiel, et Windows commencera immédiatement à rendre ces éléments disponibles.

Sachez cependant que les groupements résidentiels ne concernent que les ordinateurs sous Windows 7 et 8. Vista comme XP en sont exclus !

Voyons donc comment, votre réseau étant bien en place, configurer un groupement résidentiel sous Windows 8, et comment un ordinateur sous Windows 8 peut rejoindre un groupement résidentiel déjà actif :

1. **Dans l'écran d'accueil, activez la barre d'icônes, puis cliquez sur le bouton Paramètres.**

   Rappelons que vous disposez de trois méthodes pour en arriver là :

   - **Souris :** dirigez le pointeur dans le coin haut ou bas droit de votre écran. Lorsque la barre d'icônes apparaît, cliquez sur le bouton Paramètres.
   - **Clavier :** appuyez sur la combinaison de touches Windows+I.

   - **Écran tactile :** effectuez un balayage à partir du côté droit de l'écran, puis tapez sur l'icône Paramètres.

2. **Cliquez en bas du volet sur la ligne Modifier les paramètres du PC.**

3. **Dans l'écran Paramètres du PC, ouvrez la catégorie Groupement résidentiel.**

   Si vous voyez un bouton Créer, cliquez dessus pour activer votre nouveau groupement résidentiel.

   Si vous voyez un bouton Rejoindre, comme sur la Figure 12.2, le groupement a déjà été créé sur votre réseau. L'ordinateur qui sert de base au groupement émet un mot de passe que vous devez récupérer pour participer à la fête. Saisissez-le, puis cliquez sur le bouton Rejoindre.

Vous ne connaissez pas ce mot de passe ? Sous Windows 7 ou 8, ouvrez n'importe quel dossier dans l'Explorateur Windows (bien entendu, sur le PC qui est à l'origine du groupe). Dans le volet de gauche, cliquez droit sur la ligne du groupement résidentiel et choisissez l'option Afficher le mot de passe du Groupement résidentiel (Windows 7 préfère Afficher le mot de passe du groupe résidentiel). Notez bien ce mot de passe, et entrez-le tel quel sur l'ordinateur qui souhaite participer au groupement.

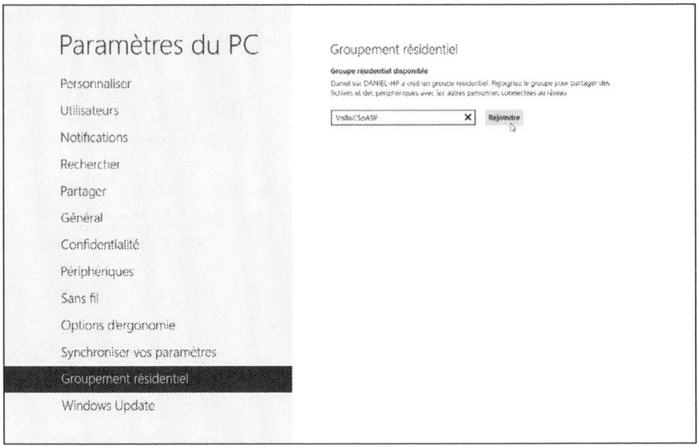

Figure 12.2 : Cliquez sur Rejoindre pour vous arrimer à un groupement résidentiel existant, ou sur Créer pour en configurer un nouveau.

Dans tous les cas, Windows va ensuite vous demander ce que vous souhaiter partager.

4. **Sélectionnez les éléments à partager.**

   La page illustrée sur la Figure 12.3 vous permet de choisir ce que vous voulez partager avec les autres membres du groupement. Pour cela, faites glisser le curseur correspondant vers la droite (la barre est colorée). Pour ne pas partager un type de fichier, faites glissez cette barre vers la gauche (elle devient grisée).

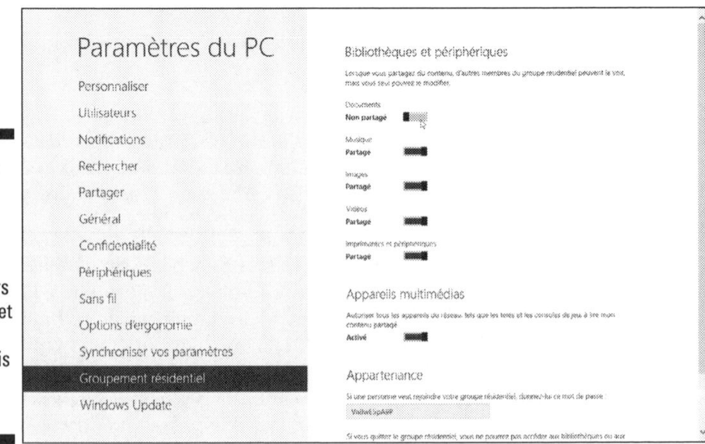

Figure 12.3 : La plupart des gens partagent volontiers leurs fichiers multimédia et leurs imprimantes, mais pas leurs documents.

La plupart des gens veulent bien partager leurs musiques, leurs photos, leurs vidéos et des appareils externes comme des imprimantes. Par contre, la bibliothèque Documents contient souvent des données plus privées. Elle est donc généralement désactivée. Vous pouvez également partager des dispositifs multimédias adaptés, comme un téléviseur, un lecteur Blu-ray ou encore une console de jeu.

Partager un dossier permet aux autres utilisateurs d'accéder à tout son contenu, par exemple pour regarder des photographies ou visionner un film. Méfiez-vous par contre des bêtises qu'ils pourraient faire, par exemple en supprimant des fichiers.

Si vous venez de rejoindre un groupement résidentiel, vous avez terminé.

5. **Si vous avez cliqué sur le bouton Créer, notez soigneusement le mot de passe qui est affiché en bas de l'écran.**

   Vous devrez saisir le même mot de passe sur tous les ordinateurs que vous voulez ajouter à votre groupement résidentiel.

Une fois toutes ces étapes franchies, vous avez créé ou rejoint un groupement résidentiel qui est accessible par tout ordinateur de votre réseau qui utilise Windows 8 ou Windows 7. Vous avez aussi choisi ce que vous voulez partager avec les autres membres. Nous verrons dans la prochaine section comment accéder aux éléments ainsi mis en commun.

- Lorsque vous créez ou rejoignez un groupement résidentiel, vous choisissez les bibliothèques que vous voulez partager, mais ce uniquement avec votre *propre* compte. Si une autre personne se sert du même PC que vous, et qu'elle veut aussi partager ses bibliothèques, elle doit faire ceci : ouvrir un dossier quelconque, cliquer droit dans le volet de navigation sur la ligne Groupe résidentiel, et choisir dans le menu contextuel l'option Modifier les paramètres du groupe résidentiel. Dans la fenêtre qui s'affiche, il ou elle aura à cliquer sur le lien Modifier ce que vous partagez avec le groupe résidentiel, puis choisir les éléments voulus et confirmer.
- Vous avez changé d'idée sur ce que vous vouliez partager dans le groupement résidentiel ? Reportez-vous au paragraphe précédent pour redéfinir vos choix.
- Vous avez oublié le mot de passe associé au groupement ? Ouvrez un dossier quelconque, cliquez droit dans le volet de navigation sur la ligne Groupe résidentiel, et choisissez dans le

menu contextuel l'option Afficher le mot de passe du Groupement résidentiel.

- N'oubliez pas qu'un dossier partagé est potentiellement en danger. En fait, vos bibliothèques contiennent par défaut deux sous dossiers : l'un bien à vous (par exemple, Mes images) et l'autre totalement public (par exemple, Images publiques). Le second est par essence en accès totalement libre, y compris pour modifier ou effacer les fichiers qu'il contient. Si vous y avez enregistré quelque chose, c'est que vous savez ce que vous faites ! Pour les dossiers personnels, c'est plus délicat. Pour préciser vos intentions, ouvrez une fenêtre de dossier. Dans la section Bibliothèques du volet de navigation, faites par exemple un double clic sur Images. Cliquez droit sur la ligne Mes images, puis choisissez dans le menu contextuel l'action à appliquer à l'aide de l'option Partager avec : affichage seul, affichage et modifications, choix d'un autre utilisateur du PC ou d'une personne spécifique, ou encore cesser totalement le partage. Pour plus d'informations sur les dossiers publics, reportez-vous au Chapitre 11.

Accéder à ce que les autres ont partagés

Pour voir les bibliothèques partagées par les autres utilisateurs de votre PC et de votre réseau, vous devez ouvrir votre bureau en cliquant sur la vignette correspondante de l'écran d'accueil. Lorsque le bureau apparaît, cliquez sur l'icône de l'Explorateur Windows, vers la gauche de la barre des tâches.

Dans la fenêtre de l'Explorateur Windows, cliquez dans le volet de navigation, à gauche, sur la ligne Groupe résidentiel. La partie principale de la fenêtre, à droite, va montrer les noms et les icônes de chacun des comptes ayant choisi de partager des fichiers dans le groupement résidentiel (voir Figure 12.4).

Vous pouvez également voir qui est connecté avec votre réseau, que ce soit par câble ou sans fil, en cliquant sur la ligne Réseau, en bas du volet de navigation.

Pour naviguer dans les bibliothèques partagées par quelqu'un d'autre dans le groupement résidentiel, faites un double sur son nom dans le volet de droite de l'Explorateur Windows. Ces bibliothèques apparaissent instantanément (voir Figure 12.5). Elles sont à votre disposition comme si c'étaient les vôtres.

Vous pouvez non seulement naviguer, mais aussi effectuer d'autres actions :

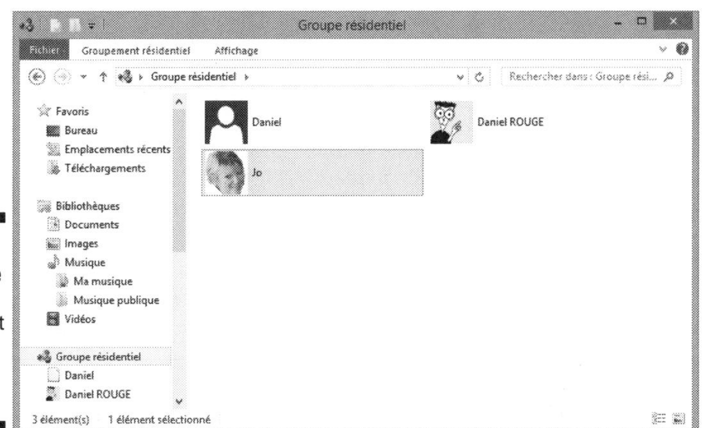

Figure 12.4 : Cliquez sur le lien Groupe résidentiel, et vous saurez qui en fait partie.

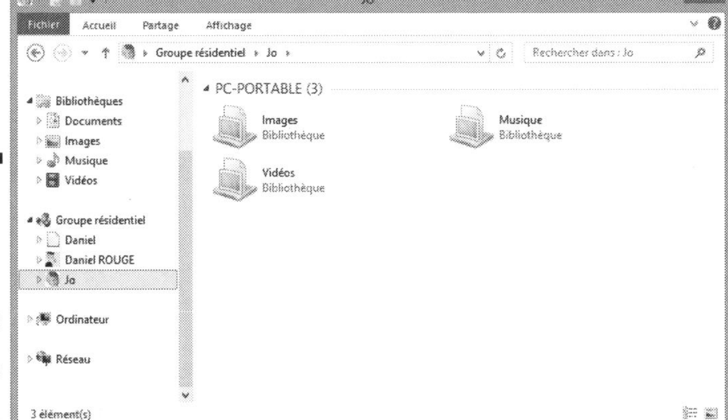

Figure 12.5 : Faites un double clic sur un nom pour voir les bibliothèques partagées par une autre personne.

- **Ouvrir :** pour ouvrir un fichier présent dans une bibliothèque partagée, faites tout simplement un double clic sur son icône. Le programme qui lui est associé va se lancer. Si vous voyez un message d'erreur, c'est peut-être que le format de ce fichier n'est pas reconnu par vos propres applications. La solution ? Acheter ou télécharger un programme adapté, ou bien encore demander à la personne concernée de sauvegarder son fichier dans un format reconnu par votre ordinateur.

- **Copier :** pour recopier un fichier, faites-le glisser vers une de vos bibliothèques. Pour cela, cliquez sur son icône puis, le bouton gauche de la souris restant enfoncé, déplacez cette icône vers le nom d'une de vos bibliothèques (ou vers un autre dossier de votre disque dur). Quand vous arrivez au bon endroit, relâchez le bouton de la souris. Windows va effectuer la copie. Une autre méthode consiste à cliquer droit sur l'icône source et à choisir dans le menu contextuel l'option Copier. Activez ensuite le dossier de destination, cliquez droit sur le fond de la fenêtre et choisissez Coller dans le menu (les raccourcis Ctrl+C pour la copie et Ctrl+V pour le collage donnent le même résultat).

- **Supprimer et modifier :** comme cela a été noté un peu plus haut, vous pourrez (ou pas) effectuer ces actions plus violentes selon que le ou la propriétaire des bibliothèques a ou non autorisé ce genre d'opération. En tout état de cause, et sauf erreur involontaire de votre part, changer ou effacer l'œuvre de quelqu'un d'autre est *mal*, et pourrait vous valoir d'être rejeté du groupement résidentiel.

Les groupements résidentiels ne sont malheureusement disponibles que sur des PC sous Windows 8 et Windows 7. Les utilisateurs qui seraient restés à Vista ou à XP n'ont comme autre solution que de copier les fichiers qu'ils veulent communiquer dans leur dossier Public ou Documents partagés.

Partager une imprimante dans un réseau

Si vous avez créé un groupement résidentiel, le partage d'une imprimante est extrêmement facile. Vous la branchez sur un port USB d'un des ordinateurs de votre réseau, et Windows 8 devrait la reconnaître automatiquement dès que vous l'allumez.

Du coup, Windows 8 annonce la bonne nouvelle à tous les autres PC de votre réseau. En peu de temps, le nom et l'icône de l'imprimante devraient apparaître sur tous les ordinateurs et dans leurs menus d'impression.

Il est vrai que c'est ce qui se passe quand tout va bien… Pour vous en assurer, voici comment savoir si l'imprimante est bien reconnue par les autres PC de votre réseau :

- **Windows 8 :** cliquez droit en bas et à gauche de l'écran et choisissez l'option Panneau de configuration dans le menu contextuel qui s'affiche. Dans la catégorie Matériel et audio du Panneau de configuration, cliquez sur Périphériques et imprimantes. L'imprimante réseau devrait apparaître dans la liste des matériels disponibles.

- **Windows 7 :** cliquez sur le bouton Démarrer et choisissez l'option Périphériques et imprimantes. L'imprimante réseau devrait alors apparaître dans la section Imprimantes et télécopieurs.
- **Windows Vista :** cliquez sur le bouton Démarrer, choisissez l'option Panneau de configuration, puis ouvrez la catégorie Matériel et audio. Cliquez sur Imprimantes pour voir l'icône de l'imprimante connectée au réseau.
- **Windows XP :** cliquez sur le bouton Démarrer, choisissez l'option Panneau de configuration, puis ouvrez la catégorie Imprimantes et matériel. Cliquez ensuite sur Imprimantes et télécopieurs pour voir l'icône de la nouvelle imprimante.

Quatrième partie

Musique, photos et vidéos

"Si je n'ai pas pris de poids, comment se fait-il que cette photo numérique a 3 Mo de plus que la même prise il y a six mois ?"

Dans cette partie...

Jusqu'ici, nous ne nous sommes occupés que de choses certes plus ou moins ennuyeuses, mais tout de même essentielles pour que votre ordinateur fonctionne aussi parfaitement que possible. Dans cette partie, nous allons voir comment transformer votre PC en un outil de loisirs pour :

- Montrer vos photos à votre famille et vos amis.
- Créer des CD de musique pour les écouter dans votre voiture (ou ailleurs).
- Jouer des films et des vidéos sur votre ordinateur ou votre tablette.
- Organiser vos photos en albums.

Que ce soit pour votre plaisir ou pour partager joies et souvenirs, c'est maintenant l'heure de la récréation !

Chapitre 13

Jouer et copier de la musique

Dans ce chapitre :

- Jouer de la musique, de la vidéo et des CD.
- Créer, enregistrer et éditer des listes de diffusion.
- Copier des CD sur votre disque dur et créer des CD de musique.

Windows 8 est bien une hydre à deux têtes, et c'est pourquoi il contient deux lecteurs multimédias : l'un accessible depuis une des vignettes de l'écran d'accueil, et l'autre, l'ancêtre appelé Lecteur Windows Media, réfugié sur le bureau.

Comme la plupart des éléments qui se trouvent dans le monde minimaliste de l'écran d'accueil, le premier de ces lecteurs ne propose que le strict minimum pour jouer et mettre en pause les morceaux, et passer d'une musique à une autre.

L'autre, le Lecteur Windows Media est virtuellement identique à celui de Windows 7, mais à une grande exception près : il ne joue plus les DVD. Pour cela, vous devrez acheter un complément à ce lecteur… ou bien en télécharger un autre (l'excellent VLC est gratuit et d'origine française, ce qui ne gâche rien – voyez le site `www.videolan.org`).

Ce chapitre vous explique comment jouer de la musique avec ces deux lecteurs, et vous montre comment en tirer le meilleur parti.

Jouer de la musique depuis l'écran d'accueil

L'application Musique de l'écran d'accueil est, il faut le dire, moins un lecteur qu'une vitrine commerciale, comme le prouve la Figure 13.1. D'ailleurs, si elle s'appelle Musique dans l'écran d'accueil, elle se nomme ensuite elle-même Musique Xbox. Tout un programme !

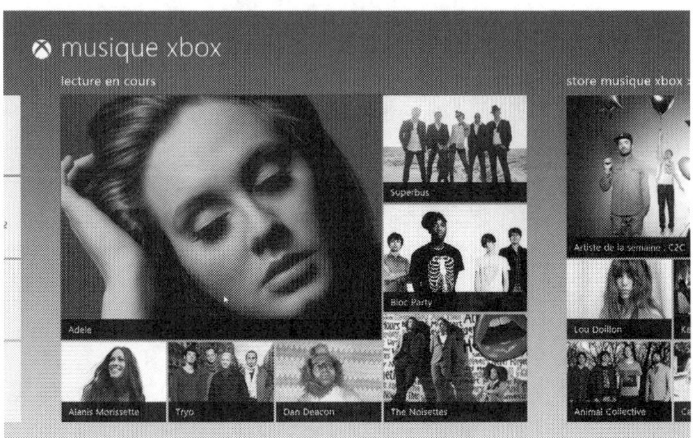

Figure 13.1 : L'application Musique accessible depuis l'écran d'accueil ressemble plus à une boutique en ligne qu'à un lecteur multimédia.

Et vos musiques à vous ? Faites défiler l'écran vers la gauche, et vous allez retrouver une catégorie Ma musique, qui vous montre ce qui est accessible sur votre PC.

Pour écouter (ou acheter) de la musique, suivez ces étapes :

1. **Dans l'écran d'accueil, cliquez sur la vignette Musique.**

   L'écran d'accueil apparaît lorsque vous ouvrez une session. Pour y revenir depuis le bureau, appuyez sur la touche Windows de votre clavier, ou bien placez le pointeur de la souris dans le coin inférieur gauche de l'écran et cliquez sur la vignette qui s'affiche.

   Avec un système tactile, effleurez l'écran depuis le bord droit de celui-ci pour afficher la barre d'icônes. Tapez ensuite sur l'icône Accueil.

2. **Connectez-vous le cas échéant avec votre compte Microsoft ou Xbox Live.**

   Chaque fois que vous ouvrez l'application Musique, Windows 8 essaie de se connecter avec un compte Microsoft ou Xbox Live (les comptes Microsoft sont décrits au Chapitre 2). Si vous avez ouvert votre session avec ce type de compte, l'affaire est réglée : Windows est prêt à vous vendre de la musique.

Sinon, l'application va vous proposer de vous connecter avec un compte Microsoft ou Xbox Live. Vous ne voulez rien acheter ? Pas de problème. Vous pourrez toujours écouter vos propres morceaux. Simplement, vous verrez les mots Connexion impossible en haut et à droite de l'écran. Vous changez d'avis ? Cliquez sur la ligne Connexion impossible, puis saisissez le nom et le mot de passe associés à un compte Microsoft ou Xbox Live.

3. **Faites défiler la page vers la droite pour écouter des extraits de chansons (ou acheter de la musique !).**

   L'application Musique contient en fait plusieurs pages que vous pouvez faire défiler en vous servant de la barre affichée en bas de l'écran.

   Vous y trouvez en particulier plusieurs rubriques assez générales : *lecture en cours* (pour écouter des extraits d'albums et les placer dans une sorte de liste de favoris), *store musique xbox* (la même chose, mais avec en plus la possibilité d'acheter les albums) et *les plus téléchargés* (pour vous vendre les musiques à la mode).

4. **Faites glisser la barre de défilement sur la gauche pour accéder à la catégorie *ma musique*, c'est-à-dire aux morceaux enregistrés sur votre ordinateur.**

   Il faut suffit de cliquer sur la vignette d'un album pour voir ce qu'il contient, l'écouter, et le cas échéant l'ajouter à la catégorie *lecture en cours*.

   Pour voir *tous* vos albums, cliquez sur le titre *ma musique*, en haut et à gauche de l'écran. Vous obtenez alors une liste complète que vous pouvez trier par album, par artiste, par titre de chanson ou encore par sélection (si vous avez enregistré des *playlists*).

5. **Pour écouter un album ou un titre, cliquez sur sa vignette, puis sur Lire l'album ou sur Lecture selon le cas.**

   Le mini-lecteur se met en marche. Selon vos droits et votre équipement, vous pourrez jouer les morceaux sur votre ordinateur, le diffuser sur votre Xbox, ou encore les ajouter à la rubrique Lecture en cours.

6. **Cliquez droit (ou tapez sur l'écran tactile) pour afficher les contrôles du lecteur.**

Comme l'illustre la Figure 13.2, la barre de contrôle de l'application propose plusieurs boutons dont le rôle est classique et évident. Cependant, le nombre et le type de ces boutons varie en fonction de l'écran à partir duquel vous déclenchez la lecture, comme le montre la Figure 13.3.

Pour ajuster le volume, affichez la barre d'icônes (en pointant le coin supérieur ou inférieur droit de l'écran, ou *via* la combinaison de touches Windows+C), puis cliquez sur Paramètres, ensuite sur l'icône de haut-parleur, et faites alors glisser le curseur de volume vers le haut ou vers le bas.

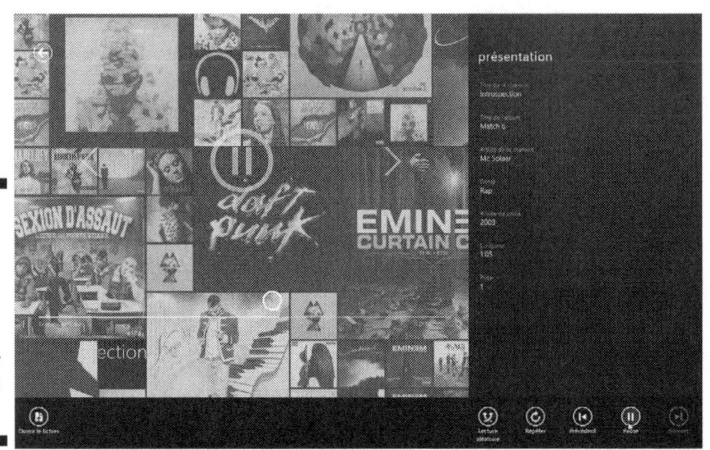

Figure 13.2 : Cliquez droit sur l'écran pendant que la musique est jouée pour afficher les contrôles du lecteur.

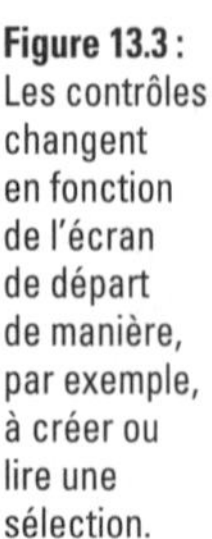

Figure 13.3 : Les contrôles changent en fonction de l'écran de départ de manière, par exemple, à créer ou lire une sélection.

La plupart des tablettes possèdent un ou deux boutons de réglage du volume sonore.

L'application Musique continue à diffuser votre ou vos morceaux, même si vous changez de programme ou que vous activez le bureau. Pour faire une pause ou changer de piste, vous devez revenir à l'écran d'accueil et cliquer sur la vignette Musique. Cliquez droit pour afficher la barre de contrôle et choisissez l'action voulue.

Retour vers le futur : le Lecteur Windows Media

Microsoft espère que l'application Musique et la boutique en ligne vont lui faire gagner beaucoup d'argent. C'est pourquoi vous êtes fortement incité à passer par cette application. Ouvrez par exemple un fichier MP3 depuis votre bureau, et vous êtes immédiatement renvoyé à l'application Musique (même s'il n'est pas bien difficile de choisir un autre programme par défaut, comme nous allons le voir dans ce qui suit).

Pour compliquer le tout, le bureau ne propose aucune icône pour lancer le Lecteur Windows Media.

Mais vous pouvez réparer facilement cet « oubli ». Pour cela, suivez ces étapes :

1. **Cliquez droit sur le fond de l'écran d'accueil, puis choisissez Toutes les applications dans la barre d'outils.**

   L'écran d'accueil va lister *toutes* les applications installées sur votre système.

   Avec un écran tactile, effleurez du bas vers le haut pour voir cette barre et l'icône Toutes les applications.

2. **Dans la liste des applications, sous la rubrique Accessoires Windows, localisez l'icône du Lecteur Windows Media.**

3. **Cliquez droit sur cette icône. Dans la barre qui s'affiche, choisissez l'option Épingler à la barre des tâches.**

   Ceci va placer un raccourci vers le Lecteur Windows Media dans la barre des tâches de votre bureau.

   Avec un écran tactile, faites glisser brièvement l'icône Lecteur Windows Media vers le bas, puis relâchez. Dans le menu qui s'affiche, choisissez le bouton Épingler à barre des tâches.

4. **Chargez le Panneau de configuration du bureau.**

Puisque vous êtes toujours dans la page Applications, il vous suffit de cliquer ou de taper sur son icône. Elle se trouve à droite de celle du Lecteur Windows Media, dans la section Système Windows.

5. **Dans la fenêtre du Panneau de configuration, cliquez sur la catégorie Programmes. Choisissez ensuite Programmes par défaut, puis Configurer les programmes par défaut.**

6. **Dans la liste de gauche, cliquez sur la ligne Lecteur Windows Media, puis sur le bandeau Définir ce programme comme programme par défaut (voir Figure 13.4).**

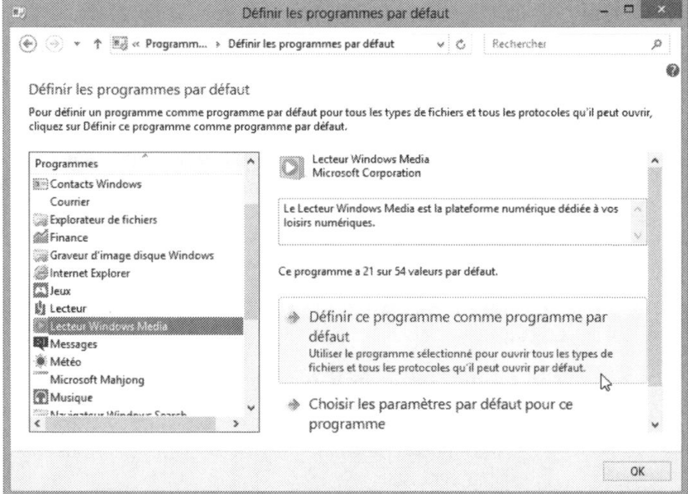

Figure 13.4 : Choisissez le Lecteur Windows Media comme programme par défaut pour ouvrir vos musiques depuis le bureau.

Ceci demande à Windows de faire jouer par ce lecteur *tous* vos fichiers multimédia, reléguant ainsi l'application Musique au placard.

7. **Cliquez sur OK pour terminer.**

Dès lors, c'est le Lecteur Windows Media qui se lancera quand vous ferez un double clic sur un fichier de musique depuis le bureau. Vous pouvez également charger ce lecteur en cliquant sur l'icône que vous avez épinglé dans la barre des tâches.

Cette manipulation ne désactive pas l'application Musique, qui est toujours disponible, mais maintenant uniquement depuis l'écran d'accueil.

Le Lecteur Windows Media est capable d'ouvrir une bonne cinquantaine de formats de fichiers musicaux et vidéo. Pour définir ceux qui lui sont associés, cliquez lors de l'Étape 6 ci-dessus sur Choisir les paramètres par défaut pour ce programme. Dans la fenêtre qui apparaît, Définir les associations de programme, vous pouvez sélectionner avec précision les fichiers qui seront ouverts par défaut dans le Lecteur Windows Media en cochant les cases correspondantes. Cliquez ensuite sur Enregistrer.

Lecteur Windows Media, premier lancement

La première fois que vous lancez le Lecteur Windows Media, vous voyez apparaître une fenêtre d'accueil vous souhaitant la bienvenue et vous demandant de choisir les paramètres initiaux du programme. Deux options s'offrent à vous :

- **Paramètres recommandés :** pour les impatients. Cette option reprend les réglages par défaut prévus par Microsoft, en le prenant comme lecteur par défaut pour la plupart des formats audio et video, à l'exception notable des fichiers MP3 (quoi qu'ils restent lisibles directement dans l'application Musique de l'écran d'accueil). Le Lecteur Windows Media va également s'adresser à l'Internet pour récupérer les informations qui peuvent être disponibles sur vos fichiers (par exemple le titre des morceaux, l'artiste, la pochette du disque, *etc.*). Par ricochet, Microsoft va aussi savoir ce que vous écoutez... Contentez-vous des paramètres recommandés si êtes pressé. Vous pourrez toujours modifier ces réglages une autre fois.
- **Paramètres personnalisés :** si vous aimez toucher aux boutons *et* si vous êtes soucieux des questions de confidentialité, choisissez cette option pour personnaliser le comportement du Lecteur Windows Media. Une série de fenêtres va vous permettre de choisir les types de musiques et de vidéos que le lecteur pourra jouer, et de contrôler jusqu'à quel point vos pratiques musicales filmographiques pourront être espionnées par Microsoft. Si vous avez quelques minutes de libre devant vous, vous pouvez choisir cette option et affronter ces (horribles) écrans d'options.

Si vous voulez par la suite personnaliser les réglages du Lecteur Windows Media, cliquez dans la fenêtre de celui-ci sur le bouton Organiser, puis choisissez la commande Options.

Le Lecteur Windows Media et sa bibliothèque

Vous pouvez lancer le Lecteur Windows Media en cliquant sur son icône dans la barre des tâches, en bas de votre écran. Vous ne voyez pas cette icône ? La section qui suit vous explique comment la placer là.

Lorsque le Lecteur Windows Media s'ouvre, le programme trie automatiquement les fichiers multimédias qu'il trouve sur votre ordinateur : musiques, photos, vidéos et émissions TV enregistrées. Il catalogue alors tout sa *propre* bibliothèque.

Si vous remarquez que certains fichiers de votre PC n'apparaissent pas dans cette bibliothèque, alors que aimeriez pouvoir en profiter dans le Lecteur Windows Media, vous pouvez lui expliquer où ils se trouvent en suivant ces étapes :

Organiser ▾

1. **Dans la fenêtre du Lecteur Windows Media, cliquez sur le bouton Organiser. Dans le menu qui s'affiche, choisissez alors l'option Gérer les bibliothèques.**

   Le sous-menu correspondant liste les quatre types de médias que le lecteur peut gérer : Musique, Vidéos, Images et TV enregistrée.

2. **Choisissez le nom de la bibliothèque vous voulez compléter.**

   Une fenêtre apparaît. Elle montre les dossiers qui sont actuellement catalogués dans la bibliothèque correspondante (voir Figure 13.5). Par exemple, la catégorie Musique gère par défaut deux emplacements : Ma musique et Musique publique.

   Vous n'êtes absolument pas limité à votre disque dur. Un disque externe, une clé USB ou un emplacement partagé en réseau sont parfaitement acceptés et reconnus.

3. **Cliquez sur le bouton Ajouter et sélectionnez le dossier ou le disque qui contient vos fichiers. Quand c'est fait, cliquez sur le bouton Inclure le dossier, puis sur OK.**

   Dès que vous avez demandé à inclure un nouveau dossier, ou un nouveau disque, le Lecteur Windows Media commence immédiatement à analyser son contenu en ajoutant par exemple les musiques qu'il y trouve à sa bibliothèque.

   Si vous voulez compléter votre tableau de chasse, reprenez l'Étape 3 autant de fois qu'il est nécessaire pour que votre bibliothèque contienne tous les fichiers multimédias qui vous intéressent.

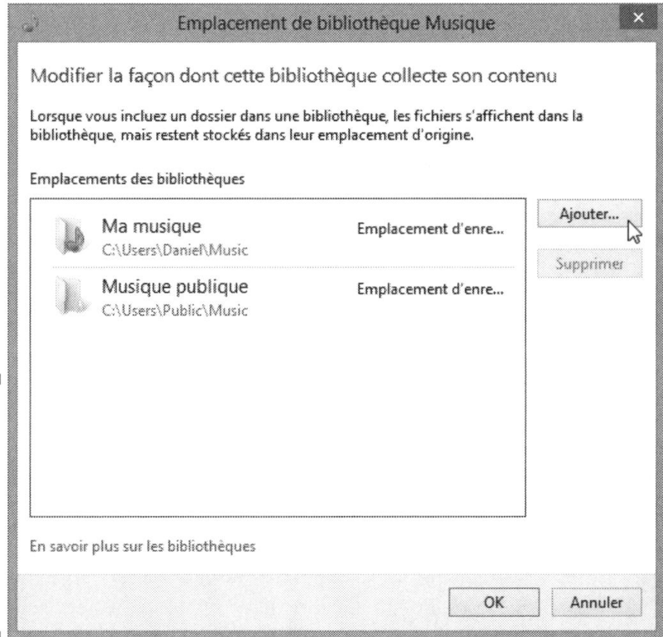

Figure 13.5 : Cliquez sur le bouton Ajouter et naviguez vers le dossier que vous voulez ajouter à la bibliothèque.

La procédure inverse est évidemment possible. Reprenez les deux premières étapes ci-dessus. Mais au lieu de cliquer sur Ajouter, sélectionnez cette fois l'emplacement que vous voulez retirer, puis cliquez sur le bouton Supprimer (revoyez la Figure 13.5).

Lorsque vous lancez le Lecteur Windows Media, le programme montre les fichiers multimédias qu'il a collectés et rangés dans sa bibliothèque (voir Figure 13.6).

Mais, sans que vous vous en rendiez compte, son travail d'archiviste continue en permanence :

- **Suivi des bibliothèques :** le Lecteur Windows Media surveille en permanence vos bibliothèques Musique, Images et Vidéos, de même que les autres dossiers que vous avez ajoutés. Chaque fois que vous modifiez le contenu d'une de *vos* bibliothèques, il actualise la *sienne*. Bien sûr, vous pouvez changer la manière dont il se comporte en reprenant les étapes précédentes.

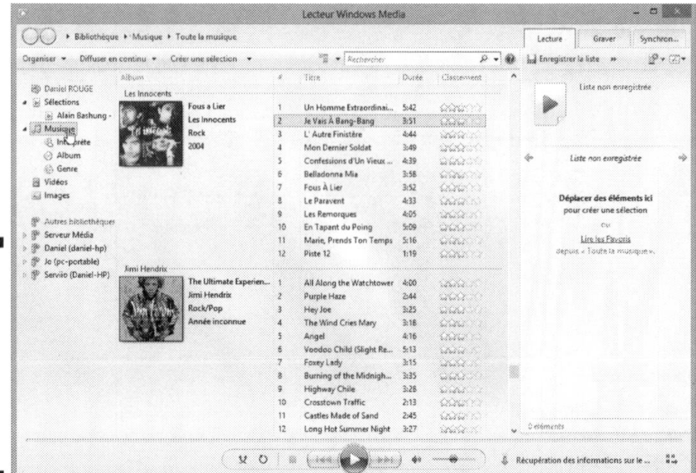

Figure 13.6 : Cliquez sur un élément dans le volet de gauche pour voir son contenu à droite.

- **Suivi des dossiers publics :** le Lecteur Windows Media catalogue automatiquement tout ce qui est placé dans un dossier déclaré public, que le contenu y soit modifié par un autre utilisateur de votre PC, un membre de votre groupe résidentiel, ou par n'importe qui d'autre auquel vous êtes connecté en réseau.

- **Ajout des éléments diffusés :** chaque fois que vous jouez un fichier musical sur votre PC, ou depuis l'Internet, le Lecteur Windows Media ajoute un lien vers ce fichier ou vers son emplacement Internet de manière à ce que vous puissiez le retrouver facilement plus tard. Cependant, et à moins que vous n'en décidiez autrement, il n'ajoute pas les éléments qui ont été joués par d'autres personnes, ou lus depuis un lecteur externe connecté sur un port USB ou encore depuis une carte mémoire.

- **Musique récupérée depuis un CD :** si vous insérez un CD dans le lecteur de votre ordinateur, Windows 8 vous propose d'en extraire le contenu (les pros disent *ripper*). Ceci revient à lire le contenu du CD et à en créer une copie numérique sur votre PC (nous y reviendrons un peu plus loin dans ce chapitre). Un CD ainsi extrait apparaîtra automatiquement dans la bibliothèque du Lecteur Windows Media (par contre, il n'est pas capable de faire la même chose pour des films sur DVD, qu'il refuse d'ailleurs de lire).

- **Téléchargement de musiques et de films dans des boutiques en ligne :** Windows en général, et donc le Lecteur Windows Media en particulier, *aime* que vous téléchargiez des musiques, des films ou encore des séries TV sur des sites payants, et celui de Microsoft en particulier (ce qui met de côté bien évidemment iTunes). Lorsque vous achetez par exemple un album musical sur l'Internet, le Lecteur Windows Media l'enregistre immédiatement dans sa bibliothèque.

Pour rechercher les fichiers dont vous avez envie ou besoin sur votre système ou votre réseau, répétez à volonté les étapes décrites dans cette section. Le Lecteur Windows Media va ignorer les éléments qu'il connaît déjà pour se concentrer sur ce qu'il y a de nouveau.

C'est quoi, les tags ?

Tous les fichiers de musique contiennent une certaine quantité de données que l'on appelle des *tags* (des balises, ou des marqueurs si vous voulez) qui fournissent des informations sur le titre, l'artiste, l'album, le genre, l'emplacement d'une image de la couverture dudit album, *etc.* Vous pouvez ensuite demander au Lecteur Windows Media d'organiser, afficher et classer vos morceaux musicaux selon ces tags plutôt qu'en fonction des noms des fichiers. Pratiquement tous les lecteurs de musique numérique, y compris les iPod, fonctionnent sur le même principe.

En fait, ces tags (ou balises) sont si importants que le Lecteur Windows Media recherche en permanence ces informations, et les stocke automatiquement dans sa bibliothèque lorsqu'il les trouve.

Certaines personnes se soucient peu de ces informations, tandis que d'autres s'y réfèrent méticuleusement. Si ces données sont déjà remplies et que cela vous suffit, vous pouvez demander au Lecteur Windows Media d'arrêter de les rechercher. Pour cela, cliquez sur le bouton Organiser, choisissez ensuite la commande Options, activez l'onglet Bibliothèque, puis décochez la case associée à l'intitulé Récupérer des informations supplémentaires sur Internet. Sinon, laissez cette option en l'état de manière à ce que le lecteur essaie automatiquement de récupérer ces informations.

Si le Lecteur Windows Media se trompe, il vous reste toujours la possibilité de corriger manuellement son erreur. Cliquez droit sur le nom d'un album ou d'un des titres qu'il contient, puis choisissez la commande Rechercher les informations sur l'album. Une fenêtre va afficher ce que le programme trouve comme données plus ou moins exactes sur l'album (du moins de son point de vue). Cliquez alors sur le lien Modifier. Une nouvelle fenêtre apparaît. Vous pouvez y remplir vous-même le nom de l'album, celui de l'artiste, le genre musical, les noms des pistes et d'autres renseignements encore. Quand c'est fait, cliquez sur le bouton Terminé, puis une nouvelle fois sur le bouton Terminer (tout en appréciant la subtilité de la variante).

Le Lecteur Windows Media dans sa version 12 ne dispose pas d'un éditeur permettant de modifier les informations internes, ou *tags*, contenues dans les fichiers multimédias. Il se contente de les récupérer et si nécessaire de les ajuster à partir d'une base de données en ligne.

Naviguer dans les bibliothèques du Lecteur Windows Media

La bibliothèque du Lecteur Windows Media est ce qui se cache derrière la scène du théâtre musical ou de la salle de cinéma. C'est là que vous organisez vos fichiers, que vous créez des sélections (ou *playlists*), que vous copiez ou gravez des CD, et que vous choisissez ce que vous voulez écouter ou regarder.

Lorsque vous le lancez, il affiche par défaut la bibliothèque Musique, ce qui assez logique. Mais, en réalité, le Lecteur Windows Media gère plusieurs bibliothèques, conçues pour cataloguer non seulement vos musiques, mais aussi vos images, vos vidéos ou encore les émissions de télévision que vous avez enregistrées.

Tous les éléments jouables sont disponibles dans le volet de navigation qui est affiché sur le côté gauche de la fenêtre du programme (voir Figure 13.7). Vous y voyez en haut votre nom d'utilisateur, puis les catégories qui représentent les bibliothèques du lecteur, ou encore d'autres bibliothèques ainsi que, par exemple, le ou les serveurs multimédias installés sur votre système. Vous pouvez y retrouver notamment les collections de fichiers multimédias créées et partagées par d'autres utilisateurs de votre PC ou par les membres de votre groupement résidentiel ou de votre réseau.

Le Lecteur Windows Media organise vos fichiers en plusieurs catégories :

- **Sélections :** vous aimez écouter des chansons, des titres ou des albums dans un certain ordre ? Cliquez sur le bouton Créer une sélection, au-dessus de la liste des titres choisis, pour enregistrer une sélection qui viendra s'insérer dans cette catégorie. Les sélections sont abordées plus loin dans ce chapitre.
- **Musique :** c'est là que vous retrouvez tous vos fichiers musicaux. Le Lecteur Windows Media reconnaît la plupart des formats musicaux courants : MP3, WMA, WAV, et même les fichiers 3GP utilisés par certains téléphones portables (il est aussi capable de relire certains fichiers AAC non protégés contre la copie, comme ceux qui sont disponibles sur iTunes, mais il

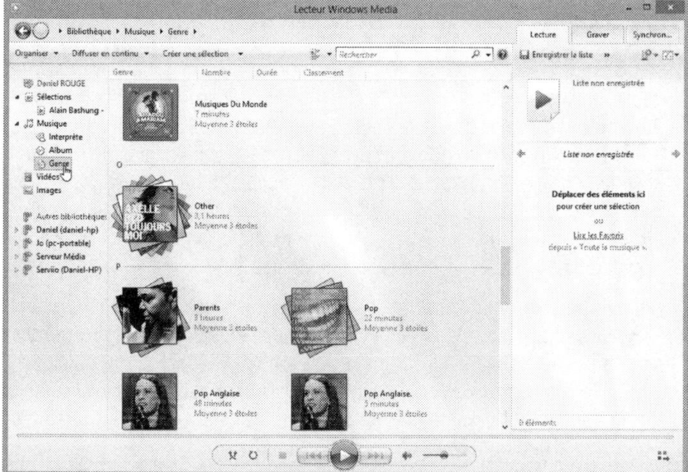

Figure 13.7 : Cliquez sur le type de média qui vous intéresse dans le volet de navigation du Lecteur Windows Media.

ne sait pas traiter des formats sans pertes de données ou non compressés, comme les FLAC, APE ou OGG).

- **Vidéos :** vous devriez trouver ici les vidéos que vous avez enregistrées à l'aide d'une caméra (externe ou intégrée à votre ordinateur) ou d'une webcam, ou bien encore que vous avez téléchargées sur l'Internet. Cette bibliothèque reconnaît les formats AVI, MPG, ASF, DivX, quelques fichiers MOV, et plusieurs autres formats moins répandus.
- **Images :** le Lecteur Windows Media est capable d'afficher vos images individuellement ou en présentant un diaporama simple. Cependant, votre propre bibliothèque Images est un bien meilleur point d'entrée (par exemple, pour redresser des photographies couchées, ce que ne sait pas faire le Lecteur Windows Media).
- **TV enregistrée :** si votre PC est équipé pour recevoir la télévision et enregistrer des émissions, c'est ici que vous les retrouverez. Sachez cependant que le propre programme d'enregistrement et de diffusion de Windows, Media Center, n'est disponible que sous la forme d'une extension.
- **Autres médias :** si vous voyez cette catégorie, c'est que le Lecteur Windows Media a trouvé des éléments qu'il ne reconnaît pas. Il est plus que probable que vous ne pourrez pas faire grand-chose avec eux.

Oui, Microsoft vous espionne

Tout comme le gouvernement, ou bien la banque ou l'hypermarché dont vous avez accepté la carte d'achats, le Lecteur Windows Media vous espionne. La déclaration de confidentialité du programme peut se résumer ainsi : le Lecteur Windows Media informe Microsoft de tout ce que vous écoutez ou visualisez. Vous pouvez trouver cela très intrusif, mais, d'un autre côté, si Microsoft ne sais pas ce que vous jouez, le lecteur ne pourra pas retrouver des informations sur l'artiste, l'album, les chansons ou encore la couverture du disque.

Si cela ne vous choque pas et ne vous gêne pas, laissez les choses en l'état. Sinon, choisissez le niveau de surveillance que vous êtes prêt à tolérer. Pour cela, cliquez sur le bouton Organiser, en haut et à gauche de la fenêtre, puis choisissez dans le menu la commande Options. Dans la boîte de dialogue qui apparaît, activez l'onglet Confidentialité. Décochez alors les cases des options qui ne vous conviennent pas, en particulier :

- **Afficher les informations sur les médias provenant d'Internet :** si cette option est sélectionnée, le Lecteur Windows Media va dire à Microsoft quel disque vous écoutez et retrouver des informations sur celui-ci afin de les afficher dans sa fenêtre (artiste, album, titres des chansons, image de courtures, *etc.*).
- **Mettre à jour les fichiers de musique à l'aide d'informations provenant d'Internet :** Microsoft examine vos fichiers, et, s'il en reconnaît un dont les données ne sont pas à jour, il les enregistre dans ce fichier (ce sont les *tags* décrits plus haut).
- **Envoyer un identificateur de lecteur unique aux fournisseurs de contenus :** cette option permet à d'autres sociétés que Microsoft de vous pister pendant que vous utilisez le Lecteur Windows Media. Pour éviter d'encombrer inutilement leurs bases de données, laissez cette case vierge.
- **Cookies :** comme bien d'autres programmes et sites Web, le Lecteur Windows Media enregistre vos activités dans de petits fichiers que l'on appelle des *cookies*. Ce n'est pas forcément quelque chose de mauvais, car cela permet au lecteur de mieux connaître vos préférences.
- **Historique :** le Lecteur Windows Media mémorise les fichiers que vous avez joués récemment dans un *historique*. Pour que les autres membres de votre groupement résidentiel ou de votre réseau (votre patron, par exemple ?) ne puissent pas savoir ce que vous faites de votre temps, décochez les quatre cases de cette section, et cliquez également sur les boutons intitulés Effacer l'historique et Effacer les caches.

- **Autres bibliothèques :** vous pouvez trouver ici les fichiers partagés par les autres membres de votre groupement résidentiel (voyez à ce sujet le Chapitre 12), ou encore des *serveurs* multimédias capables de diffuser des contenus sur votre réseau.

Lorsque vous cliquez sur une catégorie, le Lecteur Windows Media vous permet de visualiser son contenu de plusieurs manières. Vous pouvez par exemple trier vos fichiers selon le nom de l'artiste en cliquant dans le volet de navigation sur la ligne Interprète.

Vous pouvez également choisir de classer vos musiques selon le nom des albums, ou encore par genre musical. Le volet principal affiche alors comme des piles de couvertures de disques, un peu comme si vous classiez vos CD sur le parquet de votre salon.

Pour jouer quelque chose dans le Lecteur Windows Media, faites un double clic dessus, ou bien cliquez droit et choisissez Lire dans le menu qui s'affiche (ou bien Lire tout pour écouter un album en entier).

Musique !

Le Lecteur Windows Media peut jouer plusieurs types de fichiers musicaux, en particulier aux formats MP3 et WMA, mais ils ont tous un point commun, celui d'être placés dans une liste de lecture lorsque vous les lancez les uns après les autres.

Vous pouvez commencer à écouter de la musique dans le Lecteur Windows Media de différentes manières, même s'il n'est pas déjà en cours d'exécution :

- Cliquez sur l'icône de l'Explorateur de fichiers sur votre barre des tâches. Ensuite, localisez le dossier voulu, cliquez droit sur le nom d'un album ou d'un fichier de musique, et choisissez l'option Lecture. Le lecteur va apparaître et commencer à jouer la musique choisie.
- Dans votre propre bibliothèque Musique, cliquez droit sur les éléments que vous voulez écouter, et choisissez dans le menu l'option Ajouter à la liste du Lecteur Windows Media. Les fichiers sont ajoutés à la liste de lecture, et ils seront joués lorsque les titres déjà présents seront finis.
- Faites un double clic sur le nom d'un fichier contenant de la musique, qu'il se trouve dans un dossier ou sur votre bureau, et le Lecteur Windows Media commence à le jouer immédiatement.

Pour faire la même chose dans la bibliothèque du Lecteur Windows Media, cliquez droit sur le nom d'une chanson et choisissez dans le menu l'option Lecture. Cette lecture commence, et le titre apparaît dans la liste d'écoute.

Mais il existe encore d'autres méthodes :

- Pour jouer un album complet, cliquez droit sur son nom, puis sur Lecture dans le menu qui s'affiche.
- Pour écouter à la suite les uns des autres plusieurs morceaux ou albums, cliquez droit sur le premier et choisissez Lecture dans le menu. Passez au suivant, cliquez droit, puis cliquez sur l'option Ajouter à, et enfin sur Liste de lecture. Le programme « empile » les morceaux au fur et à mesure que vous les sélectionnez.
- Pour revenir à un élément que vous avez écouté récemment, cliquez droit sur l'icône du Lecteur Windows Media dans la barre des tâches. Cliquez ensuite sur le nom voulu dans la liste qui s'affiche (sous l'intitulé Fréquent).
- Votre bibliothèque musicale ne vous satisfait pas ? Vous pouvez dans ce cas copier vos CD favoris sur votre disque dur. C'est ce que l'on appelle une extraction, ou encore *ripping*. Nous y reviendrons plus loin dans ce chapitre.

Contrôler votre lecture

Nous venons de voir les différentes manières de jouer de la musique à partir de la bibliothèque du Lecteur Windows Media. Mais la fenêtre de celui-ci est peut-être un peu envahissante. C'est pourquoi Microsoft en propose une version plus allégée.

Pour cela, cliquez sur le bouton Basculer en mode Lecture en cours, en bas et à droite de la fenêtre du programme. Vous voyez alors le lecteur changer d'apparence (voir Figure 13.8).

Cet affichage assez minimaliste vous montre ce qui est en cours de lecture, avec en accompagnement une image de la pochette de disque. Les boutons de contrôle vous permettent d'ajuster le volume, de changer de piste (ou de vidéo), ou encore de permuter entre lecture et pause.

Le Lecteur Windows Media offre les mêmes contrôles de base quel que soit le type du fichier en cours de lecture : musique, vidéo, CD ou encore diaporama. La Figure 13.8 montre un exemple d'album en cours de lecture et décrit le rôle de chaque bouton. En cas de besoin, laissez le pointeur de la souris survoler quelques instants un bouton, et Windows affichera un petit texte d'explication.

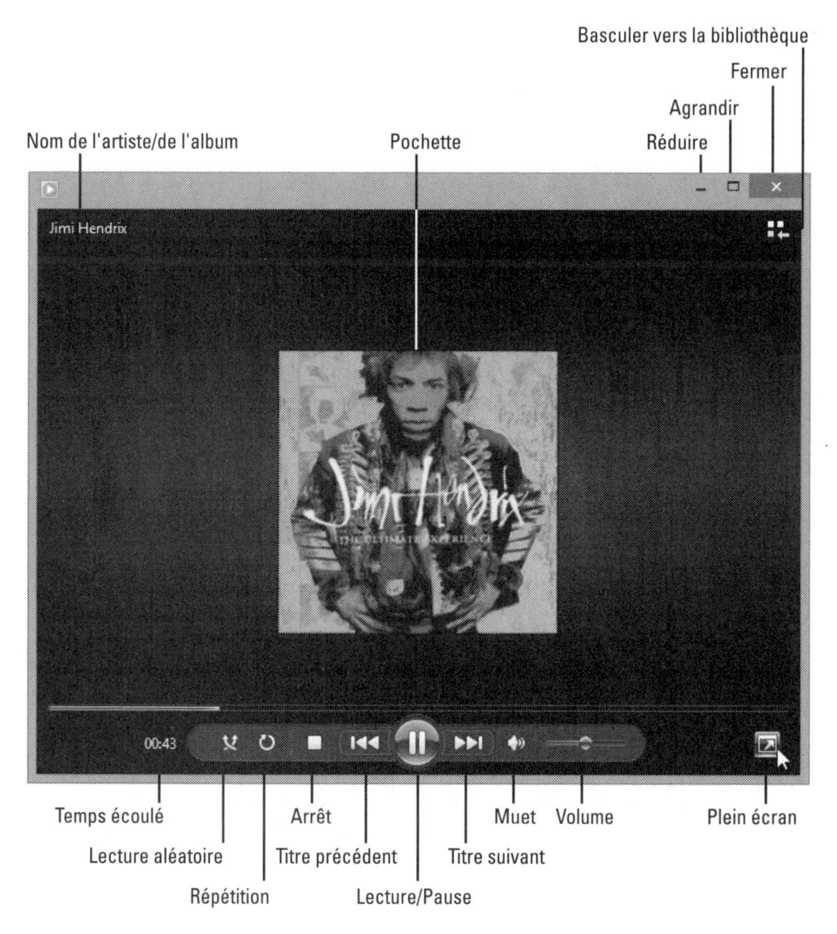

Figure 13.8 : Les boutons de cette fenêtre sont semblables à ceux d'un lecteur de CD ou d'un magnétophone.

Ces boutons fonctionnent comme ceux de n'importe quel « vrai » lecteur de CD ou de DVD, à ceci près qu'il y en a un peu plus, et qu'un clic droit affiche un menu contextuel qui propose toute une série de tâches supplémentaires :

- **Afficher la liste :** ouvre sur le bord droit de la fenêtre un volet qui affiche le contenu de la liste de lecture, ce qui est pratique pour passer directement à un autre morceau. L'option devient alors Masquer la liste.
- **Plein écran :** le lecteur occupe tout l'écran. L'option devient alors Quitter le mode Plein écran.
- **Lecture aléatoire :** joue les titres au hasard.
- **Répéter :** rejoue en le morceau en boucle.
- **Visualisations :** choisissez entre afficher la pochette de l'album, la remplacer par divers effets visuels, ou encore vous passer de visualisation.
- **Améliorations :** permet d'ouvrir un égaliseur, de changer la vitesse de lecture, d'améliorer le rendu sonore, *etc.*
- **Paroles, légendes et sous-titres :** affiche ces éléments, s'ils sont bien sûr disponibles. Bien pratique pour une soirée karaoké !
- **Acheter plus de musique :** pour ceux qui veulent acheter de la musique en ligne.
- **Lecture en cours toujours visible :** place la fenêtre du lecteur au-dessus de toutes les autres sur le bureau.
- **Options supplémentaires :** affiche la boîte de dialogue Options. Vous pouvez y modifier les paramètres du Lecteur Windows Media pour spécifier par exemple la manière d'extraire le contenu des CD, ou bien de stocker le contenu de la bibliothèque, et bien d'autres tâches encore.
- **Aide sur la lecture :** affiche la partie de l'aide de Windows qui concerne le Lecteur Windows Media.

Les contrôles de la fenêtre de lecture s'effacent de l'écran si vous n'avez pas déplacé votre souris pendant un certain temps. Pour les afficher à nouveau, faites simplement bouger le pointeur de la souris au-dessus de la fenêtre du lecteur.

Pour revenir à l'interface « bibliothèque » du Lecteur Windows Media, cliquez sur le bouton Basculer vers la bibliothèque, en haut et à droite de la fenêtre.

Lorsque vous minimisez le Lecteur Windows Media dans la barre des tâches du bureau, vous pouvez déplacer le pointeur de la souris au-dessus de son icône. Une petite fenêtre va s'afficher. Elle vous permet de mettre en pause ou de reprendre la lecture, ainsi que de passer d'un morceau à un autre.

Jouer des CD

Dès que vous insérez un CD dans le lecteur de votre ordinateur, le Lecteur Windows Media le reconnaît et commence à le lire (à moins que votre PC ne soit configuré pour que ce soit une autre application qui s'exécute).

En règle générale, le lecteur est capable d'identifier automatiquement l'artiste, le titre de l'album ainsi que son contenu. Et, bien souvent, il est même capable d'afficher une image de la pochette du disque.

Avec les contrôles décrits plus haut, vous pouvez passer de piste en piste, ajuster le volume et effectuer d'autres réglages.

Si, pour une raison inconnue, le Lecteur Windows Media ne commence pas la lecture de votre CD, jetez un coup d'œil sur le volet de navigation, à gauche de la fenêtre. Normalement, votre bibliothèque devrait afficher une icône de disque et montrer le nom de votre CD (ou indiquer quelque chose comme Inconnu). Cliquez sur cette ligne, puis sur le bouton de lecture, en bas de la fenêtre.

Si le téléphone sonne, vous pouvez appuyer sur la touche F7 pou couper le son (puis pour le rétablir), ou bien sur la combinaison de touches Ctrl+P pour basculer entre lecture et pause.

Vous voulez copier le contenu du CD sur votre disque dur ? Patientez encore un peu. Nous allons y revenir bientôt.

Jouer des DVD

Mais passons maintenant aux mauvaises nouvelles. Le Lecteur Windows Media de Windows ne joue *plus* les DVD vidéo. C'est un choc, puisque c'était encore possible sous Windows 7 (sauf pour les versions les plus basiques). Que s'est-il passé ?

Selon les gens de chez Microsoft, les DVD appartiennent au passé et ne sont plus nécessaires. Ils en veulent pour preuve le fait que les tablettes et les ordinateurs portables ultra minces n'ont même pas de lecteur de DVD. Et ils ajoutent que la plupart des gens regardent sur leur ordinateur des vidéos qu'ils récupèrent sur l'Internet. Ou qu'ils lisent leurs DVD sur leur poste de télévision. Bien.

Une autre raison, bien plus pragmatique, c'est que Microsoft ne veut plus payer les licences des sociétés qui possèdent les droits sur les décodeurs MPEG-2 et Dolby Digital, indispensables pour la lecture des DVD.

Pour autant, Il existe d'autres alternatives pour regarder un DVD sous Windows 8 :

- **Vous pouvez payer plus pour vous procurer un pack Windows Media Center ou acheter Windows 8 Pro (voir le Chapitre 1).** Ce programme supplémentaire, Media Center, est capable non seulement de lire vos DVD, mais aussi vos chaînes de télévision si vous disposez d'un tuner adapté (et même d'enregistrer vos émissions favorites).
- **Vous pouvez également payer plus en achetant un logiciel multimédia spécialisé.** La plupart des constructeurs intègrent une version d'évaluation d'un tel logiciel dans leurs ordinateurs. Vous avez ensuite la possibilité de payer pour disposer d'une licence complète.
- **Vous pouvez enfin télécharger un logiciel gratuit qui donnera à peu près le même résultat.** L'un des tous meilleurs, d'origine française mais mondialement connu, est VLC (`www.videolan.org`). Il sait à peu près tout relire, un compris le format Blu-ray, et a bien d'autres cordes à son arc.

Jouer des vidéos et des programmes TV

Jouer des vidéos, c'est la même chose que pour des musiques. Vous cliquez sur la ligne Vidéos dans le volet de navigation du Lecteur Windows Media, Vous repérez l'élément que vous voulez visualiser dans la partie principale de la fenêtre et vous faites un double clic dessus. Il ne vous reste plus qu'à regarder (voir Figure 13.9).

Le Lecteur Windows Media vous permet de regarder des vidéos de diverses tailles. Pour plus de confort, appuyez par exemple sur Alt+Entrée pendant la diffusion. Servez-vous de la même combinaison pour revenir à votre fenêtre initiale.

- Pour que la vidéo se conforme au mieux à la taille de votre fenêtre, cliquez droit dessus pendant sa diffusion. Dans le menu qui s'affiche, choisissez Vidéo, puis l'option Ajuster la vidéo au lecteur lors du redimensionnement.
- Vous pouvez également passer en mode Plein écran en cliquant sur le bouton qui est affiché en bas et à droite de la fenêtre du Lecteur Windows Media.
- Si vous choisissez de regarder une vidéo provenant de l'Internet, la vitesse de votre connexion détermine la qualité du résultat. Avec une bonne connexion ADSL, la visualisation de vidéos HD

Figure 13.9 : Déplacez le pointeur de la souris sur la fenêtre pour faire apparaître les contrôles.

ne pose généralement pas de problème. Sinon, l'image risque de « geler » ou de grésiller en cours de diffusion.

- La bibliothèque TV enregistrée liste les émissions que vous avez enregistrées… avec Media Center, qui n'est fourni qu'avec la version Pro de Windows 8 ou après paiement en monnaie sonnante et trébuchante. Et si vous avez ce complément, autant s'en servir pour regarder vos *shows* télévisés !

Quant aux radios Internet, le Lecteur Windows Media ne s'en soucie pas. Vous pouvez toujours entrer l'adresse d'un serveur en ouvrant le menu Fichier et en choisissant la commande Ouvrir une URL. Mais encore faut-il que la station diffuse ses programmes au format MP3 ou WMA. Il existe certainement plus simple en faisant directement confiance à votre navigateur habituel.

Créer, enregistrer et éditer des listes de lecture

Une *liste de lecture*, autrement dit une sélection, ou encore une *playlist*, est simplement une liste de titres musicaux (et/ou vidéos) que vous voulez rejouer dans un certain ordre. La beauté de ces listes vient de ce que vous pouvez faire avec elles. Enregistrez une sélection de vos chansons préférées, par exemple, et celles-ci seront toujours à portée de clic.

Vous pouvez créer ainsi des listes de lecture pour les longues soirées d'hiver, pour les dîners entre amis, pour un anniversaire, et ainsi de suite.

Pour créer une liste de lecture, suivez ces étapes :

1. **Ouvrez le Lecteur Windows Media et localisez la liste de lecture.**

Vous ne voyez pas le volet des listes de lecture sur le bord droit de la fenêtre du Lecteur Windows Media ? Cliquez sur l'onglet Lecture. Ou bien encore, si vous êtes en cours de diffusion en mode Lecture, cliquez droit sur la fenêtre et choisissez dans le menu l'option Afficher la liste.

2. **Cliquez droit sur un album ou un titre que vous voulez placer dans votre playlist. Dans le menu qui s'affiche, choisissez Ajouter à, puis Liste de lecture.**

Vous pouvez tout aussi bien cliquer sur des éléments, puis les faire glisser sur le volet de la liste de lecture, à droite de la fenêtre (voir Figure 13.10).

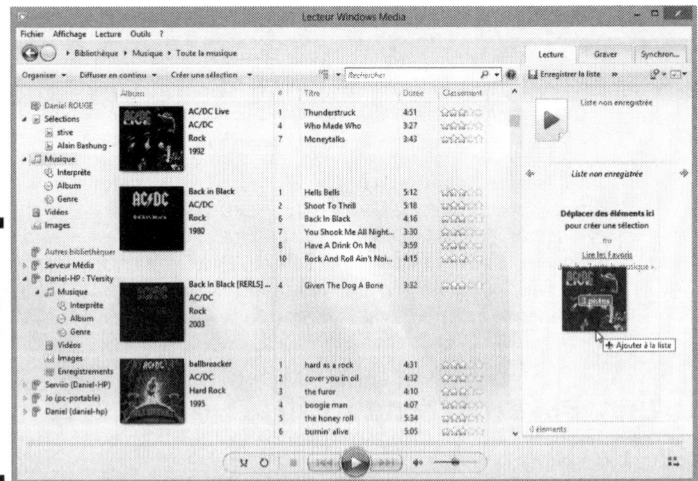

Figure 13.10 : Faites votre choix dans le volet central, puis faites glisser votre sélection sur le volet de droite.

Le Lecteur Windows Media commence immédiatement à jouer votre sélection. Celle-ci apparaît dans le volet de droite dans l'ordre selon lequel vous avez choisi les titres.

3. **Affinez votre sélection en modifiant l'ordre de la liste, ou encore en supprimant des éléments en trop, ou bien en ajoutant d'autres titres comme lors de l'Étape 3.**

   Un morceau a été ajouté par erreur ? Cliquez droit sur sa ligne, puis choisissez dans le menu contextuel l'option Supprimer de la liste. Vous pouvez aussi reclasser le contenu de votre liste en faisant glisser des éléments vers le haut ou vers le bas.

   Le bas de la liste de lecture montre le nombre de morceaux, ainsi que leur durée totale de diffusion.

4. **Lorsque votre liste de lecture vous convient, cliquez sur le bouton Enregistrer la liste, en haut du volet de droite. Cliquez sur le nom Sélection sans titre, et remplacez-le par l'intitulé de votre choix en appuyant sur Entrée pour terminer.**

   Votre liste va maintenant apparaître dans la rubrique Sélections du volet de navigation. Il vous suffit de faire un double clic sur son nom pour démarrer la lecture.

Lorsque votre sélection musicale est enregistrée, vous pouvez par exemple graver votre musique sur un CD. Voyez pour cela l'astuce suivante.

En fait, rien n'est plus simple à faire. Si votre sélection tient en moins de 80 minutes, vous pouvez la transformer en un disque que vous pourrez écouter dans votre voiture (ou ailleurs). Insérez un CD vierge dans votre graveur, puis cliquez sur l'onglet Graver. Cliquez dans le volet de droite sur le lien qui vous propose d'importer votre nouvelle sélection (si elle est trop longue, le Lecteur Windows Media la répartira automatiquement sur plusieurs disques). Il ne vous reste plus qu'à cliquer sur le bouton de gravure.

Pour éditer une liste de lecture déjà enregistrée, faites un double clic sur son nom dans la rubrique Sélections du volet de navigation. Vous pouvez alors ajouter des éléments, en supprimer, ou réorganiser la *playlist*. Quand vous avez terminé, cliquez sur le bouton Enregistrer la liste.

Extraire des CD sur votre PC

Le Lecteur Windows Media sait copier le contenu de vos CD sur votre PC sous la forme de fichiers MP3 (le principal standard de la musique numérique. Mais vous devrez lui préciser que vous *voulez* des fichiers MP3, et non WMA, un format Microsoft qui n'est (évidemment pas) reconnu sur les matériels Apple et de nombreux autres.

Pour passer du WMA, que le Lecteur Windows Media retient par défaut, au plus universel MP3, cliquez sur le bouton Organiser, en haut et à gauche de la fenêtre, puis sur Options. Activez l'onglet Extraire de la musique. Dans la section des paramètres d'extraction, choisissez MP3 dans la liste Format. Vous pouvez ensuite choisir la qualité sonore à l'aide de la glissière qui se trouve vers le bas de la boîte de dialogue. Vous pouvez aller de 128 Kbits/s (le moins bon) jusqu'à 320 Kbits/s (le meilleur, si votre lecteur supporte un tel débit).

Pour copier un CD sur votre disque dur, suivez ces étapes :

1. **Ouvrez le Lecteur Windows Media et insérez un CD de musique dans votre lecteur,**

   Le Lecteur Windows Media va interroger le disque et essayer de retrouver sur l'Internet les informations qui lui sont associées : nom de l'artiste, album et titres des morceaux. S'il n'y réussit pas automatiquement, passez à l'Étape 2. Sinon, sautez à l'Étape 3.

2. **Si nécessaire, cliquez droit sur la première piste et choisissez dans le menu l'option Rechercher des informations sur l'album.**

   Tapez le nom de l'album dans le champ de recherche, puis cliquez sur le bouton Rechercher. Si votre album apparaît dans la liste des références trouvées, cliquez sur le bandeau correspondant, puis sur le bouton Suivant et enfin sur Terminer.

   Dans le pire des cas, il vous restera toujours la possibilité de cliquer droit sur le nom de chaque piste, puis de choisir l'option Modifier et d'entrer manuellement le titre du morceau.

3. **Quand vous êtes prêt, cliquez sur le bouton Extraire le CD.**

   Si la fenêtre du Lecteur Windows Media n'est pas assez large, il se peut que ce bouton n'apparaisse pas. Cliquez sur les chevrons qui suivent le bouton Créer une sélection pour le révéler.

Voyons quelques remarques et astuces complémentaires pour bien réussir vos extractions :

- Normalement, tous les titres sont extraits des CD. Pour faire un choix plus resserré, cliquez sur la case qui se trouve devant les pistes que vous ne voulez pas retenir pour la décocher. Si vous vous en apercevez seulement une fois la chanson extraite, ce n'est pas bien grave. Ouvrez la bibliothèque Musique du Lecteur Windows Media, localisez le titre en trop, cliquez droit dessus et choisissez l'option Supprimer.

- Certains éditeurs ajoutent à leurs CD une protection contre la copie. Dans ce cas, maintenez enfoncée la touche de majuscule pendant quelques secondes, avant et après insertion du disque dans le lecteur de votre PC. Ceci suffit parfois à empêcher le logiciel de protection contre la copie de se réveiller. Mais parfois seulement...
- Le Lecteur Windows Media enregistre automatiquement les pistes que vous extrayez vers votre bibliothèque Ma musique dans des dossiers portant le nom des albums d'où elles proviennent. Vous pouvez les y retrouver en ouvrant l'Explorateur de fichiers en plus de la bibliothèque du Lecteur Windows Media.

Graver des disques musicaux

Pour créer un CD de musique avec vos morceaux préférés, commencez par créer une liste de lecture contenant ce qui vous intéresse. Procédez ensuite comme expliqué plus haut, dans la section « Créer, enregistrer et éditer des listes de lecture ».

Mais supposons maintenant que vous vouliez reproduire un de vos CD, par exemple pour en avoir un exemplaire en permanence dans votre voiture ? Vous n'allez pas prendre de risques avec votre original. Pas plus que vous n'allez attendre que vos enfants transforment leurs CD en frisbees...

Malheureusement, ni le Lecteur Windows Media, ni Windows 8 lui-même, ne vous proposent ce genre d'option. Vous devez donc vous débrouiller tout seul (ou trouver une application capable de la faire de manière plus automatisée).

Pour créer une copie d'un CD musical parfaitement fidèle à l'original, suivez ces étapes :

1. **Procédez à l'extraction de son contenu sur votre disque dur (comme nous venons de le voir dans la précédente section).**

   Avant cela, commencez par choisir la meilleure qualité d'extraction possible. Pour cela, cliquez sur le bouton Organiser, puis sur Options. Activez l'onglet Extraire de la musique dans la boîte de dialogue Options. Dans les paramètres d'extraction, sélectionnez le format WAV (sans perte). Cliquez sur OK pour confirmer.

2. **Insérez un CD vierge dans le graveur de votre PC.**

3. **Dans le volet de navigation, ouvrez la rubrique Album de la catégorie Musique. Localisez le nom du CD que vous venez d'extraire.**

4. **Cliquez droit sur l'album. Dans le menu contextuel, choisissez Ajouter à, puis Liste de gravure.**

   Si cette liste n'était pas vide, servez-vous du bouton Effacer la liste sous l'onglet Graver du Lecteur Windows Media. Reprenez alors l'Étape 4.

5. **Cliquez sur le bouton Démarrer la gravure.**

Si vous ne prenez pas la qualité WAV (sans perte) pour extraire votre musique, le Lecteur Windows Media compacte vos pistes lorsqu'il les enregistre sur le disque dur. Ceci fait perdre plus ou moins en qualité. En gravant ces fichiers sur un nouveau CD, vous obtenez donc quelque chose de moins bon que l'original. C'est pourquoi le format WAV est le meilleur pour réaliser ce type d'opération.

Utilisez le format WAV *uniquement* pour copier des CD. Quand c'est fait, effacez les fichiers extraits de votre disque dur. Pourquoi ? Pas

Le bon et le mauvais lecteur...

Microsoft ne vous dira rien là-dessus, mais le Lecteur Windows Media n'est absolument pas le seul programme Windows vous permettant d'écouter de la musique ou de regarder des films. Par exemple, de nombreuses personnes se servent d'iTunes, car cela leur permet de gérer facilement ce qu'ils veulent charger sur leur iPad, leur iPod ou leur iPhone pour leurs loisirs iTinérants. D'autre part, le Lecteur Windows Media n'est pas capable de relire tous les fichiers audio et vidéo, par exemple ceux qui sont enregistrés dans le format RealAudio ou RealVideo (`www.real.com`).

De plus, de nombreux utilisateurs préfèrent se servir d'applications moins « propriétaires » comme Winamp, pour écouter de la musique ou des radios Internet, ainsi que pour regarder leurs films et vidéos.

En fait, il y a tellement de formats multimédias en compétition qu'il est souvent utile d'installer plusieurs lecteurs ! Bien entendu, cela peut être déroutant, car chaque programme se bat avec les autres pour être le premier sur la liste, celui qui se lancera par défaut.

Mais Windows vous laisse tout de même une grande latitude de choix en vous permettant depuis le Panneau de configuration de sélectionner quels programmes vous voulez associer à quels types de fichiers. Revoyez à ce sujet la section « Retour vers le futur : le Lecteur Windows Media », vers le début de ce chapitre.

pour échapper à la police, mais tout simplement parce que ces fichiers sont *beaucoup* plus volumineux. Si vous souhaitez en conserver un double sur votre ordinateur, il vaut mieux recommencer l'extraction en sélectionnant cette fois le MP3 avec un débit de bonne qualité. Votre disque dur vous dira merci !

Chapitre 14

Gérer ses photos (et ses films)

Dans ce chapitre :

- Copier des photos depuis un appareil numérique.
- Prendre des photos avec la caméra de votre ordinateur.
- Visualiser des vidéos.
- Visualiser des photos.
- Sauvegarder vos photos sur CD.

De nos jours, bon nombre d'appareils photo numériques sont de vrais petits ordinateurs, et il est naturel que Windows 8 les traite comme de nouveaux amis. Branchez un appareil photo numérique sur votre PC, allumez-le, et Windows va saluer le nouveau venu en lui proposant de copier son contenu sur votre disque dur.

Ce chapitre vous explique donc comment transférer vos photos de l'appareil numérique vers l'ordinateur, les montrer à votre famille et vos amis, les envoyer par e-mail et les stocker là où vous pourrez facilement les retrouver plus tard.

Mais avant tout, voici un bon conseil. Avant de commencer à créer un album pour enregistrer vos photos de famille sur votre ordinateur, prenez le temps d'activer et de configurer correctement l'Historique des fichiers, l'outil de sauvegarde automatique de Windows décrit dans le Chapitre 13. Les ordinateurs peuvent passer, mais vos souvenirs sont irremplaçables.

Copier des photos dans votre ordinateur

La plupart des appareils photo numériques sont fournis avec un logiciel servant à transférer le contenu de la carte mémoire de l'appareil vers votre ordinateur. Mais vous n'avez en fait même pas besoin d'installer ce genre de programme : Windows 8 est là !

Windows 8 est capable d'extraire le contenu de pratiquement n'importe quelle marque et n'importe quel modèle d'appareil photo numérique. Il offre pour cela davantage de contrôles que ses prédécesseurs, en vous permettant notamment de regrouper vos sessions photographiques en différents dossiers, chacun étant nommé selon l'événement concerné.

Pour importer dans votre ordinateur des images stockées sur votre appareil photo numérique (disons, APN pour simplifier), suivez ces étapes :

1. **Banchez le câble fourni avec votre appareil photo sur votre ordinateur.**

   La plupart des APN sont livrés avec deux câbles : un pour le relier à votre poste de télévision, et un autre pour le connecter à votre ordinateur. Vous avez bien sûr besoin ici du second.

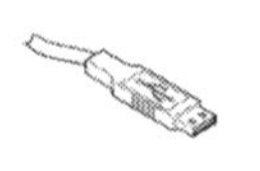

   Insérez le connecteur le plus petit du côté de votre appareil photo, et le plus gros (il est rectangulaire et assez plat) dans un port USB de l'ordinateur ou de la tablette.

2. **Allumez votre appareil photo et attendez que Windows 8 le reconnaisse.**

   En haut et à droite de votre écran d'accueil, vous devriez voir un bandeau vous annonçant que la relation est établie. Votre appareil peut ou non être directement reconnu. Si la chance vous sourit, son nom va apparaître dans le bandeau et vous pourrez choisir ce que vous voulez faire. Sinon, seule la carte mémoire de votre appareil sera détectée, et vous risquez alors de vous retrouver dans une fenêtre de l'Explorateur de fichiers sur votre bureau.

   Si le bandeau disparaît avant que vous n'ayez eu le temps d'agir, rien n'est perdu. Éteignez votre appareil photo. Attendez quelques secondes, puis rallumez-le. Le bandeau réapparaît.

   Si Windows 8 ne reconnaît pas votre APN, commencez par vérifier qu'il est bien en mode Lecture (celui qui vous permet de regarder les photos sur l'écran LCD de l'appareil). Si cela ne suffit pas, débranchez le câble USB de l'ordinateur. Attendez une dizaine de secondes, puis rebranchez-le. Vous n'avez toujours pas de chance ? Voyez un peu plus loin l'encadré « Windows 8 ne veut pas importer mes photos correctement ».

3. **Choisissez comment importer vos photos.**

   Le bandeau qui s'affiche quand vous connectez votre appareil vous propose trois actions par défaut (voir Figure 14.1). Cliquez ou tapez sur celle que vous voulez appliquer :

Figure 14.1 : Lorsque vous branchez un appareil photo numérique, Windows vous permet d'importer son contenu soit via l'application Photos, soit via le bureau.

- **Importer des photos et des vidéos :** choisissez cette option pour importer vos images à partir de l'application Photos de l'écran d'accueil. Passez ensuite à l'Étape 4.
- **Ouvrir le dossier et afficher les fichiers :** vous préférez le bureau ? Choisissez cette option. Elle affiche le contenu de la carte mémoire de l'appareil photo dans une fenêtre de dossier. Vous pouvez alors importer les photos en les copiant ou en les faisant glisser vers un dossier de votre disque dur. Pour cela, passez à l'Étape 5.
- **Ne rien faire :** vous avez déjà changé d'avis ? Le téléphone sonne ? Choisissez cette option pour reprendre plus tard le travail.

   Windows 8 va se souvenir de votre choix, et il le répétera automatiquement la prochaine fois que vous connecterez votre appareil photo à votre ordinateur.

4. **Dans l'application Photos, attendez que les vignettes d'aperçu soient toutes visibles, puis effectuez votre sélection et cliquez**

pour terminer sur le bouton Importer (ou sur Annuler si c'est ce que vous voulez).

Par défaut, l'Application Photos vous propose d'importer tout ce qu'il trouve dans votre APN dans un dossier dont le nom est construit d'après la date du jour (voir Figure 14.2). Si cela vous convient, vous n'avez plus qu'à cliquer sur le bouton Importer pour engager l'opération. Sinon, modifiez votre sélection ou le dossier de destination :

Figure 14.2 : Cliquez sur Importer pour enregistrer toutes vos photos et vidéos dans un dossier portant la date du jour.

- **Images :** normalement, l'application sélectionne *toutes* les photographies et les vidéos présentes dans votre APN afin de les importer. Pour en laisser quelques-unes de côté, cliquez sur celles que vous ne voulez pas retenir, de manière à retirer la marque affichée dans leur coin supérieur droit. Si vous voulez au contraire n'en garder que quelques unes, cliquez en haut de l'écran sur la ligne Effacer la sé

  lection, puis cliquez sur les vignettes des photos et/ou vidéos que vous désirez *vraiment* importer.

- **Nom du dossier :** par défaut, l'application Photos propose comme nom de dossier la date courante sous la forme année-mois-jour. Pour changer ce nom, effacez le contenu du champ affiché en bas de l'écran et remplacez-le par un intitulé à votre convenance.

Vous pouvez ensuite cliquer ou taper sur le bouton Importer. L'application va copier votre sélection dans le dossier spécifié.

Une fois l'importation terminée, vous pouvez demander à ouvrir l'album pour voir vos photos et vos vidéos. Vous avez terminé.

5. **Vous pouvez aussi décider de copier manuellement les fichiers de l'appareil photo vers le ou les dossiers que vous voulez.**

   Lors de l'Étape 3 ci-dessus, choisissez plutôt Ouvrir le dossier et afficher les fichiers. Vous accédez alors au bureau, et vous pouvez voir dans l'Explorateur de fichiers une icône qui représente la carte mémoire de votre appareil photo. Faites un double clic sur cette icône pour regarder son contenu. Sélectionnez manuellement les photos et vidéos que vous voulez sauvegarder, puis copiez-les vers le ou les emplacements de votre choix (les fichiers, les dossiers et les cartes mémoire sont expliqués dans le Chapitre 5).

   Pour une méthode d'importation plus simple, passez à l'Étape 6.

   Il n'est pas conseillé de *déplacer* les photos et vidéos de la carte mémoire de l'appareil photo vers votre ordinateur. En effet, l'APN a son propre système de gestion de son contenu, et vous risqueriez de le perturber. Pour effacer des images dans un appareil photo numérique, servez-vous toujours de sa propre fonction de suppression.

6. **Localisez l'icône associée à votre appareil photo (ou à sa carte mémoire) dans le volet de navigation de l'Explorateur de fichiers. Cliquez droit sur cette icône, puis sur l'option Importer les images et les vidéos dans le menu contextuel. Choisissez ensuite la méthode d'importation à appliquer.**

   Si l'Explorateur continue à considérer que votre APN n'est qu'une carte mémoire et rien d'autre, qui est alors présentée comme un simple disque externe, cliquez droit sur cette icône de lecteur et choisissez dans le menu contextuel l'option Ouvrir en tant qu'appareil mobile. Cliquez droit à nouveau pour trouver l'option Importer les images et les vidéos.

   La boîte de dialogue Importer des images et des vidéos va apparaître (voir Figure 14.3).

   Windows vous propose deux options à ce stade :

   - **Vérifier, organiser et regrouper les éléments à importer :** conçue pour les APN qui gèrent les photos en différentes sessions, cette option vous permet de classer vos photos en groupes, et de copier chaque groupe dans son propre dossier. Cela prend plus de temps, mais c'est un procédé commode pour séparer vos images de vacances en Corse

Figure 14.3 : La boîte de dialogue Importer des images et des vidéos vous permet de copier les fichiers de votre appareil photo sur votre ordinateur.

de l'anniversaire du petit dernier, ou encore de trier votre croisière en Méditerranée port par port et île par île. Si vous choisissez cette option, passez à l'Étape 8.

- **Importer tous les nouveaux éléments maintenant :** ce choix est plus simple si votre appareil photo enregistre toutes les images les unes à la suite des autres. Toutes les photos sont copiées dans un même dossier. Dans ce cas, passez à l'Étape 7.

7. **Sélectionnez l'option Importer tous les nouveaux éléments maintenant. Ajoutez une brève description à ce que vous allez importer et cliquez sur le bouton Suivant.**

   Entrez une description simple, comme « Corse (nos vacances) » avant de cliquer sur Suivant. Windows va enregistrer toutes vos photos dans un dossier dont le nom sera formé à partir de la date courante et de votre légende. Tous les fichiers seront également renommés en partant de cette description et d'un numéro d'ordre, comme « Corse 001 », « Corse 002 » et ainsi de suite. C'est tout ! Pour voir vos photographies, ouvrez votre bibliothèque Images et recherchez votre nouveau dossier.

8. **Sélectionnez l'option Vérifier, organiser et regrouper les éléments à importer. Cliquez ensuite sur le bouton Suivant.**

   Cliquez sur le lien Autres options (voyez le coin en bas et à gauche de la Figure 14.3) pour modifier la manière dont Windows 8 importe les photographies. Cela vous permet en particulier d'annuler tous les réglages que vous auriez pu faire lors d'une première importation et qui ne vous conviennent finalement pas.

Une fois que vous avez cliqué sur Suivant, Windows va examiner la date et l'heure qui sont enregistrées avec chaque photo et vous proposer de classer celles-ci en autant de groupes (voir Figure 14.4).

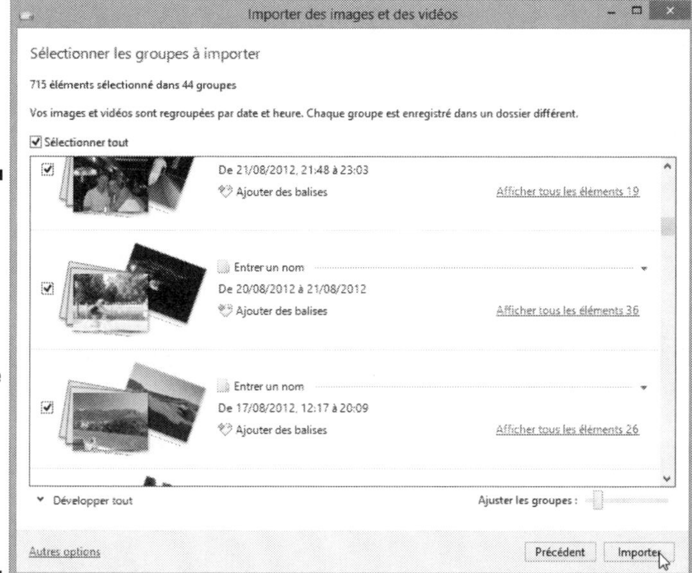

Figure 14.4 : Vous pouvez regrouper vos photos en fonction de la date de prise de vue. Il est possible de personnaliser ou de modifier ces groupes avant de lancer l'importation.

9. **Sélectionnez les groupes voulus, nommez vos dossiers, ajoutez des balises d'informations, puis cliquez sur le bouton Importer.**

   Vous pouvez renommer chaque groupe en cliquant sur les mots Entrer un nom, puis en saisissant un titre descriptif. Ce titre devient le nouveau nom du dossier.

   Sous la zone Ajouter des balises de chaque groupe, vous avez la possibilité de taper des mots qui précisent leur contenu (événement, circonstances, lieu, personnes, *etc.*) en séparant chaque terme par un point-virgule. Ceci vous permettra par la suite de localiser plus facilement vos photos en vous servant des capacités de recherche de Windows (voyez à ce sujet le Chapitre 7).

   Vous n'aimez pas la manière dont Windows crée ses groupes ? Vous pouvez les modifier en faisant glisser le curseur de la barre Ajuster les groupes vers la gauche ou vers la droite. En allant vers la gauche, vous augmentez le nombre de groupes en les répartissant en fonction de l'heure des prises de vues. En allant vers la droite, vous diminuez ce nombre en élargissant la plage de temps. Et si vous allez jusqu'au bout, vous n'obtiendrez plus qu'un *seul* groupe, ce qui signifie que toutes les photos seront enregistrées dans un même dossier.

Une fois que vous avez terminé, cliquez sur le bouton Importer pour lancer la copie.

Bien entendu, vous copiez vos photos sur votre ordinateur pour en faire une sauvegarde, mais aussi pour libérer de la place sur la carte mémoire de votre appareil numérique. Dans la fenêtre de copie, vous pourriez cocher la case qui vous propose d'effacer les fichiers après importation (Figure 14.5). Vous êtes libre

Windows 8 n'importe pas mes photos correctement !

Bien que Windows 8 reconnaisse nombre d'appareils photo numériques dès que vous les branchez sur l'ordinateur, il peut arriver que les deux ne se lient pas tout de suite d'amitié. Dans ce cas, Windows risque de ne pas afficher le menu d'importation des images, à moins qu'un autre programme ne se lance à la place. Dans cette situation, essayez de débrancher l'appareil. Attendez une dizaine de secondes avant de le reconnecter et de le rallumer.

Si cela ne suffit pas, essayez ceci :

1. **Cliquez droit dans le coin inférieur gauche du bureau et choisissez l'option Panneau de configuration dans le menu qui s'affiche.**
2. **Cliquez sur la catégorie Programmes, puis sur Modifier les paramètres par défaut pour les médias et les périphériques.**
3. **Faites défiler la fenêtre jusqu'en bas pour localiser la section Périphériques.**
4. **Dans cette section, cliquez sur le nom du modèle de votre appareil photo. Dans la liste correspondante, sélectionnez l'action que Windows devra déclencher lorsque vous branchez l'appareil.**

Vous pouvez également tenter une autre manœuvre, si votre appareil photo l'accepte, en connectant celui-ci en mode PictBridge au lieu d'USB.

Et si Windows 8 refuse toujours de reconnaître votre matériel, c'est vraisemblablement qu'il a besoin d'un traducteur pour comprendre la langue de votre appareil. Pour savoir si c'est possible, vous devrez regarder dans son mode d'emploi, et sans doute installer un logiciel spécifique fourni avec l'APN. Si vous n'avez plus ce logiciel, il est en général possible de le télécharger sur le site Web du constructeur.

de le faire, mais consultez d'abord la documentation de votre appareil photo pour savoir si cette opération est ou non sans danger. En cas de doute, procédez directement à la suppression sur l'APN lui-même.

Une fois l'importation terminée, le dossier contenant les nouvelles images apparaît.

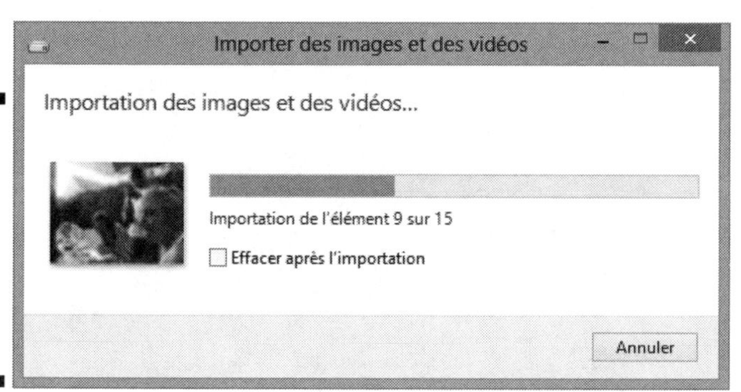

Figure 14.5 : Effacer ou non les images de l'appareil photo après importation, là est la question.

Prendre des photos avec l'application Caméra

La plupart des tablettes, des ordinateurs portables et certains PC de bureau sont équipés d'une caméra, aussi appelée *webcam*. Ces petits objectifs sont incapables de prendre une vue rapprochée en haute résolution d'un oiseau rare sur une branche d'arbre, mais ils répondent parfaitement au rôle qui leur est dévolu : obtenir rapidement une photo pour l'envoyer par e-mail, ou encore la poster sur Facebook et autre réseau social.

Pour prendre une photo avec l'application Caméra, suivez ces étapes :

1. **Dans l'écran d'accueil, cliquez sur la vignette Caméra.**

2. **Si l'application vous demande de pouvoir utiliser la caméra et le micro de votre PC, acceptez.**

   Par mesure de sécurité, Windows peut demander la permission d'activer votre caméra, ceci afin d'éviter à des applications malveillantes de vous espionner sans que vous vous en rendiez compte.

   Presque tout de suite après, votre caméra va se mettre en action et montrer sur votre écran ce qu'elle voit : vous.

3. **Ajustez si vous les souhaitez les paramètres de prise de vue.**

   Selon votre type de caméra, plusieurs boutons peuvent apparaître dans la barre d'outils, en bas de l'écran (voir Figure 14.6) :

   - **Changer de caméra :** permet de commuter entre caméra sur la face avant et sur la face arrière si votre appareil est muni des deux.

Figure 14.6 : Choisissez vos options, puis cliquez sur l'écran pour prendre une photo ou lancer une vidéo.

   - **Options de caméra :** en cliquant sur cette icône, vous affichez un panneau de configuration de la prise de vue (comme sur la Figure 14.6). Vous pouvez par exemple y choisir la résolution de l'image, son contraste et sa luminosité, *etc.*

   - **Minuteur :** en cliquant sur cette icône, vous demandez à prendre un cliché, trois secondes *après* avoir cliqué sur l'écran. Elle devient alors blanche, ce qui vous indique que l'option est activée.

   - **Mode vidéo :** cette icône permet de passer du mode Photo au mode Vidéo, et inversement. Si elle s'affiche en blanc, alors vous êtes en mode Vidéo. Si son fond reste noir, vous êtes en mode Photo. Pendant un enregistrement vidéo, un petit compteur s'affiche en bas et à droite de l'écran pour vous indiquer la durée actuelle de la vidéo.

4. **Cliquez n'importe où sur l'écran pour prendre une photo, ou bien pour démarrer ou stopper un enregistrement vidéo.**

   Pour voir la photo (ou la vidéo) que vous venez de prendre, cliquez sur la flèche qui apparaît sur le bord gauche de l'écran.

Vous pouvez cliquer droit pour supprimer ou rogner l'image. Pour revenir à l'application Caméra, cliquez sur la flèche qui s'affiche sur le bord droit de l'écran.

L'application Caméra sauvegarde vos photos et vidéos dans un dossier appelé Pellicule de votre bibliothèque Mes images.

Voir des photos depuis l'écran d'accueil

La bête à deux têtes qu'est Windows 8 a évidemment deux manières de visualiser vos photos numériques : une depuis l'écran d'accueil, avec l'application Photos, et une autre depuis le bureau, avec le programme Visionneuse de photos Windows.

L'application de l'écran d'accueil est tout à fait suffisante dès lors que vous voulez simplement montrer des photos à des visiteurs. Elle est aussi capable de lire des images à partir de réseaux sociaux comme Facebook ou Flickr, ce qui permet de visualiser *toutes* vos photos.

Par contre, cette application manque nettement d'options. Elle n'est pas capable de faire tourner une image, de l'imprimer ou de la rogner. Elle ne donne pas non plus d'indications sur la date de prise de vue ou sur le matériel utilisé.

Mais si vous voulez simplement afficher des photos sans autre forme de procès, suivez ces étapes :

1. **Depuis l'écran d'accueil, cliquez sur la vignette Photos.**

   L'écran Photos affiche des vignettes correspondant à divers lieux et modes de stockage (voir Figure 14.7) :

   - **Bibliothèques d'images :** ce sont les photos qui se trouvent sur *votre* propre ordinateur, dans votre bibliothèque Images et ses sous-dossiers. Vous pouvez donc les visualiser même si vous n'êtes pas connecté à l'Internet.

   - **SkyDrive :** vous trouvez ici les photos que vous avez-vous-même transféré vers le stockage en ligne de Microsoft, accessible uniquement après vous être connecté avec un compte Microsoft, bien sûr (les comptes Microsoft sont traités dans le Chapitre 2, et SkyDrive dans le Chapitre 5).

   - **Facebook :** vous permet d'afficher les photographies que vous avez placées sur votre compte Facebook (`www.facebook.com`).

Figure 14.7 : L'application Photos de votre écran d'accueil vous montre le contenu de votre bibliothèque Images ainsi que des photos en ligne.

- **Flickr :** c'est le même principe si vous avez un compte Flickr (`www.flickr.com`), une référence pour le partage de photographies.

Selon les comptes dont vous disposez sur d'autres réseaux sociaux et que vous avez ajoutés à Windows 8, il est possible que vous disposiez d'autres vignettes (reportez-vous à ce sujet au Chapitre 10).

2. **Cliquez sur une des vignettes pour voir son contenu, puis choisissez un des dossiers attachés à cette catégorie d'images. Quand vous voulez effectuer une certaine action sur une ou plusieurs photos, cliquez droit pour afficher la barre d'icônes de l'application.**

Cliquez ou tapez sur une vignette pour voir les photos et les dossiers qu'elle contient. Par défaut, toutes les photos sont affichées sous la forme d'une longue bande horizontale (voir Figure 14.8).

Sur un système tactile, effleurez en partant du bas de l'écran pour afficher la barre d'icônes de l'application.

Pour naviguer entre les dossiers, cliquez sur la flèche qui apparaît dans le coin supérieur gauche de l'écran (si vous ne la voyez pas, cliquez ou tapez sur la photo).

Pour effacer une photo, cliquez droit dessus afin de la sélectionner, puis ouvrez la barre d'icônes et cliquez sur Supprimer.

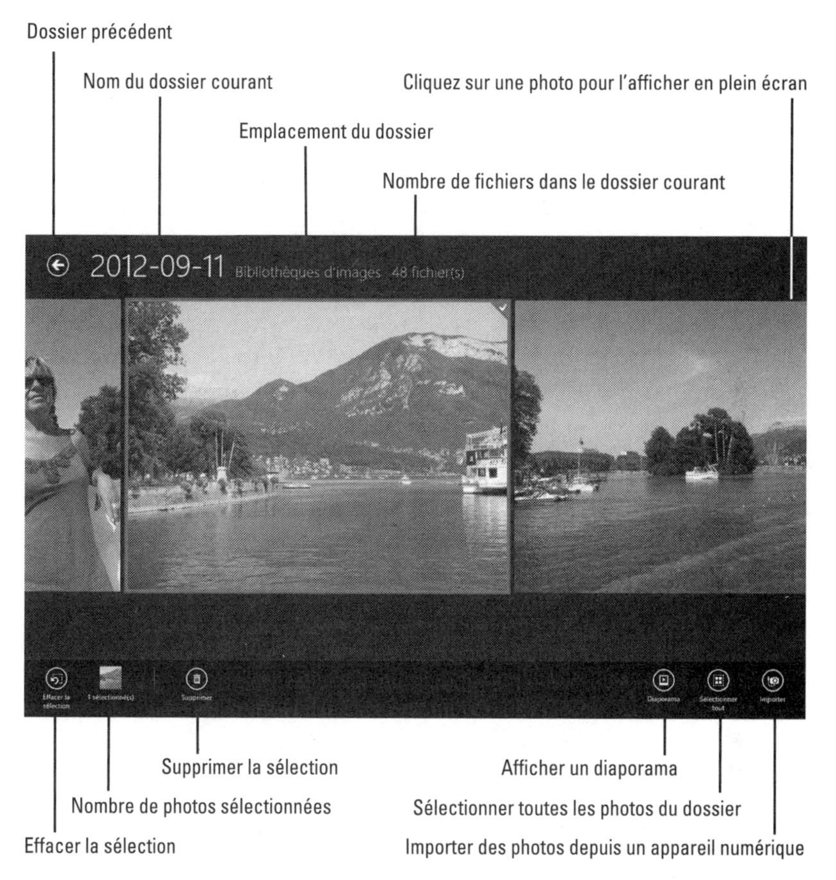

Figure 14.8 : Faites défiler vos photos vers la gauche ou vers la droite, cliquez droit pour afficher la barre d'icônes, et cliquez sur une photo pour passer en mode Plein écran.

Vous pouvez sélectionner ou désélectionner plusieurs photos en cliquant droit dessus.

3. **Cliquez sur une photo pour l'afficher en mode Plein écran.**

   Lorsqu'une photo occupe tout l'écran, des flèches apparaissent sur les bords gauche et droit de celui-ci. Elles vous permettent de passer d'une photo à l'autre en cliquant ou tapant.

   Lorsqu'une photo est affichée en mode Plein écran, la barre d'icônes révèle d'autres options. Vous pouvez ainsi choisir Définir comme afin d'utiliser la photo courante comme fond pour l'écran de verrouillage, la vignette de l'application ou encore le fond de l'application elle-même (comme vous pouvez le remarquer sur la Figure 14.7).

Vous êtes pressé(e) de faire voir *cette* photo à vos ami(e) ? Envoyez-leur par e-mail. Revoyez le Chapitre 10 pour plus d'explications à ce sujet. Mais il y a aussi la version courte : affichez la barre d'icône en pointant l'angle supérieur droit de l'écran (ou en effleurant celui-ci vers le centre), puis cliquez sur l'icône Partager, et enfin sur Courrier.

Pour revenir à la présentation générale des photos de votre dossier courant, cliquez sur la flèche affichée en haut et à gauche de l'écran (cliquez ou tapez d'abord sur la photo).

4. **Pour voir un diaporama présentant le contenu du dossier courant, cliquez droit sur le fond de l'écran de l'application (pas sur une photo, car cela revient à la sélectionner ou la désélectionner), puis choisissez l'option Diaporama dans la barre d'icônes.**

   Ce diaporama est dépourvu de toute option, ce qui en limite fortement l'intérêt.

5. **Pour quitter le diaporama, cliquez sur une photo ou appuyez sur la touche Echap.**

Pour sortir de l'application Photos, revenez tout simplement à l'écran d'accueil en appuyant sur la touche Windows.

Afficher des photos depuis le bureau

Les outils disponibles à partir du bureau offrent davantage de contrôle que l'application Photos de l'écran d'accueil. Par contre, ils ne permettent en contrepartie que d'afficher les images qui sont stockées sur votre propre ordinateur (ou plus largement celles qui sont accessibles sur votre réseau ou votre groupement résidentiel). Pour afficher des photos enregistrées ailleurs, par exemple sur Facebook ou Flickr, vous devrez vous connecter sur ces sites.

Cette section vous explique comment afficher les photos stockées dans votre bibliothèque Images, les faire tourner si elles ne sont pas dans le bon sens, les présenter dans un diaporama, les copier sur un autre support, les joindre à des messages, ou encore les imprimer si vous n'êtes pas fatigué de payer vos cartouches d'encre un prix exorbitant.

Commencez par activer votre bureau en cliquant sur sa vignette dans l'écran d'accueil. Ouvrez un dossier contenant des photos, et faites un double clic sur un d'entre elles. Problème : c'est l'application Photos de l'écran d'accueil qui apparaît par défaut ! Pour que ce soit la Visionneuse de photos Windows qui s'active à sa place, suivez ces étapes :

1. **Ouvrez le Panneau de configuration.**

   Pour cela, cliquez droit dans le coin inférieur gauche de l'écran, et choisissez l'option Panneau de configuration dans le menu qui s'affiche.

2. **Dans le Panneau de configuration, ouvrez la catégorie Programmes. Cliquez ensuite sur Programmes par défaut, puis sur Configurer les programmes par défaut.**

Récupérer les photos de votre appareil avec un lecteur de carte mémoire

Il est assez facile de récupérer les photos de votre APN avec Windows 8. Mais si vous avez par hasard perdu ou égaré votre câble USB, c'est peut-être votre seule option. De plus, la lecture directe d'une carte mémoire est beaucoup plus rapide. Ou bien votre ordinateur possède déjà un lecteur adapté, ce qui est le cas en général avec les matériels récents, et la procédure n'a rien de compliquée. Ou bien ce n'est pas le cas, et vous devrez si vous le souhaitez faire l'acquisition d'un lecteur multi formats, c'est-à-dire d'un petit boîtier bon marché (les prix débutent à quelques euros) qui vient se connecter sur un port USB du PC.

Pour effectuer le transfert, retirez la carte mémoire de votre appareil photo numérique et insérez-la délicatement (dans le bon sens !) dans votre lecteur interne ou externe. Windows 8 va remarquer que vous venez d'insérer quelque chose, et il va traiter la carte comme s'il s'agissait d'un disque externe, ou d'un appareil photo entier, en proposant alors une méthode pour importer les images et les vidéos.

Vous pouvez aussi faire appel à l'Explorateur de fichiers depuis le bureau, puis de faire un double clic dans le volet de navigation sur l'icône associée à votre carte. Partant de là, vous n'avez plus qu'à visualiser les photos, à sélectionner celles que vous voulez sauvegarder, puis à les copier vers votre bibliothèque Images.

Cette méthode est simple, rapide et fiable. De surcroît, elle vous permet aussi d'épargner la batterie de votre appareil photo, puisque celui-ci reste éteint. Si vous devez vous procurer un lecteur de cartes mémoire externe, assurez-vous qu'il est capable de relire le plus de formats possible (pour le cas où vous trouveriez des nouveaux gadgets électroniques avec des dispositifs d'enregistrement variés).

La fenêtre Définir les programmes par défaut apparaît.

3. **Dans la liste de gauche, localisez la ligne Visionneuse de photos Windows (elle se trouve certainement vers la fin). Cliquez dessus, puis sur la ligne Définir ce programme comme programme par défaut. Il ne vous reste plus qu'à cliquer sur OK.**

   De cette manière, vous demandez à ce que *toutes* vos photos soient ouvertes avec le programme Visionneuse photos Windows.

Pour revenir en arrière, suivez à nouveau les étapes ci-dessus, mais en sélectionnant cette fois Photos (ou une autre application que vous aurez installée au préalable).

Maintenant, un double clic sur un fichier de photos activera la visionneuse Windows (voir la Figure 14.9). L'application Photos est toujours là quand vous vous trouvez dans l'écran d'accueil, mais c'est cette visionneuse qui va prendre le dessus quand le bureau est actif.

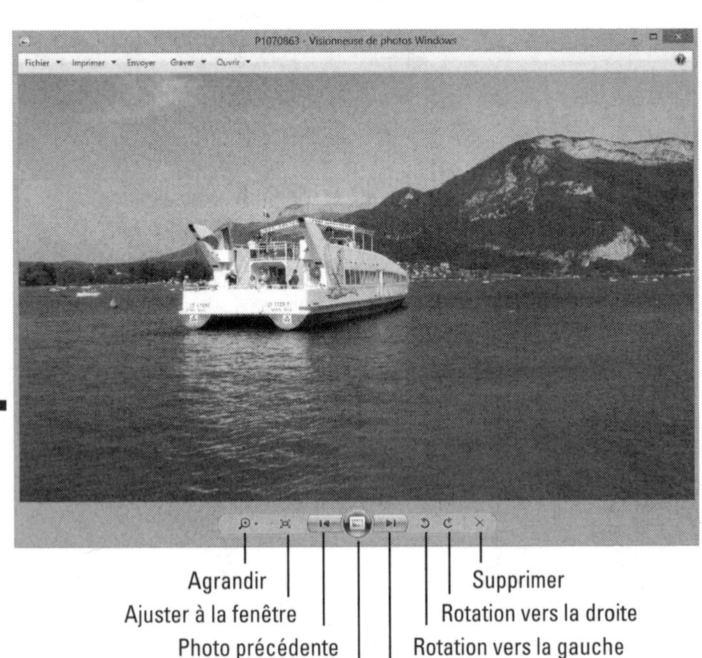

Figure 14.9 : Faites un double clic sur une image pour l'afficher dans la Visionneuse de photos Windows.

Naviguer dans vos photos avec la bibliothèque Images

La bibliothèque Images, que vous trouvez dans le volet de navigation de l'Explorateur Windows, à gauche de la fenêtre, est le meilleur emplacement possible pour stocker vos photos numériques. Lorsque Windows 8 importe des photos à partir de votre appareil numérique, c'est là qu'il les place, dans des dossiers portant par défaut la valeur de la date courante (au moment de l'importation, bien sûr).

Pour afficher le contenu d'un des dossiers de la bibliothèque Images, cliquez sur celle-ci, puis faites un double clic sur le dossier voulu. Vos photos apparaissent à droite (voir Figure 14.10).

Figure 14.10 : La bibliothèque Images vous permet de trier vos photos selon différents critères.

Le ruban associé à l'onglet Affichage vous permet de choisir la présentation de vos photos. Laissez le pointeur de la souris planer quelques instants au-dessus des options qu'il propose. Le contenu de la fenêtre change, par exemple pour proposer de très grandes icônes, des icônes moyennes, des détails, *etc.*

Si vous ne voyez pas le ruban, cliquez droit sur la barre d'onglets et choisissez dans le menu qui s'affiche l'option Réduire le ruban.

La Figure 14.10 montre le menu proposé par le bouton Trier par du ruban. Vous constatez que vous avez de multiples choix pour organiser vos photos, quel qu'en soit leur nombre, selon leur nom, leur date, leur type, des mots clés (les balises, déjà évoquées), et ainsi de suite.

Cliquez droit sur une photo, et choisissez dans le menu contextuel la commande Aperçu pour afficher l'image en grand dans la Visionneuse de photos Windows. Pour revenir à votre bibliothèque, refermez la visionneuse en cliquant sur la croix rouge qui se trouve à droite de la barre de titre.

Les options de la liste Trier vous permettent de classer vos photos de diverses manières, dont notamment :

- **Prise de vue :** cette option est pratique (notamment si un seul dossier contient de nombreuses images) pour classer les photos selon une « ligne de temps », en les affichant dans l'ordre où vous les avez prises.
- **Mots clés :** si vous avez ajouté des *balises* (autrement dit, des mots clés descriptifs) lors de l'importation des photos depuis votre appareil numérique, vous pourrez retrouver plus facilement celles qui sont associées à tel ou tel lieu ou événement, ou bien encore localiser celles qui ne seraient pas au bon endroit.
- **Dimensions :** cette option classe les images en fonction de leur poids, ce qui permet de savoir lesquelles occupent le plus d'espace sur le disque dur (l'intérêt est en particulier de repérer les vidéos prises avec votre appareil photo numérique, car elles sont généralement nettement plus volumineuses).

Utiliser les options de tri vous aide à ranger vos photos comme il faut. Pensez aussi à d'autres méthodes d'organisation :

- Une photo est particulièrement ratée ou floue ? Autant s'en débarrasser. Cliquez droit dessus et choisissez dans le menu contextuel l'option Supprimer. Seules resteront les bonnes photos…
- Vous avez entré des balises lors de l'importation ? Servez-vous en ! Tapez un de ces mots clés dans le champ de recherche de la bibliothèque Images (il se trouve en haut et à droite), et Windows 8 va presque instantanément afficher les photos qui sont associées à cette balise.
- Vous voulez afficher une des vos magnifiques photos sur votre bureau ? Cliquez droit dessus et sélectionnez dans le menu l'option Choisir comme arrière-plan du Bureau. Immédiatement, la photo apparaît sur votre fond d'écran.
- Laissez le pointeur de la souris planer au-dessus d'une photo pour voir s'afficher diverses informations, comme sa date de prise de vue, son format, ses dimensions ou encore sa taille.

Faire tourner les images

Autrefois, regarder une image prise en basculant l'appareil photo était très simple : il vous suffisait de tourner le papier dans le bon sens... Ce n'est plus le cas avec nos écrans d'ordinateurs d'aujourd'hui (quoi que ce soit plus facile avec une tablette).

Pour remettre droite une photo, rien de plus simple : cliquez droit dessus. Dans le menu contextuel qui s'affiche, choisissez selon le cas l'une des options Faire pivoter à droite ou Faire pivoter à gauche. Et voilà bébé remis sur pieds !

Afficher un diaporama

Windows 8 permet d'afficher facilement des séquences d'images, autrement dit des diaporamas. Rien de très amusant dans ce qu'il vous propose, mais du moins disposez-vous d'un outil intégré pour montrer sans efforts vos plus belles photos de vacances à vos amis agglutinés autour de l'écran. Pour lancer un diaporama, vous pouvez :

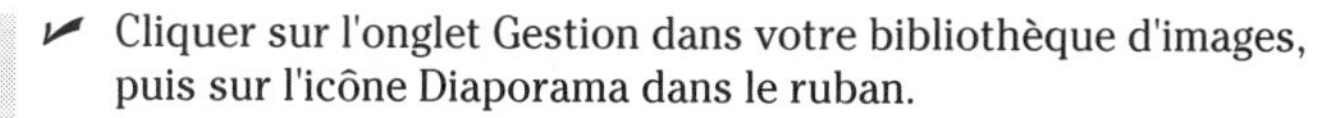

- Cliquer sur l'onglet Gestion dans votre bibliothèque d'images, puis sur l'icône Diaporama dans le ruban.

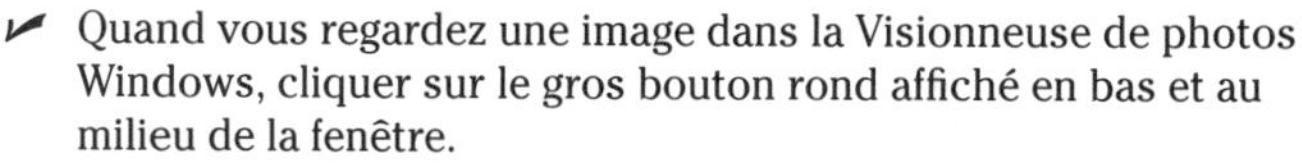

- Quand vous regardez une image dans la Visionneuse de photos Windows, cliquer sur le gros bouton rond affiché en bas et au milieu de la fenêtre.

Windows va immédiatement obscurcir le fond de l'écran, afficher la première photo, puis passer aux suivantes toutes les quatre secondes.

Voici quelques conseils pour réussir vos projections :

- Avant de lancer un diaporama, vérifiez l'orientation de toutes les photos présentes dans votre dossier. Sélectionnez toutes les photos qui semblent être tombées à droite, cliquez droit et choisissez l'option Faire pivoter à gauche. Recommencez pour celles qui doivent être redressées dans l'autre direction.
- Le diaporama ne montre que les photos qui se trouvent dans le dossier courant, ainsi que dans les sous-dossiers éventuels de celui-ci.
- Vous pouvez aussi sélectionner un certain nombre de photos dans un dossier (par exemple en cliquant dessus tout en maintenant enfoncée la touche Ctrl). Seules ces photos apparaîtront quand vous activerez le diaporama.

- Il est encore possible d'agrémenter la présentation en lançant un accompagnement musical avec le Lecteur Windows Media avant de démarrer le diaporama (voyez à ce sujet le Chapitre 16). Ou bien, si vous avez acheté un disque de chants polyphoniques lors de vos vacances en Corse, pourquoi ne pas l'insérer dans votre lecteur de CD pour mettre tout le monde dans l'ambiance ?

Copier des photos numériques sur un CD ou un DVD

Vos photos devraient automatiquement être sauvegardées par Windows si vous avez activé l'Historique des fichiers (voyez à ce sujet le Chapitre 13). Mais vous avez peut-être aussi envie d'en copier certaines sur un CD ou sur un DVD pour les conserver sur un autre support, ou bien pour les partager.

Si ce n'est fait, achetez donc une boîte de CD ou de DVD, puis suivez ces étapes :

1. **Ouvrez votre bibliothèque Images depuis le bureau, sélectionnez les photos que vous voudriez graver, puis activez l'onglet Partage, et cliquez enfin dans le ruban sur le bouton Graver sur disque.**

   Vous pouvez sélectionner des séries de photos et de dossiers en cliquant dessus tout en maintenant enfoncée la touche Ctrl. Pour *tout* sélectionner, appuyez sur la combinaison de touches Ctrl+A. Quand vous cliquez sur le bouton Graver sur disque, Windows vous demande d'insérer un support vierge dans le graveur.

2. **Insérez un disque vierge dans votre graveur et refermez son tiroir.**

   Si vous avez beaucoup de fichiers à graver, un DVD sera évidemment préférable, puisqu'il représente l'équivalent d'environ sept CD. Mais n'oubliez pas que ce support est aussi plus cher. Autant éviter le gaspillage !

3. **Décidez comment vous voulez utiliser le disque :**

   Windows vous propose deux options :

   - **Comme un lecteur flash USB :** sélectionnez cette option si vous avez l'intention de relire ce disque sur d'autres ordinateurs. Windows le traitera alors comme une sorte de dossier, vous laissant la possibilité d'y graver d'autres photos plus tard. C'est un bon choix si vous n'avez pas de quoi remplir le support pour l'instant.

- **Avec un lecteur de CD/DVD :** prenez cette option pour créer des disques susceptibles d'être lus sur une platine de salon. Une fois la gravure terminée, il ne sera plus possible d'ajouter quoi que ce soit sur le CD ou le DVD.

4. **Entrez un titre court pour le disque, puis cliquez sur le bouton Suivant.**

   Ce titre doit être court, mais parlant (ou l'inverse). Lorsque vous cliquez sur Suivant, Windows 8 commence à graver les photos sélectionnées sur le disque.

5. **Cliquez si nécessaire à nouveau sur le bouton de gravure.**

Sachez organiser vos photos

Il est tentant de créer un dossier appelé par exemple *Nouvelles photos* dans votre bibliothèque Images, et d'y placer les photos que vous importez. Mais quand vous rechercherez plus tard tel ou tel cliché, vous risquez fort d'y passer une partie de la soirée. L'outil d'importation de Windows 8 fait un travail correct pour nommer chaque session de prise de vue en fonction de sa date et d'un titre. Pour mieux organiser vos photos, et donc vous aider à les retrouver, suivez ces quelques conseils :

- Lors de l'importation, définissez quelques balises (ou mots clés) simples, par exemple *Maison, Voyage, Vacances, Famille* ou encore *Amis*. Ceci vous aidera beaucoup à retrouver les photos voulues dans votre bibliothèque Images.

- Windows affecte ces balises à chaque groupe de photos, donc globalement pour toute une série de clichés. Passez un peu de temps, une fois l'importation terminée, pour les affiner photo par photo, ou en effectuant une sélection. Souvenez-vous que vous pouvez associer plusieurs mots clés à une photo en les séparant par un point-virgule. Pour effectuer ce travail *a posteriori*, cliquez droit sur une photo ou sur un élément de votre sélection, et choisissez dans le menu l'option Propriétés. Activez l'onglet Détails, puis cliquez sur la ligne Mots clés. Saisissez vos balises et cliquez sur OK.

- Si la photographie numérique devient un vrai passe-temps, vous devriez envisager de passer à des outils gratuits et plus efficaces, comme Google Picasa (`picasa.google.com`). Vous y trouverez davantage d'options d'édition et de gestion que dans les outils assez basiques de Windows 8.

Si, lors de l'Étape 3, vous avez choisi l'option Avec un lecteur de CD/DVD, vous devrez cliquer sur le bouton Graver sur disque pour lancer l'opération.

Si vous n'avez sélectionné aucune photo lors de l'Étape 1, Windows 8 va ouvrir une fenêtre vide montrant le contenu du disque vous avez inséré, autrement dit : rien. Vous pouvez alors faire glisser les photos voulues sur cette fenêtre.

Vous n'avez pas assez de place sur un seul CD ou DVD pour gérer toutes vos photos ? Malheureusement, Windows 8 n'est pas assez intelligent pour vous demander d'insérer d'autres disques. En fait, il se plaint de manquer de place et ne grave rien du tout. Essayez alors de réduire votre sélection pour que la taille totale des fichiers ne dépasse pas l'espace libre sur le CD ou le DVD.

Cinquième partie

Internet et le courier électronique

« Un peu trop rapide la navigation ! »

Dans cette partie...

Aucun doute sur ce point : le Web est l'endroit le plus populaire d'Internet. Il a d'ailleurs pris un tel essor ces dernières années que le grand public a tendance à l'assimiler à Internet. Nous vous expliquons ici ce qu'est exactement le Web et comment en tirer parti.

Chapitre 15

Le monde merveilleux et farfelu du Web

Dans ce chapitre :

- Hyper quoi ?
- Connaître les URL.
- Pointer, cliquer, parcourir, surfer et autres connaissances de base.
- Introduction à Internet Explorer 10 et à Firefox 15.0.
- Installer un autre navigateur qu'Internet Explorer.

De nos jours, les gens parlent davantage du *Web* que du *Net*, avec une légère tendance à confondre les deux. Mais il ne s'agit pas du tout de la même chose, puisque le *World Wide Web* (que nous appelons familièrement le Web, par goût inné du raccourci) est un sous-ensemble d'Internet, qui lui sert en quelque sorte de support. Le Web est le cœur d'Internet, mais Internet existait bien avant le Web, et la disparition de ce dernier ne perturberait Internet en aucune façon.

Ce chapitre explique ce qu'est le Web, d'où il vient et comment installer et utiliser les navigateurs Firefox et Internet Explorer 10. Vous apprendrez à employer votre navigateur Web pour afficher des pages Web. Si vous êtes déjà un habitué du Net et que vous avez opté pour Firefox ou Internet Explorer, passez directement au Chapitre 16.

Qu'est-ce que le Web ?

Le Web est un ensemble de « pages » contenant des informations, reliées logiquement les unes aux autres et réparties sur toute la surface du globe. Chaque page peut contenir du texte, des images, des sons, des animations, de la vidéo... Nous ne saurions terminer cette énumération autrement qu'avec des points de suspension, car presque chaque jour il naît de nouveaux « objets Web ». Ce sont ces liens, dits *hypertextes,* entre les pages qui rendent le Web si intéressant. Chacun pointe vers une autre page et l'ouvre lorsque vous cliquez dessus. L'affichage de ces pages s'effectue avec un programme spécialisé : le *navigateur.*

Les liens hypertextes peuvent ouvrir des pages situées à Sydney, Johannesburg, Darmstadt, Oslo ou bien simplement de l'autre côté de votre rue. Théoriquement, ce transfert est instantané, mais, dans la réalité, la rapidité de ce déplacement virtuel dépend de nombreux facteurs que nous découvrirons d'ici peu.

Les liens

Le système hypertexte crée des liens entre diverses bribes d'informations. Au fur et à mesure que vous établissez ces liens informatiques, vous contribuez à tisser cette toile d'araignée d'où le Web (« toile » en anglais) tire son nom. Les pages visées peuvent se trouver n'importe où dans le monde.

Toutes les informations peuvent être consultées de façon automatisée par des logiciels, appelés *moteurs de recherche*, qui permettent d'obtenir en quelques secondes toutes les références et occurrences des termes recherchés.

C'est ce système de documents pointant les uns vers les autres qu'on appelle *hypertexte*. La Figure 15.1 montre comment se présente une page Web. Chaque mot ou groupe de mots en gras et de couleur bleu marine est en réalité un *lien* pointant vers une autre page.

L'*hypertexte* est un moyen de relier des informations de façon à faciliter leur découverte. En théorie, du moins. Dans les bibliothèques traditionnelles (vous savez, celles qui possèdent des étagères surchargées de livres), les informations sont classées de façon arbitraire, souvent par ordre alphabétique d'auteur, parfois par sujet. Ce type de classement ne reflète pas nécessairement l'existence d'un lien logique d'un ouvrage à l'autre. Dans le monde de l'hypertexte, en revanche, les informations sont organisées selon les liens logiques qui existent entre elles, ce qui semble plus... logique !

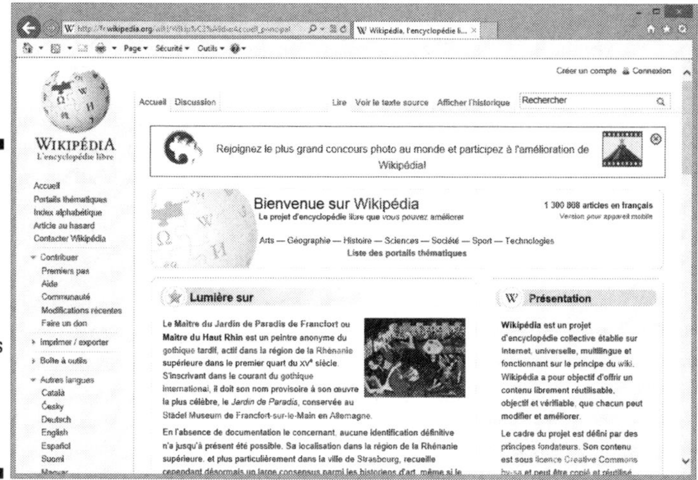

Figure 15.1 : Sur cette page, les mots ou expressions en gras et en bleu marine sont des liens susceptibles d'ouvrir d'autres pages.

D'où vient le Web ?

Le Web a été inventé en 1989 au CERN (Centre européen pour la recherche nucléaire) à Genève, en Suisse, un endroit quelque peu inattendu pour une révolution en informatique. Le petit génie se nomme Tim Berners-Lee, un Anglais, actuellement directeur du consortium W3C (*World Wide Web Consortium*), chargé de l'élaboration des standards du Web.

Tim Berners-Lee a inventé le protocole HTTP *(HyperText Transfer Protocol,* protocole de transfert hypertexte*)*, utilisé pour échanger des informations entre clients et serveurs Web. C'est lui également qui a défini le langage HTML *(HyperText Markup Language,* langage de balisage hypertexte*)* qui n'est pas vraiment un langage au sens informatique du terme, mais plutôt un ensemble de commandes de description de page. Enfin, c'est lui qui a inventé l'URL, sorte d'adresse servant à identifier les ressources accessibles par le Web. Il a conçu le Web comme un moyen universel et simple d'échanger des informations indépendamment des matériels et systèmes d'exploitation utilisés. Les premiers navigateurs Web contenaient des éditeurs qui permettaient à tout utilisateur de créer des pages Web aussi facilement que de les lire.

Pour en savoir plus sur le développement du Web et le travail du consortium W3C, pointez votre navigateur sur `www.w3.org`. Tim Berners-Lee a été anobli en 2004 par la reine Elizabeth II, il porte désormais le titre de Sir Tim Berners-Lee et il a obtenu, en 2004, le Prix de la technologie du Millénaire.

Un nom pour chaque page

Pour trouver une page particulière sur le Web, encore faut-il pouvoir désigner cette page par son nom comme on désigne un livre par son titre. C'est ici qu'intervient la notion d'*URL* (*Uniform Resource Locator,* adresse de ressource unifiée), un système d'adressage universel permettant une identification unique, donc non ambiguë, d'une page donnée. Une URL est une succession de termes commençant par `http://` et continuant souvent par `www`. Tout le monde le prononce comme un sigle, c'est-à-dire en prononçant chaque lettre (« U-R-L »), et non comme un acronyme (« hurle »). Vous en savez désormais suffisamment pour vous lancer dans la navigation. Pour quelques détails supplémentaires, entièrement techniques et facultatifs sur les URL, voyez l'encadré « Au royaume des URL ».

La navigation

Maintenant que vous savez tout sur le Web, vous voulez le découvrir. Pour ce faire, il vous faut un *navigateur*, le logiciel qui récupère les pages Web et les affiche sur votre écran. Si vous avez Windows, un Mac ou un autre ordinateur offrant un accès à Internet, il en est déjà équipé. Par ailleurs, si vous avez installé le logiciel Internet remis par votre fournisseur d'accès à Internet (FAI), vous en avez aussi un.

Voici les navigateurs les plus connus :

- **Internet Explorer (IE)** est le navigateur que Microsoft fournit avec chaque version de Windows depuis Windows 98. Il en est aujourd'hui à la version 10, arrivée récemment dans le monde cyber (Figure 15.2).
- **Firefox** est un navigateur développé en *open source* (source ouverte, c'est-à-dire sans cesse améliorée par une communauté de programmeurs à laquelle toute personne compétente peut se joindre) que vous trouverez à `http://www.mozilla-europe.org/fr/products/firefox/` (Figure 15.3). C'était à l'origine un hybride du meilleur de Mozilla et du meilleur de Netscape et il existe en versions Windows, Mac, et Linux. Firefox est moins visé par les espiogiciels. Reportez-vous à l'encadré « Pourquoi opter pour Firefox ? » pour savoir ce que nous pensons respectivement d'Internet Explorer et de Firefox.

Nous décrirons en détail Internet Explorer et Firefox au cours du livre. Si vous n'avez pas de navigateur ou que vous vouliez

Figure 15.2 : Internet Explorer est utilisé par des centaines de millions d'internautes du monde entier.

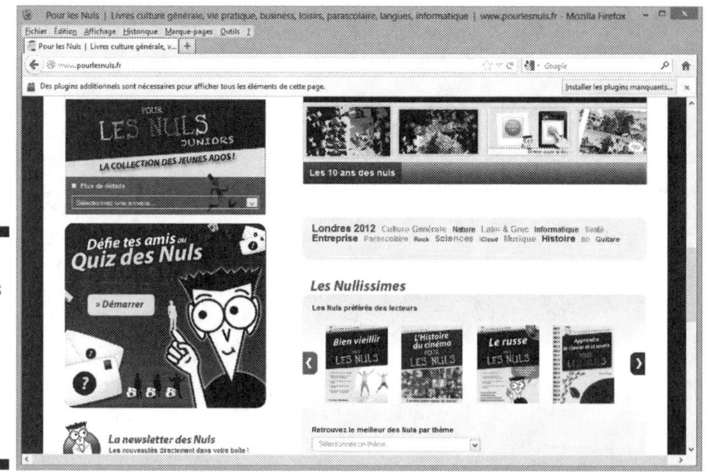

Figure 15.3 : Firefox, dans sa version 15.0, est un navigateur Web de plus en plus utilisé.

en essayer un autre, lisez la section « Comment se procurer et installer un navigateur », plus loin dans ce chapitre.

Surfer avec votre navigateur

Lorsque vous ouvrez Internet Explorer 10, vous obtenez un écran semblable à celui dela Figure 15.4. De nombreux FAI font en sorte que votre

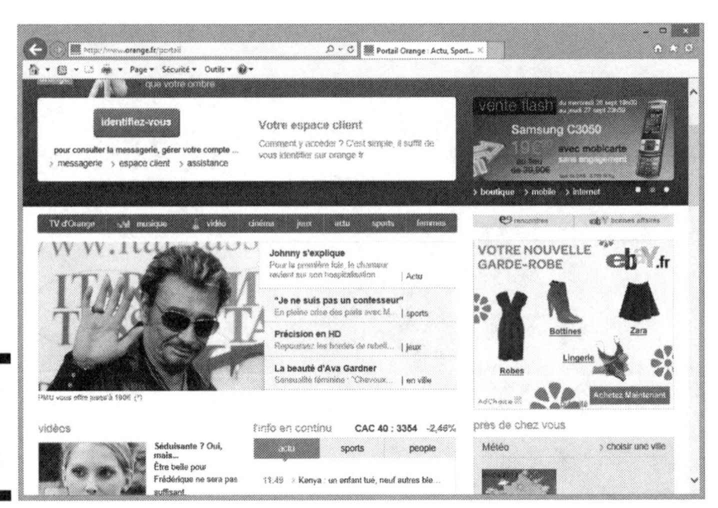

Figure 15.4 : Le nouvel Internet Explorer 10 !

navigateur affiche leur page d'accueil, Internet Explorer affiche une page Microsoft et Firefox la page Mozilla, jusqu'à ce que vous choisissiez une autre page d'accueil.

Toutefois, si vous installez Firefox bien après Internet Explorer, le programme d'installation demande s'il doit ou non importer les Favoris et *cookies* utilisés dans Internet Explorer. À vous de décider du bien-fondé de votre réponse affirmative ou négative.

En haut de la fenêtre, on trouve un ensemble de boutons et la barre de navigation, ou barre d'adresse, qui contient l'URL (l'adresse) de la page actuellement visitée (Figure 15.5). Pour plus de détails, consultez l'encadré « Au royaume des URL » dans ce chapitre.

La plus grande partie de la fenêtre du navigateur est occupée par la page Web consultée. C'est quand même ce à quoi est censé servir un navigateur ! Les boutons, barres et menus servent à trouver votre chemin sur le Web et à réaliser des actions comme imprimer et enregistrer des pages.

Petite exploration

Pour aller d'une page à une autre sur le Web, il suffit de cliquer sur un lien. À l'écran, il peut se présenter sous la forme d'une image, d'un mot ou d'une suite de mots affichés dans une autre couleur que le texte normal (en bleu, le plus souvent) et souligné. Si vous n'êtes pas certain

Figure 15.5 : Les outils de navigation d'Internet Explorer 10.

Au royaume des URL

L'une des raisons d'être du Web est de vous permettre d'aller d'un point à l'autre, d'un serveur à l'autre. C'est pourquoi la notion de lien est si importante. Mais encore faut-il savoir où aller.

Pour cela, le plus simple est de donner une adresse à tout ce qui peut être considéré comme une ressource du Web. Dans la vie quotidienne, c'est par une adresse que vous localisez la boutique où vous voulez faire quelques emplettes. Voyons comment se présente une adresse Web :

```
http://www.monserveur.fr/monfichier.html
```

L'URL se caractérise par son préfixe (ici : `http://`), qui indique le type de ressource. HTTP signifie *HyperText Transfer Protocol* (protocole de transfert hypertexte) et désigne le protocole utilisé sur le Web. Ne confondez pas « http », la façon dont les pages sont acheminées sur le Net, avec « html », la programmation de la page.

Les détails du reste de l'URL dépendent du modèle mais la plupart des modèles sont semblables. À la suite des deux-points, on trouve deux barres inclinées ainsi que le nom de l'ordinateur, l'hôte qui héberge la ressource (`www.monserveur.fr`). Viennent ensuite une autre barre et un *chemin d'accès* qui donnent le nom de la ressource sur cet hôte (ici, le fichier nommé `monfichier.html`).

On peut aussi trouver, dans une URL, un numéro de port précédé du caractère des deux-points « : », comme dans l'adresse `http://www.toto.fr:80/machin.html`. *Grosso modo*, cela indique le type de programme du serveur qui doit gérer l'adresse. Pour http, c'est 80, qui est la valeur par défaut. C'est pourquoi il est inutile de l'indiquer.

Enfin, une URL Web peut comporter un élément de recherche à la fin, après un point d'interrogation :

```
http://net.gurus.com:80/index.phtml?chickens
```

Lorsqu'une URL comporte une portion recherche, cela indique à l'ordinateur hôte ce qu'il faut rechercher. Il est rare que l'on tape soi-même la portion recherche – elle est construite automatiquement par les formulaires des pages Web.

Outre le préfixe `http://`, il existe aussi `ftp://`, `mailto:`, `file:///`, *etc.* Une URL avec `mailto:` indique qu'il s'agit d'une ressource de courrier électronique qui se présente ainsi :

```
mailto:infos@efirst.com
```

Cliquer sur une URL `mailto:` démarre le logiciel de messagerie, permettant d'envoyer un courrier au destinataire figurant juste après.

Une URL dont le préfixe est `ftp://` signale un serveur de fichiers accessible au moyen du protocole FTP. En voici un exemple :

```
ftp://ftp.univ.lille-1.fr/pc/coast/wulist.zip
```

Enfin, le préfixe `file:` (fichier) permet d'accéder à un document HTML local, c'est-à-dire situé sur la même machine. Dans ce cas, on ne passe pas par Internet. C'est le moyen couramment utilisé pour tester un document HTML. En voici un exemple :

```
file:///c|/web/index.html
```

Sous Windows, cela signifie que le document HTML `index.htm` situé dans le répertoire \web du disque C: sera ouvert. Notez le remplacement du caractère « : » par un caractère « | » (barre verticale), puisque le caractère des deux-points, comme nous venons de le voir, a une autre signification (il précède le numéro de port facultatif).

que ce soit bien un lien, observez le pointeur de la souris : de flèche, il se change en main lorsqu'il est placé sur un lien.

Arrière toute !

Les navigateurs n'ont pas la mémoire courte : ils se souviennent du chemin qu'ils ont parcouru et, en particulier, de la dernière page affichée. Si celle que vous venez d'afficher ne vous plaît pas et que vous souhaitiez revenir à la précédente, cliquez tout simplement sur l'icône la plus à gauche de la rangée supérieure, celle qui porte une flèche tournée vers la gauche. Vous pouvez également passer par le clavier : appuyez sur la touche fléchée pointant vers la gauche tout en maintenant enfoncée la touche Alt (celle qui se trouve à gauche de la barre d'espacement).

Parfois, en cliquant sur un lien, la page atteinte s'ouvre dans une nouvelle fenêtre du navigateur Web. En effet, que ce soit Internet Explorer, Firefox ou tout autre navigateur, chacun peut afficher plusieurs pages simultanément. Lorsqu'un lien s'ouvre dans une nouvelle fenêtre, le bouton Précédent ou Reculer d'une page n'est pas accessible.

Où aller ?

On appelle *page d'accueil* la page Web principale d'un site Web. La page d'accueil est comparable à la page de couverture d'un magazine : elle donne une idée de ce que vous trouverez dans le site. Voici comment accéder à une page d'accueil :

1. **Cliquez dans la zone de saisie de l'adresse, située en haut de la fenêtre de navigation (Figure 15.6).**

2. **Saisissez l'URL de la page que vous voulez atteindre.**

   Exemple : `http://www.editionsfirst.fr/`. En général, vous pouvez vous contenter de taper `www.editionsfirst.fr/` (et même, lorsque le site se termine par `.com`, en tapant `editionsfirst` et en appuyant ensuite sur Ctrl+Entrée).

3. **Appuyez sur Entrée.**

Si l'URL de la page que vous désirez charger figure dans un courrier électronique, un message lu sur un forum ou dans un traitement de texte, vous pouvez la transférer dans la boîte de saisie de votre fenêtre de navigation au moyen d'un classique copier/coller, ce qui vous évite de la retaper avec les risques d'erreur que cela implique :

Figure 15.6 : Saisissez ici l'adresse du site Web à visiter.

1. **Sélectionnez l'URL que vous souhaitez copier.**

   En général, en la balayant du pointeur de votre souris, tout en maintenant enfoncée la touche Maj.

   Vous sélectionnerez très rapidement l'URL en appuyant sur Alt+D.

2. **Appuyez sur Ctrl+C (cmd+C sur Mac) pour copier la chaîne de caractères dans le Presse-papiers.**

3. **Cliquez dans le champ de saisie d'adresse du navigateur.**

4. **Appuyez sur Ctrl+V (cmd+V sur Mac) pour coller le contenu du Presse-papiers et appuyez sur Entrée.**

De nombreux autres logiciels de courrier font mieux encore : ils interprètent automatiquement les URL placées dans leurs messages e-mail de sorte que, lorsque vous passez le pointeur de la souris sur une adresse que vous avez reçue, celui-ci se change en main. Il suffit alors de cliquer ou de double-cliquer pour démarrer le navigateur et afficher la page Web correspondante.

De malfaisants personnages, auteurs de pages Web frauduleuses, peuvent facilement créer des courriers contenant des URL qui, lorsque vous cliquez dessus, n'envoient pas du tout là où vous pensiez aller. Bien évidemment, vous ne vous rendez compte de rien. Méfiez-vous des messages dont l'origine semble suspecte. Par exemple, si vous recevez un message émanant soi-disant de votre banque, ne cliquez pas sur le lien proposé. En effet, vous risquez de tomber sur une fausse page identique à celle du site Web de votre banque. On vous demande votre nom d'utilisateur, votre mot de passe et votre numéro de compte bancaire. Rendez-vous toujours sur le site de votre banque en saisissant son adresse dans la barre d'adresse de votre navigateur Web, mais jamais en cliquant sur un lien figurant dans un courrier.

Par où commencer ?

Comment rechercher des informations ou des fichiers sur le Web ? Si vous n'êtes pas encore un adepte du clic perpétuel, voici un bon moyen de mettre le pied à l'étrier : allez à la page de Yahoo! France (Figure 15.7) en tapant `http://fr.yahoo.com`.

Figure 15.7 : Accédez à la page d'accueil de Yahoo!.

Vous êtes aussitôt transporté sur Yahoo! car Internet Explorer 10 est bien plus rapide que ne le sont les anciennes versions de ce navigateur. Dans le domaine de la rapidité d'affichage des pages Web, Internet Explorer a rattrapé son retard sur Firefox. Sur la page de Yahoo! vous trouvez un répertoire contenant des millions d'adresses de pages Web classées par sujets. En fouinant çà et là, vous allez trouver sans aucun doute quelque chose d'intéressant.

Cette page est bizarre

Il arrive qu'une page Web soit abîmée ou que vous l'interrompiez (en cliquant sur le bouton Arrêter dans la barre d'outils ou en appuyant sur la touche Echap). Pour indiquer à votre navigateur de recharger le contenu de la page : dans Firefox, cliquez sur le bouton Actualiser ou appuyez sur Ctrl+R ; dans Internet Explorer 10, cliquez également sur le bouton Actualiser (icône ci-contre) ou appuyez sur F5.

Avec Internet Explorer 10, si une page ne s'affiche pas, vous pouvez essayer de cliquer sur le bouton de compatibilité qui permet à des sites anciens de s'afficher correctement.

Sortez-moi de là !

Tôt ou tard, il va bien falloir que vous vous arrêtiez de surfer sur le Web, ne serait-ce que pour aller manger ou satisfaire quelque besoin naturel. Vous fermez votre navigateur exactement comme vous quittez tout programme Mac ou Windows : vous choisissez la commande Fichier/Quitter ou appuyez sur la combinaison Alt+F4. Sous Windows, vous pouvez également cliquer sur le bouton de fermeture (X) placé dans le coin supérieur droit de la fenêtre d'affichage.

Installer un autre navigateur

Un navigateur est sans aucun doute déjà installé sur votre machine. Tous les navigateurs récents se ressemblent tellement que nous vous suggérons de garder celui qui s'y trouve, pour l'instant, du moins. Si vous n'avez pas de chance, vous n'avez pas de navigateur ou un vieux modèle que vous devez mettre à jour pour bénéficier des fonctions récentes exploitées dans les pages Web. Si vous utilisez une version de Firefox antérieure à la 2 ou d'Internet Explorer antérieure à la 9.0, vous risquez de passer à côté de nombreuses nouvelles fonctionnalités. Heureusement, les navigateurs ne sont pas difficiles à obtenir et à installer, et la plupart sont gratuits.

De nouvelles versions de Firefox et d'Internet Explorer paraissent régulièrement. Elles corrigent les *bugs* des versions précédentes et comblent aussi certaines failles de sécurité qui permettent aux pirates de s'introduire dans les systèmes informatiques. À cet égard, Internet Explorer 10.0 est beaucoup plus sécurisé, performant, confidentiel, et pratique que l'était la version 8.0.

Comment se procurer un navigateur ?

Pour obtenir ou mettre à jour Firefox, allez à l'adresse `http://www.mozilla.org/fr/firefox/new/` (Figure 15.8). Si vous préférez Internet Explorer, qu'à cela ne tienne ! Rendez-vous à l'adresse `http://windows.microsoft.com/fr-fr/windows-8/internet-explorer` (Figure 15.9).

Figure 15.8 : Téléchargez Firefox.

Figure 15.9 : Téléchargez Internet Explorer 10 !

Lors d'une mise à jour d'une version antérieure du navigateur vers une plus récente, l'ancienne version sera remplacée par la nouvelle. Le programme d'installation conservera vos réglages et signets ou Favoris.

La première fois que vous ouvrez le navigateur

Pour ouvrir votre nouveau navigateur, cliquez sur son icône dans la barre des tâches de Windows 8 ou sur le raccourci affiché sur le bureau.

Si vous installez Firefox en plus d'Internet Explorer, vous êtes invité à importer tous vos paramètres Internet Explorer (ou de tout autre navigateur Web que vous utilisiez avant lui). Cela est important si vous avez réuni une impressionnante liste de Favoris que vous désirez retrouver dans Firefox.

Navigation sécurisée avec Internet Explorer 10

Une des nouvelles fonctions les plus intéressantes d'Internet Explorer 10 (héritée d'Internet Explorer 9) est la possibilité de naviguer sans laisser d'informations personnelles sur le Web.

Voici comment utiliser la fonction InPrivate d'Internet Explorer 10 :

1. **Démarrez Internet Explorer.**

   La page d'accueil définie par défaut apparaît.

2. **Cliquez sur Sécurité/Navigation InPrivate, comme le montre la Figure 15.10.**

   Ce choix ouvre une nouvelle fenêtre d'Internet Explorer expliquant en quoi consiste InPrivate, comme le montre la Figure 15.11.

   Comme vous le constatez, rien de ce qui vous concerne n'apparaît sur le Web lors d'une navigation en mode InPrivate. Internet Explorer empêche l'enregistrement :

   • des cookies ;

   • des fichiers Internet temporaires ;

Figure 15.10 : Navigation InPrivate d'Internet Explorer 10.

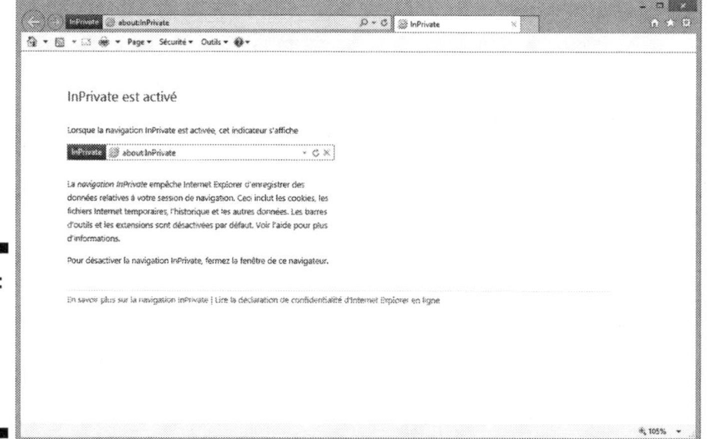

Figure 15.11 : Internet Explorer 10 en mode de navigation privée.

- de l'historique de navigation ;
- d'autres données personnelles.

3. **Dans la barre d'adresses, tapez l'URL de la page que vous désirez visiter, et appuyez sur Entrée.**

   La navigation se déroule tout à fait normalement. La seule et importante différence est que tout site que vous visitez et pour lequel vous avez antérieurement saisi des données personnelles vous obligera à les taper de nouveau. Ce sera le cas des sites marchand qui gardent souvent en mémoire votre nom d'utilisateur et votre mot de passe pour accélérer vos achats sur Internet.

4. **Pour sortir du mode InPrivate, il suffit de fermer cette fenêtre spéciale d'Internet Explorer 10.**

Chapitre 16

Il était un joli petit Web

Dans ce chapitre :

- Enregistrer et imprimer des pages Web.
- Demander au navigateur de mémoriser les noms d'utilisateur et les mots de passe.
- Naviguer dans plusieurs fenêtres à la fois.
- Afficher des pages Web dans des onglets.
- Marquer vos pages préférées.
- Contrôler les *cookies*.
- Arrêter les *popups*.
- Ajouter des *plug-ins* au navigateur.

Vous avez appris au Chapitre 15 ce qu'est un navigateur Web. Vous apprendrez à présent à exploiter quelques fonctionnalités telles que l'impression des pages Web, l'affichage simultané de plusieurs pages et la mémorisation des pages que vous visitez régulièrement. Vous devez également apprendre à gérer les espiogiciels, une menace Internet qui doit être prise au sérieux.

Enregistrer des éléments du Web

Très souvent, vous rencontrerez des éléments d'une page que vous aurez envie de conserver. Il peut s'agir d'une image ou de tout autre type de fichier, voire même d'une page Web entière. L'enregistrement de ces éléments est très facile à réaliser.

Enregistrer une page Web

Lorsque vous enregistrez une page Web, vous devez décider si vous n'en gardez que le texte ou si vous sauvegardez sa version HTML. Cette dernière version inclut tous les codes qui président à la mise en forme de la page.

Voici comment enregistrer une page Web affichée :

1. **Cliquez sur Fichier/Enregistrer sous (aussi bien dans Internet Explorer que dans Firefox).**

   Dans Internet Explorer, lorsque la barre des menus n'est pas affichée en permanence, vous devrez appuyer sur la touche Alt pour afficher la barre de menus.

   Pour afficher de manière permanente la barre des menus d'Internet Explorer 10, appuyez sur Alt. Ensuite, cliquez sur Affichage/Barre d'outils/Barre de menus (Figure 16.1). Pour masquer la barre de menus, il suffit de répéter cette opération.

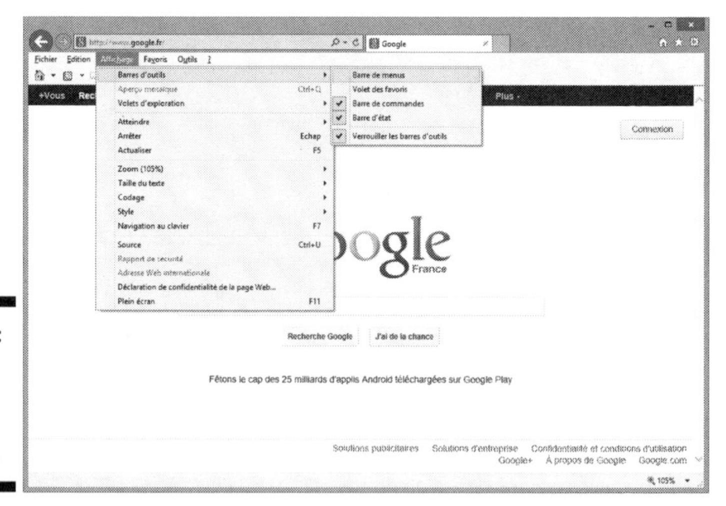

Figure 16.1 : Afficher la barre de menus d'Internet Explorer 10.

   Une boîte de dialogue d'enregistrement standard apparaît.

2. **Attribuez un nom à cette page dans le champ Nom du fichier, ou bien laissez le nom affiché par défaut.**

3. **Dans la liste Type, choisissez la forme sous laquelle vous allez sauvegarder cette page sur votre disque dur.**

Choisissez :

- **Fichier texte** pour ne conserver que la version texte de la page avec quelques petites marques indiquant l'emplacement des images.
- **Page Web HTML uniquement** ou **Page Web complète** pour conserver cette page dans sa mise en forme actuelle, c'est-à-dire exactement telle que vous la voyez à l'écran.

4. **Cliquez sur le bouton Enregistrer.**

Enregistrer une image

Pour enregistrer une image affichée sur une page Web :

1. **Cliquez sur l'image du bouton droit de la souris.**
2. **Dans le menu contextuel, choisissez la commande Enregistrer l'image sous, comme le montre la Figure 16.2.**

Figure 16.2 : Enregistrez, sur votre disque dur, une image trouvée sur une page Web.

3. **Dans la boîte de dialogue Enregistrer l'image, utilisez la liste Enregistrer dans. Utilisez ensuite le volet de gauche pour sélectionner le disque dur ou le dossier de stockage de cette image.**
4. **Puis, dans le volet de droite, localisez le disque dur et/ou le dossier ou le sous-dossier de stockage.**

5. **Dans le champ Nom du fichier, modifiez si besoin le nom assigné par défaut.**

6. **Enfin, dans le champ Type, choisissez le format graphique sous lequel vous désirez enregistrer cette image. Cliquez sur Enregistrer.**

N'oubliez jamais que tout ce que vous voyez sur le Net est protégé par la loi sur les droits d'auteur. Par conséquent, vous ne pouvez pas utiliser les textes, les images, les vidéos, la musique, *etc.* comme bon vous semble car vous n'en avez pas la propriété artistique. En d'autres termes, vous ne pouvez jamais utiliser, sans autorisation écrite des auteurs, tout document dont vous n'êtes pas vous-même le créateur. Conclusion : n'utilisez jamais ces éléments sur votre site Web !

Imprimer des pages Web

Aux premières années du Web, toutes les pages affichaient une commande d'impression qui ne fonctionnait pas ! On pensait à l'époque que l'internaute ne souhaitait consulter les informations qu'en ligne.

Or, de nombreux internautes aiment se constituer des dossiers complets à titre privé, professionnel, ou encore dans le cadre de leurs études. Aujourd'hui, l'impression du contenu d'une page Web est très simple à réaliser.

Soit vous cliquez sur le bouton Imprimer cette page (ou Imprimer), soit vous invoquez Fichier/Imprimer. Le navigateur doit effectuer une nouvelle mise en page du contenu Web afin de le rendre présentable sur un format A4. Cela demande un peu de temps. Une barre de progression permet de savoir où vous en êtes de cette impression.

Si vous cliquez sur l'icône d'impression de la barre d'outils d'Internet Explorer 10, la page Web est directement imprimée. En revanche, si vous exécutez la commande Imprimer du menu Fichier, vous accédez à la boîte de dialogue Imprimer où vous paramétrez votre impression.

Sous Internet Explorer 10, vous pouvez cliquer sur la petite flèche située à droite de l'icône de l'imprimante (Figure 16.3). Dans le menu local qui apparaît, choisissez Imprimer pour ouvrir la boîte de dialogue éponyme, Aperçu avec impression pour prévisualiser précisément ce que vous allez imprimer, ou Mise en page pour choisir ce qui sera ou non imprimé.

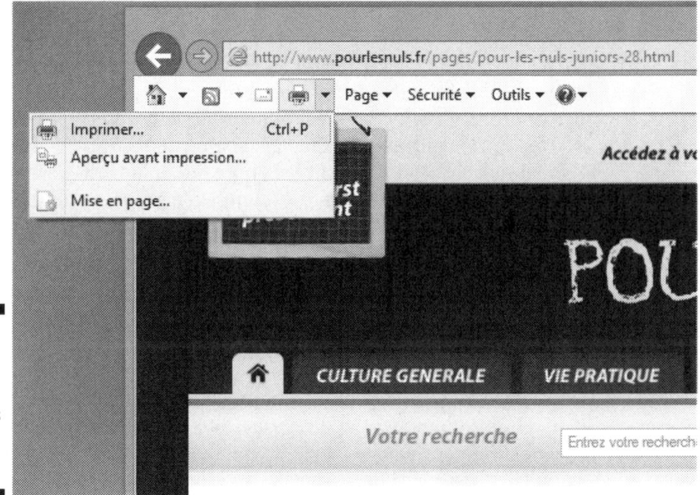

Figure 16.3 : Imprimer depuis la barre d'outils d'Internet Explorer 10.

Remplir des formulaires

Dans une page Web, un *formulaire* est une page remplie de champs de saisie, de cases à cocher, de boutons radio, de listes qui permettent de communiquer des informations à un site Web lorsque vous cliquez sur le bouton Envoyer. La Figure 16.4 présente un formulaire type.

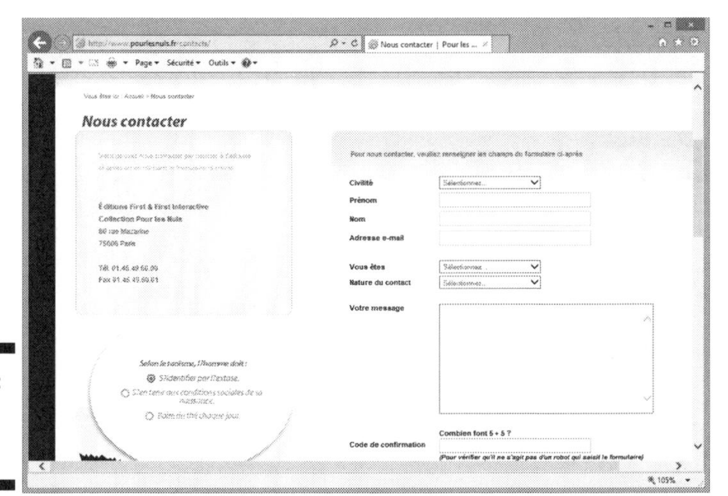

Figure 16.4 : Remplissez des formulaires.

Les *champs de saisie* permettent de taper des informations comme votre nom, votre courriel ou encore votre adresse postale. Les petits carrés sont des *cases à cocher*. Elles permettent de choisir plusieurs options (ou réponses) proposées. En revanche, les petits cercles sont des boutons d'option souvent appelés *boutons radio*. Dès que vous en activez un, les autres du même groupe ne peuvent plus l'être, contrairement aux *cases* permettant les choix multiples. Les formulaires contiennent également des *listes* dont les différentes natures permettent d'effectuer un ou plusieurs choix.

Les formulaires ont également des boutons. Ils sont généralement au nombre de deux : l'un pour envoyer, donc valider le formulaire, et l'autre pour l'annuler. Parfois, vous en verrez un troisième qui permet de purger le contenu afin de recommencer la saisie des informations.

Certaines pages Web comportent un *champ de recherche*. Cela permet d'effectuer une recherche d'informations sur un site en saisissant un mot-clé. Par exemple, la page Web de Google, à l'adresse `www.google.fr` et à la Figure 16.5, n'en a qu'un seul dans lequel vous tapez l'objet de la recherche. Pour trouver des sites Web consacrés au cinéma, saisissez simplement « cinéma » et cliquez sur le bouton Recherche Google. Une liste des sites sur le cinéma s'affichera dans le reste de la page.

Figure 16.5 : La page d'accueil du célèbre moteur de recherche Google.

Internet Explorer est doté d'un champ de recherche situé en haut à droite de l'interface. Par défaut, il propose d'effectuer une recherche *via* le moteur Bing. Toutefois, si vous cliquez sur la petite flèche située à droite de la loupe, vous avez la possibilité de choisir d'autres moteurs en cliquant sur la commande Rechercher d'autres moteurs de recherche. Utilisez celui qui vous convient le mieux.

Les pages Web sécurisées

Lorsque vous remplissez un formulaire en ligne, vous êtes amené à communiquer des informations confidentielles, votre numéro de carte bancaire, par exemple. Heureusement, les pages Web savent crypter les données que vous envoyez et que vous recevez d'un *serveur Web sécurisé*.

L'icône d'un petit cadenas affichée à droite de l'adresse, dans la page de navigation, indique que toutes les transactions effectuées à partir de cette page sont cryptées. Si ce fameux petit cadenas est ouvert ou absent, cela signifie que la page n'est pas cryptée. Dans Firefox, le cadenas figure en bas à droite de la fenêtre du navigateur.

Le remplissage des formulaires s'effectue presque toujours dans une page Web sécurisée. Ceci évite tout détournement des informations par les cyberdélinquants. Le cryptage des données saisies est sécurisant, mais il faut savoir que les vrais dangers d'Internet se situent ailleurs.

Comme expliqué au précédent chapitre, Internet Explorer 10 permet de surfer en mode InPrivate, c'est-à-dire un mode dans lequel aucune donnée personnelle n'est transmise aux sites Web. Pour cela :

1. **Cliquez sur Sécurité/Navigation InPrivate.**

   Internet Explorer ouvre une nouvelle fenêtre comme celle de la Figure 16.6.

2. **Pour quitter la mode InPrivate, fermez cette fenêtre.**

   Pour savoir si vous êtes dans une fenêtre d'Internet Explorer affichée en mode InPrivate, regardez si cette mention figure à gauche de la barre d'adresses.

Laisser votre navigateur gérer vos mots de passe

De nombreux sites Web demandent la saisie d'un nom d'utilisateur et d'un mot de passe. Par exemple, lorsque vous achetez quelque chose sur un site Web, vous ouvrez généralement un compte qui stocke votre adresse de facturation et de livraison. Cela permet de régler

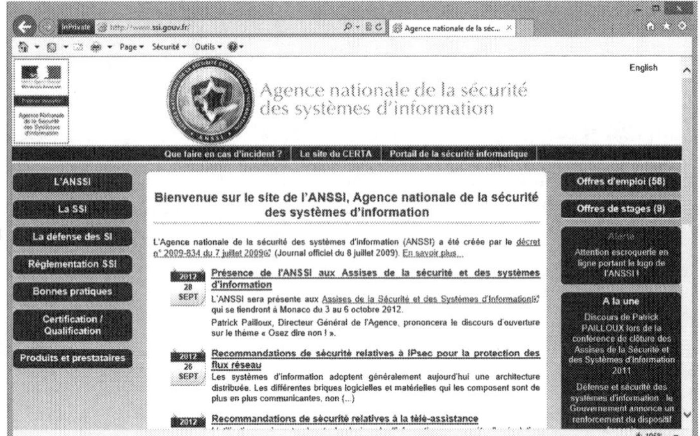

Figure 16.6 : Naviguer incognito avec le mode InPrivate d'Internet Explorer 10.

vos achats plus rapidement. Pour accéder à ce compte, vous devez systématiquement saisir votre nom d'utilisateur et votre mot de passe. Comme vous avez probablement défini des quantités industrielles de mots de passe, il est parfois salutaire de demander à votre navigateur Web de les conserver en mémoire.

Firefox et Internet Explorer savent mémoriser les noms d'utilisateur et les mots de passe. Cependant, cette fonction pratique peut s'avérer dangereuse si d'autres personnes utilisent votre ordinateur dans un lieu public comme une bibliothèque ou un cybercafé. En revanche, si vous êtes seul à accéder à votre ordinateur, vous pouvez demander au navigateur de mémoriser certains de vos noms d'utilisateur et de vos mots de passe.

Lorsque vous accédez à une page Web qui requiert ces deux informations, votre navigateur affiche un message, comme celui d'Internet Explorer 10, représenté à la Figure 16.7. Cliquez sur Oui si vous désirez ne pas avoir à saisir le mot de passe lors de votre prochaine visite. Avec Firefox, vous disposez d'un bouton Ne jamais se souvenir de mots de passe pour ce site (Figure 16.8). Si vous cliquez dessus, la cause est entendue. Vous serez systématiquement obligé de saisir le mot de passe pour ce site spécifique. Si vous répondez Non, aucune mise en mémoire n'est faite, mais le message s'affichera de nouveau lorsque vous reviendrez sur le site.

Voici comment contrôler la manière dont les mots de passe sont stockés par Internet Explorer 10 :

1. **Cliquez sur Outils/Options Internet.**

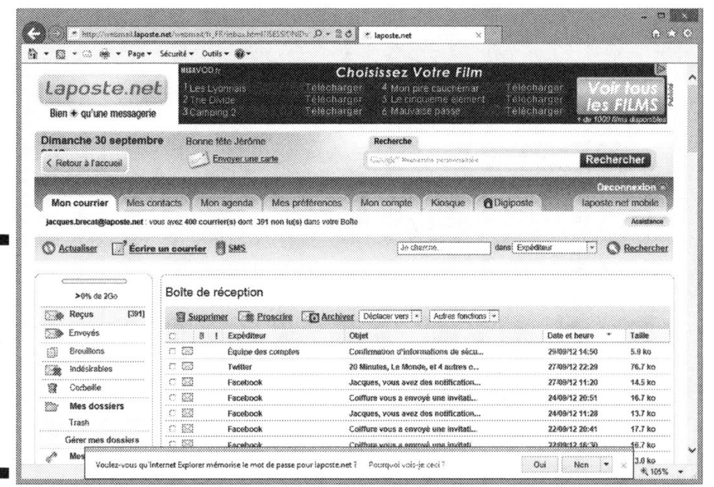

Figure 16.7 : Internet Explorer peut stocker les mots de passe saisis sur les sites Web.

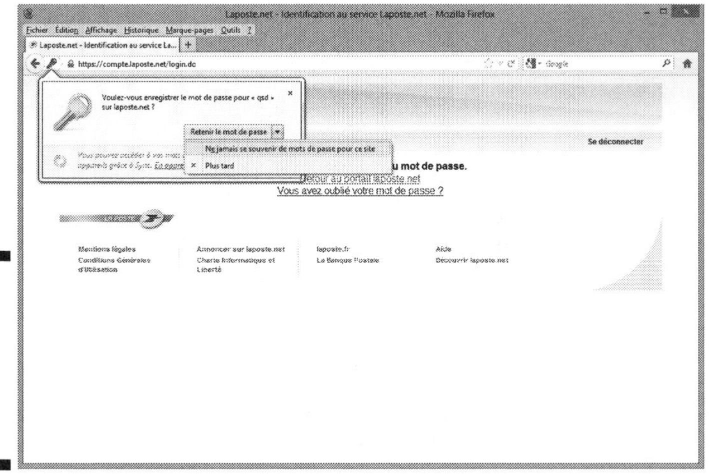

Figure 16.8 : Firefox peut stocker les mots de passe saisis sur les sites Web.

2. **Cliquez sur l'onglet Contenu.**

3. **Dans la section Saisie semi-automatique, cliquez sur le bouton Paramètres.**

   Vous affichez la boîte de dialogue Paramètres de la saisie-automatique illustrée à la Figure 16.9.

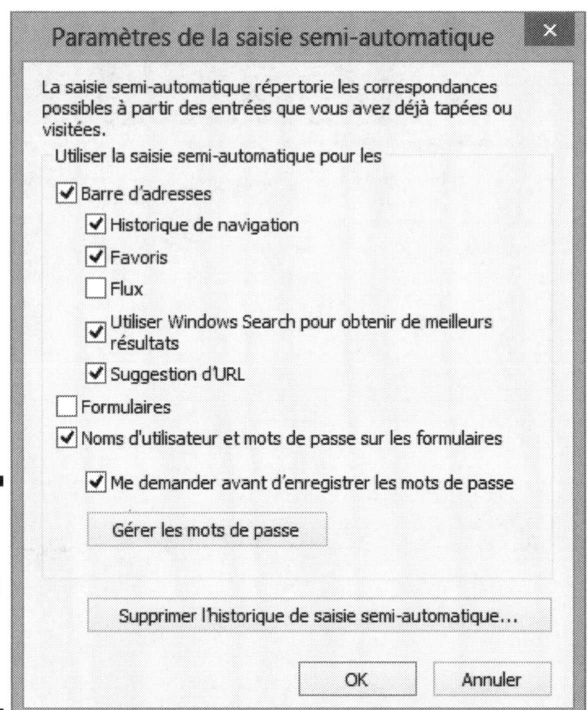

Figure 16.9 : Gérez la manière dont Internet Explorer doit stocker vos mots de passe.

4. **Selon votre préférence, cochez ou décochez la case Me demander avant d'enregistrer les mots de passe.**

   Voici les options disponibles :

   • Si vous décochez l'option Me demander avant d'enregistrer les mots de passe, cette fonction est désactivée. Cochez la case pour la réactiver. Les mots de passe seront automatiquement enregistrés.

   • Cliquez sur le bouton Supprimer l'historique de la saisie semi-automatique pour éventuellement supprimer des noms d'utilisateur et des mots de passe qu'Internet Explorer 10 aurait mémorisés.

   • Décochez la case Noms d'utilisateurs et mots de passe sur les formulaires pour qu'Internet Explorer n'essaie pas de les stocker.

5. **Cliquez sur OK pour quitter la boîte de dialogue Paramètres de la saisie semi-automatique.**

Personnellement, je laisse mon navigateur Web mémoriser les mots de passe de mes différents comptes quand ceux-ci n'engagent aucunement des informations personnelles et/ou bancaires. Par exemple, si nous avons un compte sur le site Web des fans de Harry Potter pour nous permettre de discuter en ligne avec d'autres personnes partageant notre passion, nous ne risquons pas grand-chose à mémoriser le mot de passe dans le navigateur. Nous ne procéderons bien sûr pas de la même manière avec le nom d'utilisateur et le mot de passe d'accès à un compte bancaire.

Des fenêtres ouvertes sur le monde

Firefox et Internet Explorer sont capables de faire plusieurs choses à la fois (c'est ce qu'on appelle du *multitraitement*), et notamment d'afficher plusieurs pages Web simultanément. Lorsque nous cliquons çà et là dans les pages Web, nous aimons bien ouvrir de multiples fenêtres pour retourner rapidement à une page précédente en basculant simplement d'une fenêtre à l'autre, ou mieux, dans des onglets. Dès que vous désirez afficher une nouvelle page, il suffit de l'ouvrir dans un onglet pour la conserver à disposition. Cliquez sur l'onglet d'une page pour en afficher le contenu.

Des fenêtres un peu partout

Pour ouvrir une nouvelle page dans Internet Explorer ou Firefox, cliquez du bouton droit de la souris sur un lien et, dans le menu qui surgit, choisissez la commande Ouvrir dans une nouvelle fenêtre, ou Ouvrir le lien dans une nouvelle fenêtre pour Firefox. Pour fermer une fenêtre, cliquez sur sa case de fermeture (représentée par une croix dans le coin supérieur droit) ou appuyez sur Alt+F4.

Vous pouvez également ouvrir une nouvelle fenêtre sans pour autant suivre un autre lien. Pour cela, appuyez sur Ctrl+N ou (après un appui sur Alt) cliquez sur Fichier/Nouvelle fenêtre dans Internet Explorer et Firefox.

Dans Firefox et dans Internet Explorer 10, cette commande ne produit pas le même effet. Ainsi, dans Internet Explorer 10, une nouvelle fenêtre va afficher le contenu de la fenêtre actuelle ; dans Firefox, vous partez d'une nouvelle fenêtre affichant la page d'accueil par défaut. Pour ouvrir, dans Internet Explorer 10, une nouvelle fenêtre affichant votre page d'accueil par défaut, vous devez cliquer sur Fichier/Nouvelle session.

Jeux d'onglets

Apparus d'abord dans le méconnu navigateur Opera puis dans Firefox, avant d'être adopté par Internet Explorer 7, les *onglets* contiennent chacun une page Web. La Figure 16.10 montre Internet Explorer 10 avec quatre onglets. Pour afficher une des pages, il suffit de cliquer sur son onglet en haut de la fenêtre. Cliquez sur le minuscule onglet vide, à droite de ceux déjà ouverts (ou appuyez sur Ctrl+T), pour créer un nouvel onglet ou sur le X à droite de l'onglet courant pour le supprimer. Les

Figure 16.10 : Une fenêtre d'Internet Explorer 10 avec quatre onglets.

onglets travaillent en *multithread*, c'est-à-dire qu'un chargement peut se dérouler à l'arrière-plan dans un onglet pendant que vous en consultez un autre. Nous trouvons les onglets généralement plus pratiques que les fenêtres. Les deux sont exploitables conjointement ; rien n'empêche d'ouvrir plusieurs fenêtres, chacune pouvant afficher plusieurs onglets.

À propos du téléchargement

Si vous demandez à votre navigateur de commencer à télécharger un gros fichier, il affichera généralement une petite fenêtre dans un coin de votre écran. Firefox ouvre la fenêtre Téléchargements. Vous y suivez la progression du transfert. Internet Explorer, lui, présente des petites pages voletant de gauche à droite, d'un dossier à un autre, ainsi qu'une barre de progression. Certains trouvent cela amusant ! Et, pendant ce temps-là, vous pouvez revenir à la fenêtre principale de votre navigateur et continuer votre promenade sur le Web.

Attention : faire deux ou trois choses à la fois avec votre navigateur lorsque vous êtes connecté à Internet par une ligne téléphonique peut vous faire gagner du temps. Tout dépend, en fait, du débit maximal du modem. La vitesse de transfert sera partagée entre les fenêtres actives du navigateur. Un seul transfert de fichier peut parfois solliciter presque toute la bande passante. Par conséquent, plusieurs activités se dérouleront toutes plus lentement.

Si une tâche est un téléchargement de gros fichiers et l'autre une simple promenade sur le Web, tout se passe généralement bien car vous passez plus de temps à regarder la page Web, permettant au fichier d'être transféré sans entrave. Mais ce n'est pas parce que Firefox et Internet Explorer permettent de télécharger plusieurs fichiers en même temps que vous allez y gagner quoi que ce soit. Il n'y a pas de raison d'en traiter plus d'un seul (deux, à la rigueur) à la fois, et, en plus, vous risquez de vous tromper.

Les navigateurs Web disposent d'un « cache ». Il s'agit d'une zone de stockage où le programme enregistre les images d'un site de manière à les réafficher lors d'une prochaine connexion au même site, ce qui fait gagner du temps. Le problème du cache est qu'il peut empêcher l'affichage de la version actualisée de la page, ce qui peut être gênant sur un site marchand, financier ou journalistique, les prix, cours et informations risquant d'être périmés. Pour éviter ce désagrément, recharger la page en appuyant sur la touche F5 du clavier (avec Internet Explorer ou Firefox). Sachez cependant que ces navigateurs, en règle générale, chargent systématiquement la nouvelle version des pages Web lorsque leur contenu a radicalement changé. Toutefois, l'appui sur F5 reste un excellent réflexe.

Favoris et signets

Il existe quantité de sites passionnants à visiter sur le Web, et vous voudrez revisiter bon nombre d'entre eux. Par bonheur, les programmeurs qui ont conçu les navigateurs ont pensé à un moyen de mémoriser les bonnes adresses, évitant ainsi de devoir noter manuellement des URL parfois compliquées. Ces moyens sont des *signets, marque-pages* ou *favoris*.

Le terme diffère d'un navigateur à un autre mais le principe reste le même. Votre navigateur vous permet d'enrichir votre « carnet d'adresses Web » en y ajoutant l'URL de la page affichée. Quand vous voudrez y revenir, vous n'aurez qu'à parcourir les signets à la recherche du site qui vous intéresse.

Il y a deux façons d'utiliser les signets. L'une consiste à se les représenter comme les entrées d'un menu qui viendrait s'ajouter aux menus de votre navigateur. L'autre est de les considérer comme une page de liens.

Les marque-pages de Firefox

Pour accéder aux signets de Firefox – pardon, aux marque-pages –, cliquez sur le menu Marque-pages. Pour en ajouter un, correspondant à la page actuellement affichée, cliquez sur Marquer cette page ou appuyez sur Ctrl+D. Les signets se présentent comme des entrées du menu qui apparaît lorsque vous cliquez sur le menu Marque-pages (Figure 16.11). Pour atteindre une des pages de la liste, il suffit de cliquer sur l'entrée correspondante.

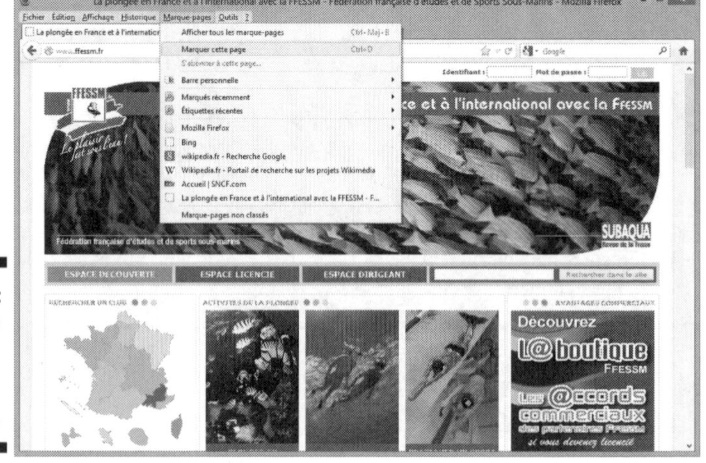

Figure 16.11 : Marquer des pages pour mieux les consulter dans Firefox.

Si vous êtes comme la plupart des surfeurs du Net, votre liste de signets va s'allonger, et bientôt votre écran ne sera plus assez grand pour l'afficher en entier. Il est cependant possible de donner au menu une forme plus manipulable :

1. **Choisissez Marque-pages/Afficher tous les marque-pages pour accéder à la fenêtre Bibliothèque (Figure 16.12).**

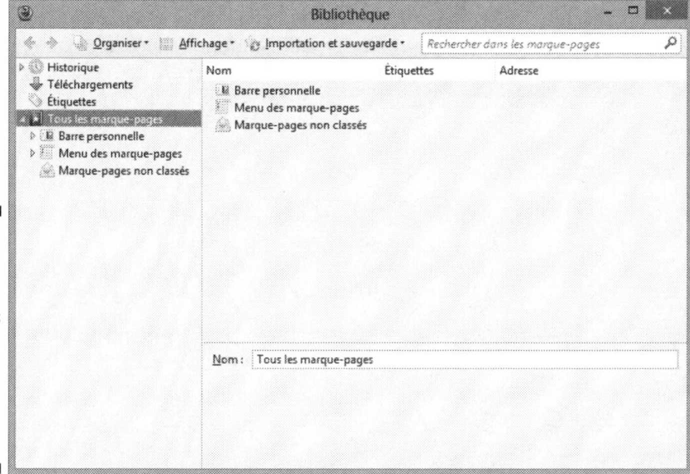

Figure 16.12 : La fenêtre Bibliothèque comporte des commandes pour déplacer, modifier et supprimer ces signets.

2. **Double-cliquez sur Tous les marque-pages puis sur Menu des marque-pages pour afficher la liste de vos marque-pages.**

   Vous pouvez atteindre la page qu'un signet représente à l'aide d'un double-clic.

3. **Cliquez ensuite sur le menu Organiser pour choisir ce que vous voulez réaliser comme action (supprimer, déplacer, etc.).**

4. **Lorsque vous avez fini de jouer avec vos signets, cliquez sur le bouton de fermeture de la fenêtre, ou bien appuyez sur Ctrl+W.**

Marque-pages en un clic sous Firefox

La Barre personnelle est une rangée de boutons affichée juste au-dessous de la barre d'adresse. Si ce n'est pas le cas, choisissez Affichage/Barre d'outils/Barre personnelle. Cette rangée de boutons donne un accès rapide à un certain nombre de sites Web de Firefox. Il est pratique de les remplacer par vos propres favoris. Lorsque vous organisez vos signets dans la fenêtre Gestionnaire de marque-pages, placez vos sites favoris dans le dossier Barre personnelle ; tous les sites présents dans ce dossier apparaissent systématiquement dans la Barre personnelle. Il est même possible d'ajouter des dossiers et d'y insérer des signets. Nous apprécions beaucoup cette caractéristique de Firefox.

Les favoris d'Internet Explorer

Internet Explorer et Firefox utilisent une technique à peu près semblable, grâce à laquelle vous pouvez enrichir votre liste de Favoris avec l'URL de la page affichée, puis consulter et réorganiser votre dossier Favoris.

Pour ajouter la page actuelle à votre dossier Favoris :

1. **Dans la partie supérieure droite d'Internet Explorer, cliquez sur l'icône représentant une étoile.**

   La section Ajouter aux Favoris (Figure 16.13) apparait.

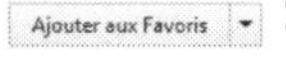

2. **Cliquez sur la flèche Ajouter aux favoris et indiquez l'emplacement de sauvegarde du favoris.**

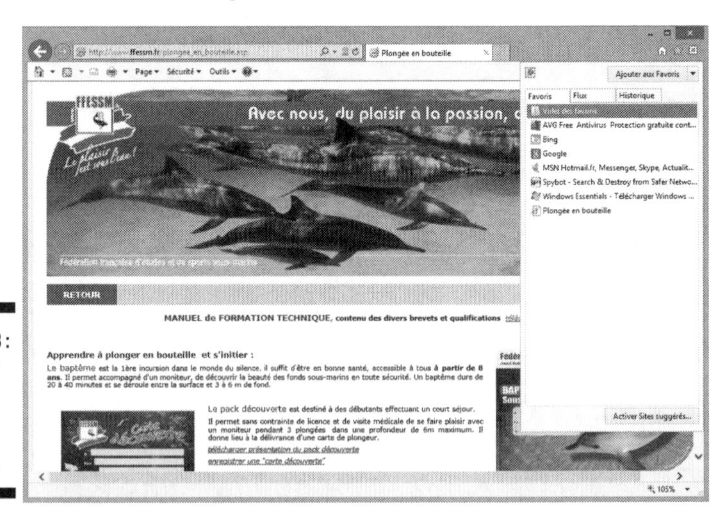

Figure 16.13 : Ajout d'une page Web aux favoris d'Internet Explorer 10.

Vous pouvez également ajouter une page aux favoris *via* Favoris/Ajouter aux favoris. Cela affiche la boîte de dialogue éponyme dans laquelle vous pouvez créer un dossier spécial pour y sauvegarder des pages traitant d'un même sujet.

3. **Pour réorganiser le dossier Favoris, choisissez Favoris/Organiser les Favoris.**

La fenêtre Organisation des Favoris (Figure 16.14) permet de créer des dossiers pour les favoris, de déplacer les favoris, de les modifier et de les supprimer.

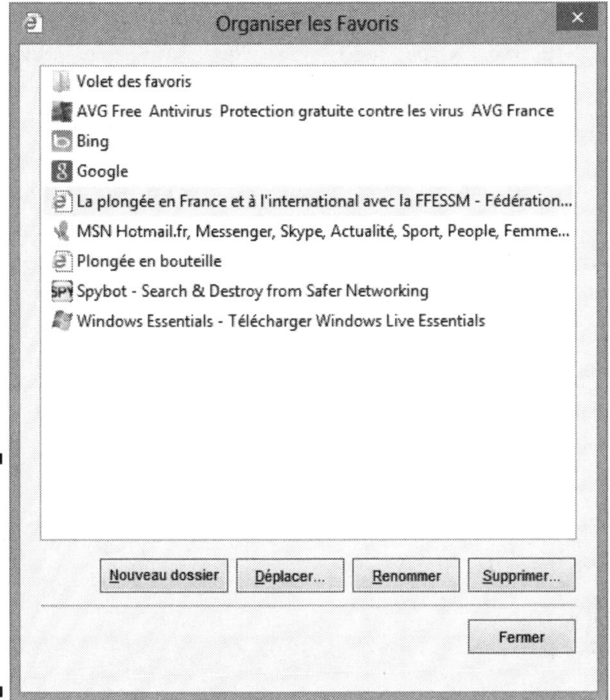

Figure 16.14 : Dans cette fenêtre, organisez les favoris définis dans Internet Explorer 10.

4. **Pour voir le contenu d'un dossier, cliquez dessus.**
5. **Lorsque vous avez fini d'organiser vos favoris, cliquez sur le bouton Fermer.**

Les dossiers créés dans la fenêtre Organiser les Favoris apparaissent dans le menu Favoris. Les éléments placés dans les dossiers apparaissent dans des sous-menus. Pour revenir à une page Web ajoutée au dossier Favoris, cliquez dessus dans le menu Favoris.

Favoris en un clic sous Internet Explorer

La barre d'outils Volets des favoris apparaît habituellement juste au-dessous ou à droite de la zone Adresse ou de la barre de menus. Si ce n'est pas le cas, appuyez sur la touche Alt et choisissez Affichage/

Barres d'outils/Volet des favoris. Pour ajouter un bouton d'accès rapide à un site favoris :

1. **Affichez la page Web à laquelle vous désirez accéder en un clic de souris.**
2. **Dans le Volet des favoris, cliquez sur l'icône Ajouter au volet des favoris.**

   Un « bouton » d'accès direct au site apparaît dans le volet des favoris.

   Comme le nom du bouton du favori est celui de la page affichée, il est souvent judicieux de lui en assigner un nouveau.

3. **Pour cela, faites un clic-droit sur le bouton du favoris. Dans le menu contextuel, choisissez Renommer, comme à la Figure 16.15.**
4. **Dans la boîte de dialogue Renommer, assignez un nouveau nom, et cliquez sur OK.**
5. **Pour supprimer un favoris dans le volet des favoris, faites un clic-droit sur son bouton. Dans le menu contextuel, exécutez la commande Supprimer.**

Figure 16.15 : Renommer un favori du volet des favoris.

Personnaliser le navigateur

À moins de bénéficier d'une connexion directe en haut débit à Internet, vous passerez beaucoup de temps à attendre que vos pages se chargent. Et, même dans ce cas, tout particulièrement en ce qui concerne les liaisons transatlantiques, les temps d'attente risquent d'être importants en cours de journée. Voici quelques astuces pour accélérer le téléchargement.

D'où partez-vous ?

À l'ouverture du navigateur, une *page d'accueil* s'affiche. Ainsi, Firefox charge systématiquement la page d'accueil de Mozilla, tandis qu'Internet Explorer affiche celle de MSN. Au bout d'une fois ou deux, malgré la beauté manifeste de la page, vous aurez probablement envie de ne pas la voir. Il suffit d'indiquer au navigateur la page qu'il doit afficher à chaque fois que vous l'exécutez.

Dans Firefox : si vous êtes lassé par la page d'accueil par défaut affichée par Firefox, voici comment indiquer au programme une autre page de démarrage :

1. **Dans le menu Outils, cliquez sur Options.**

   La fenêtre Options s'affiche.

2. **Assurez-vous que la catégorie Général est ouverte.**

   Sinon, cliquez sur l'onglet éponyme. La ligne intitulée Page d'accueil contient l'adresse Web par défaut de la page que Firefox affichera systématiquement au démarrage (Figure 16.16).

3. **Pour démarrer sans page Web, cliquez sur le bouton fléché à droite du champ Au démarrage de Firefox, et dans le menu, choisissez Afficher une page vide.**

4. **Cliquez sur OK.**

Firefox peut mémoriser et ouvrir plusieurs pages de démarrage. Chacune s'affichera dans un onglet. Pour les définir, commencez par les afficher sous forme d'onglets dans Firefox (appuyez sur Ctrl+T pour créer un onglet). Ensuite :

1. **Cliquez sur Outils/Options.**

2. **Dans la boîte de dialogue Options, sélectionnez Général.**

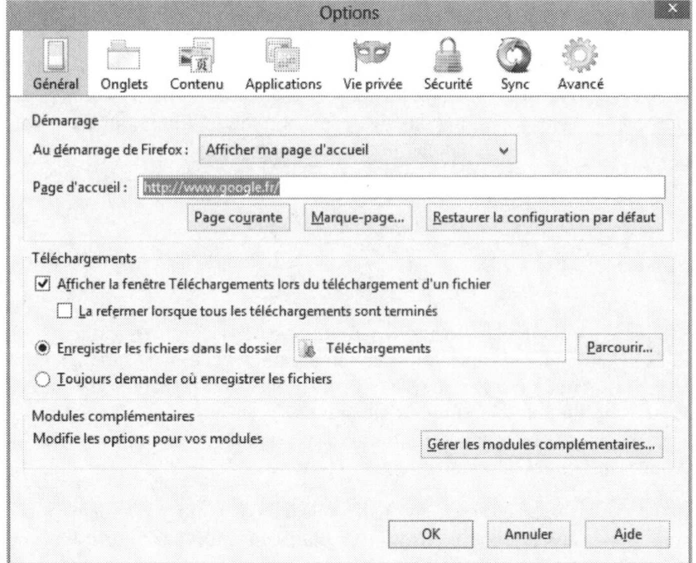

Figure 16.16 : Indiquez dans la fenêtre Options de Firefox le site Web qui s'affichera au démarrage du navigateur.

3. **Cliquez sur le bouton fléché à droite du champ Au démarrage de Firefox, et dans le menu, choisissez Afficher les derniers onglets et fenêtres utilisés.**

   Désormais, les pages des sites visibles dans des onglets s'ouvriront systématiquement au démarrage de Firefox.

Dans Internet Explorer : par défaut, Internet Explorer charge la page d'accueil de MSN, c'est-à-dire le site portail de Microsoft. Vous pouvez cependant spécifier l'adresse d'une autre page ou démarrer avec une page vierge. Suivez ces étapes pour démarrer avec une page vierge au lancement d'Internet Explorer :

1. **Affichez la page Web à utiliser comme page de démarrage.**

   Par exemple, la page Yahoo! ou encore Google, le célèbre moteur de recherche.

2. **Si la barre de menus n'est pas visible, appuyez sur la touche Alt puis cliquez sur Outils/Options Internet.**

   Vous accédez à la boîte de dialogue Options Internet.

3. **Cliquez sur l'onglet Général.**

En réalité, il est probablement déjà sélectionné. Nous précisons cela au cas où vous auriez parcouru les autres onglets.

4. **Dans la section Page de démarrage de la boîte de dialogue, cliquez sur le bouton Page actuelle (Figure 16.17).**

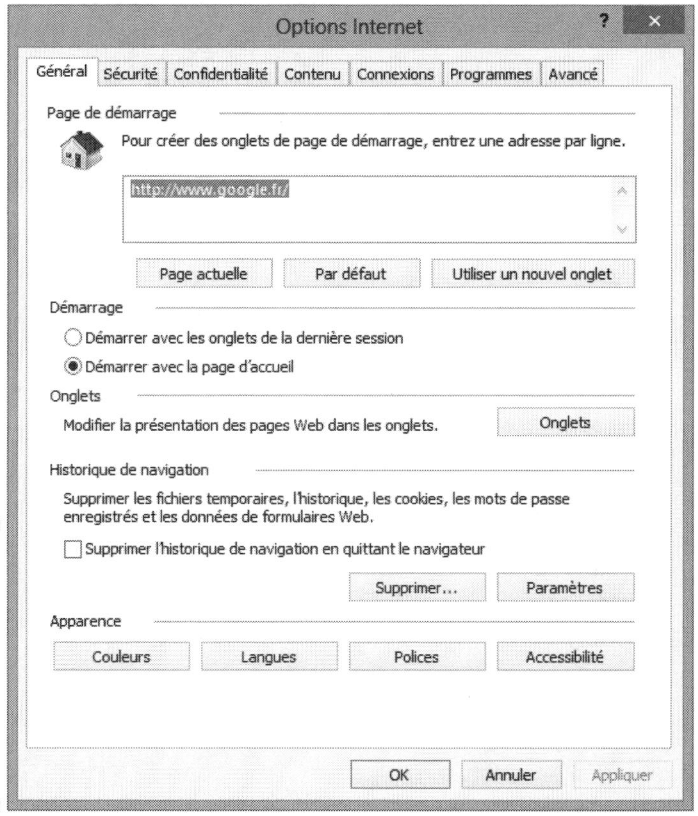

Figure 16.17 : La boîte de dialogue Options Internet permet notamment de définir la page Web affichée au démarrage.

L'URL de la page actuelle s'affiche dans la zone de saisie.

5. **Cliquez sur OK.**

Choisissez une page de démarrage contenant peu d'images : en commençant par une page Web qui se charge plus rapidement ou même sans aucune page, vous n'attendrez pas longtemps pour commencer à naviguer.

Personnaliser la barre d'outils

La barre d'outils est la rangée d'icônes qui se situe juste sous les menus du navigateur. Par défaut, le navigateur Web propose les boutons les plus utiles. Cependant, vos habitudes d'internaute démontreront sans doute que certains ne vous servent à rien et qu'en revanche, d'autres vous seraient bien utiles. Heureusement, il est possible de personnaliser les barres d'outils et d'y inclure les boutons qui exécutent les commandes dont vous avez besoin le plus souvent.

Dans Firefox, vous personnalisez une barre d'outils comme ceci :

1. **Ouvrez le menu Affichage/Barre d'outils/Personnaliser.**

   Cette action ouvre la boîte de dialogue Modification des barres d'outils (Figure 16.18).

Figure 16.18 : Personnalisation des barres d'outils dans Firefox.

2. **Localisez le bouton correspondant à la commande que vous désirez exécuter.**

3. **Glissez-déposez-le jusqu'à la barre d'outils.**

4. **Pour vous débarrasser d'un bouton inutile. Cliquez dessus dans la barre d'outils de Firefox et, sans relâcher le bouton de la souris, faites-le glisser puis déposez-le dans la boîte de dialogue Modification des barres d'outils.**

Si la barre d'outils de Firefox n'est pas visible, cliquez sur Affichage/Barre d'outils/Barre personnelle.

Dans Internet Explorer :

1. **Cliquez avec le bouton droit de la souris sur la droite de la barre d'outils.**
2. **Dans le menu contextuel, choisissez Personnaliser puis Ajouter ou supprimer des commandes.**

   Vous accédez ensuite à la boîte de dialogue Personnalisation de la barre d'outils (Figure 16.19).

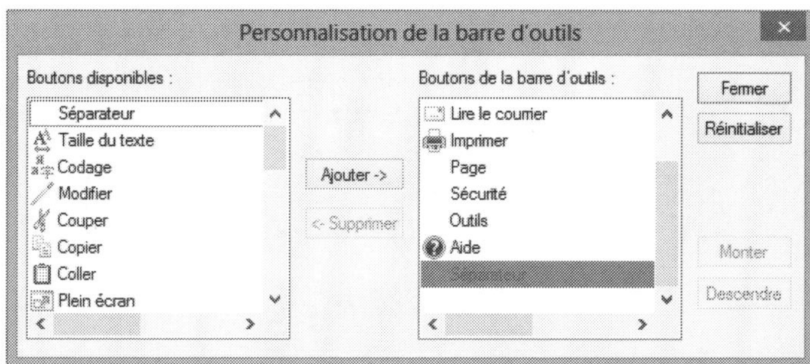

Figure 16.19 : Personnalisation des barres d'outils dans Internet Explorer.

   La liste de gauche affiche les boutons disponibles, c'est-à-dire ceux que vous pouvez ajouter à la barre d'outils, et celle de droite affiche ceux qui sont actuellement situés sur ladite barre.

3. **Pour supprimer un bouton de la barre d'outils, sélectionnez-le dans la liste Boutons de la barre d'outils et cliquez sur le bouton Supprimer.**
4. **Pour ajouter de nouveaux boutons, sélectionnez-les dans la liste Boutons disponibles et cliquez sur Ajouter.**

Si la barre d'outils d'Internet Explorer 10 n'est pas visible, cliquez sur Affichage/Barre d'outils/Barre de commandes.

Si quelqu'un d'autre a utilisé et modifié votre navigateur, vous pouvez facilement rétablir votre présentation préférée :

- **Si toute la partie supérieure du navigateur a disparu**, c'est parce que le navigateur est affiché en mode plein écran. Appuyez sur la touche F11 pour rétablir l'affichage normal.
- **S'il manque des barres d'outils**, appuyez sur Alt puis cliquez sur Affichage/Barres d'outils. Une barre non cochée n'est jamais

affichée. Il suffit alors de cliquer sur les noms des barres d'outils que vous désirez faire apparaître dans l'interface du navigateur. Une coche s'affiche à gauche du nom de la barre d'outils. Dans Internet Explorer, vous disposez des barres d'outils Barre de menus, Volet des favoris, Barre de commandes et Barre d'état. Dans Firefox, ce sont la Barre de menus, la Barre de navigation, la Barre personnelle (qui affiche les marque-pages) et la Barre des modules.

- **Si les boutons de votre barre d'outils ne sont pas ceux que vous avez l'habitude d'utiliser**, cliquez du bouton droit de la souris sur la barre d'outils (à l'exception des boutons Précédente, Suivante, Reculer d'une page et Avancer d'une page). Dans le menu contextuel, cliquez sur Personnaliser. Dans la boîte de dialogue Modification des barres d'outils de Firefox, cliquez sur le bouton Configuration par défaut. Dans la boîte de dialogue Personnalisation de la barre d'outils d'Internet Explorer, cliquez sur le bouton Réinitialiser. Ensuite, cliquez sur le bouton Fermer dans Internet Explorer et sur le bouton Terminer dans Firefox.

Effacer l'historique

Tous les navigateurs contiennent une fonction d'historique très utile. Près de la boîte dans laquelle vous entrez les URL des pages que vous souhaitez afficher, se trouve une petite flèche pointant vers le bas. Lorsque vous cliquez dessus, la liste des dernières pages Web affichées apparaît.

Pour afficher l'historique dans un volet indépendant d'Internet Explorer, appuyez sur Alt si la barre de menus n'est pas visible, puis cliquez sur Affichage/Volet d'exploration/Historique. La liste des sites Web visités s'affiche chronologiquement. Vous pouvez fermer l'historique par un clic sur le bouton de fermeture (X) du volet d'exploration ou du panneau latéral.

Une méthode plus rapide d'Internet Explorer consiste à cliquer sur le bouton représentant une étoile et libellé Favoris. Cette action ouvre le volet des favoris. Il suffit alors de cliquer sur l'onglet Historique comme à la Figure 16.20.

Des lecteurs nous ont demandé si ces adresses peuvent être effacées, car certaines sont un peu compromettantes (surtout celles avec des xxx dans l'URL...) Comme certaines de ces requêtes semblaient vraiment urgentes, nous leur expliquons comment procéder.

Figure 16.20 : Affichez rapidement votre historique de navigation dans Internet Explorer 10.

- **Firefox :** rien de plus simple. Choisissez Outils/Options et cliquez sur la catégorie Vie privée. Dans la liste Règles de conservations, choisissez « Ne jamais conserver l'historique ». Pour vous débarrasser immédiatement de l'historique enregistré, cliquez sur le lien `Effacer la totalité de l'historique actuel`. Dans la boîte de dialogue Supprimer l'historique récent, ouvrez la liste Intervalle à effacer. Là, choisissez le moment à partir duquel vous désirez supprimer l'historique. Pour ne laisser aucune trace, choisissez Tout. Cliquez sur le bouton Effacer maintenant.
- **Internet Explorer :** appuyez sur Alt si la barre de menus n'est pas affichée, et choisissez Outils/Options Internet. Sous l'onglet Général, cochez la case Supprimer l'historique de navigation en quittant le navigateur. Validez par un clic sur OK.

Les Web slices d'Internet Explorer 10

TRUC

Internet Explorer 10 facilite la navigation des internautes en proposant automatiquement des Favoris, des accélérateurs, et des moteurs de recherche. Pour cela, il faut activer la fonction Web slice. Grâce à elle, les sites que vous visitez le plus seront répertoriés par Internet Explorer, et vous pourrez très facilement les ajouter à vos Favoris. Mais, Microsoft vous proposera également des sites à ajouter à vos favoris, à utiliser comme accélérateur ou comme moteur de recherche.

Les accélérateurs permettent d'effectuer des tâches comme ouvrir une adresse postale sur un site de localisation ou rechercher la définition d'un mot dans un dictionnaire. Vous pouvez également choisir les services ou les sites Web que les accélérateurs doivent utiliser pour gérer différents types de tâches. Internet Explorer 10 est fourni avec une sélection d'accélérateurs inclus par défaut, mais vous pouvez en ajouter ou en supprimer selon vos besoins.

Voici comment activer et utiliser ces compléments Web :

1. **Cliquez sur Outils/Options Internet.**
2. **Dans la boîte de dialogue éponyme, cliquez sur l'onglet Contenu.**
3. **Dans la section Flux et composants Web Slice, cliquez sur le bouton Paramètres.**
4. **Cochez l'option Activer la découverte de composants Web Slice sur les pages.**
5. **Pour que la liste de ces compléments s'actualise automatiquement, définissez une périodicité de mise à jour en cochant l'option Rechercher automatiquement les mises à jour des flux et des composants Web Slice. Ensuite, Dans le menu local Fréquence, choisissez une périodicité.**
6. **Pour ajouter facilement des sites Web à vos favoris (ou à vos flux RSS), cliquez sur le bouton Favoris, puis sur le lien** `Voir les sites suggérés`.

   Internet Explorer affiche la liste des sites Web qu'il vous suggère d'ajouter à vos favoris comme le montre la Figure 16.21.
7. **Ajoutez tous les sites suggérés en cliquant sur le lien** `Ajouter des suggéstions de sites au volet des Favoris`.
8. **Si les suggestions ne vous conviennent pas ou vous paraissent incomplètes, cliquez sur le lien** `Plus de suggestions`.

Vous pouvez également cliquer sur le bouton Sites suggérés dans le volet des Favoris à gauche de la barre de commandes d'Internet Explorer 10. Cliquez alors sur la petite flèche située en bas à gauche de ce menu local pour accéder à la Galerie de compléments d'Internet Explorer 10 (Figure 16.22). Vous pouvez alors parcourir les compléments par catégorie, popularité, classement, *etc*. Dès qu'un site Web vous intéresse, cliquez sur son bouton Ajoutez à Internet Explorer. Un message vous demande si le site doit être ajouté comme accélérateur ou comme moteur de recherche, et si vous acceptez ses suggestions. Dès qu'un complément est un simple site Web, Internet Explorer vous propose de l'ajouter immédiatement à vos favoris.

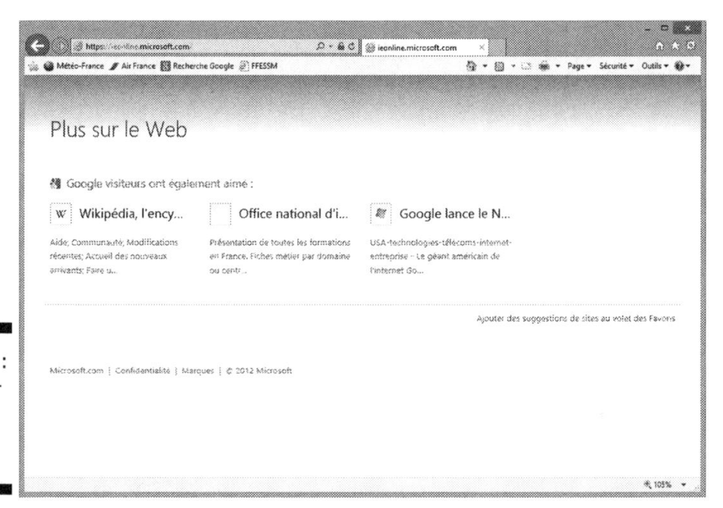

Figure 16.21 : Ajouter facilement des sites Web à vos favoris.

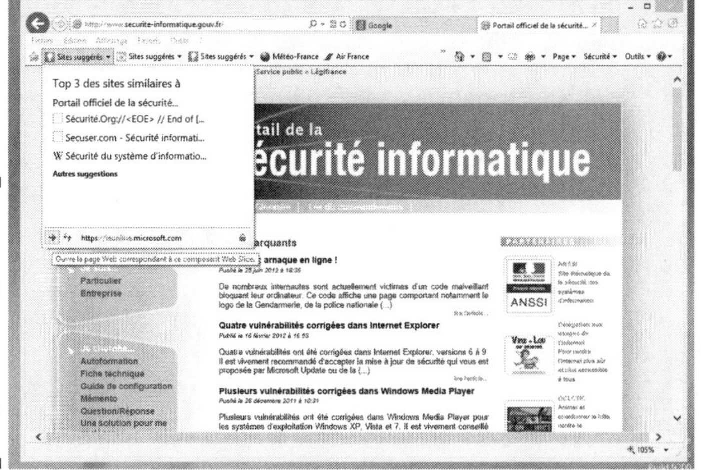

Figure 16.22 : Les Web slices et les compléments d'Internet Explorer 10 sont là pour accélérer et faciliter votre navigation.

Contrôler les cookies

Pour améliorer votre vie en ligne, les éditeurs de navigateur Web ont inventé un type spécial de message qui permet à un site Web de vous reconnaître lorsque vous visitez à nouveau ce site. Ces informations, baptisées *cookies*, sont stockées sur votre propre machine.

En général, les *cookies* ne sont pas dangereux et se révèlent même utiles. Toutefois, vous pouvez les contrôler aussi bien dans Firefox que dans Internet Explorer. Il existe plusieurs formes de *cookies* :

- ***Cookies* internes :** ce sont les *cookies* venant directement du serveur qui vous a fourni la page Web actuellement affichée. Ces *cookies* sont utilisés pour se souvenir de vous lorsque vous vous inscrivez comme membre du site. Le confort, c'est de ne pas avoir à saisir de nouveau, à chaque visite, votre nom d'utilisateur et votre mot de passe. Vous avez le choix entre Accepter, Bloquer ou Demander, auquel cas il vous sera demandé de choisir. Cette dernière option devient vite fastidieuse si vous tombez sur de nombreux *cookies*. Certains sites stockent plus de trois *cookies* par page.
- ***Cookies* tiers :** de nombreux sites Web font appel à des entreprises spécialisées pour fournir des publicités à leurs pages Web, et ces publicités, tierce partie, placent habituellement des *cookies* dans votre ordinateur afin de collecter des données *marketing*. Les options sont les mêmes que précédemment. Les *cookies* tiers font les choux gras des officines de publicité ; il n'y a aucune raison de les accepter.

Contrôler les cookies dans Firefox

Cliquez sur Outils/Options, puis affichez le contenu de la catégorie Vie privée. Dans la liste Règles de conservation, choisissez Utiliser les paramètres personnalisés pour l'historique. Comme le montre la Figure 16.23, plusieurs options vous sont proposées :

- **Accepter les cookies :** certains ne fonctionnent pas sans *cookie*, notamment les sites de conversation (*chat*) des groupes Yahoo! (`http://fr.groups.yahoo.com/`).
- **Exceptions :** vous spécifiez ici des sites dont les *cookies* seront bloqués, autorisés ou tous acceptés. Dans le champ Adresse du site Web, saisissez l'URL du site concerné, puis cliquez sur l'un des trois boutons Bloquer, Autoriser pour la session ou Autoriser.
- **Afficher les cookies :** liste les *cookies* que Firefox a stockés depuis que vous surfez sur le Net. Vous pouvez également visualiser leur contenu ou supprimer n'importe quel *cookie* de la liste, ou les éliminer tous en cliquant sur Supprimer tous les cookies.

Figure 16.23 : Contrôler les cookies dans Firefox.

- **Les conserver jusqu'à :** vous indiquez à Firefox la période pendant laquelle il va garder les *cookies* : « jusqu'à leur expiration » (le paramètre habituel), « jusqu'à la fermeture de Firefox » ou « me demander à chaque fois » (option très agaçante).

Contrôler les cookies dans Internet Explorer

Si la barre des menus n'est pas affichée, appuyez sur Alt puis cliquez sur Outils/Options Internet pour afficher la boîte de dialogue Options Internet. Le contrôle des *cookies* se trouve sous l'onglet Confidentialité : cliquez sur le bouton Avancé pour afficher la boîte de dialogue Paramètres de confidentialité avancés (Figure 16.24). Par défaut, Internet Explorer gère les *cookies* de manière plutôt agressive, en autorisant l'accès à un *cookie* uniquement aux serveurs que vous avez contactés, et non aux serveurs tiers (serveurs Web autres que celui qui a stocké à l'origine le *cookie* sur votre ordinateur). Ces derniers envoient des publicités et autres *popups*. Vous pouvez choisir de les gérer vous-même en cochant la case Ignorer la gestion automatique des cookies dans la boîte de dialogue Paramètres de confidentialité avancés. Les options sont :

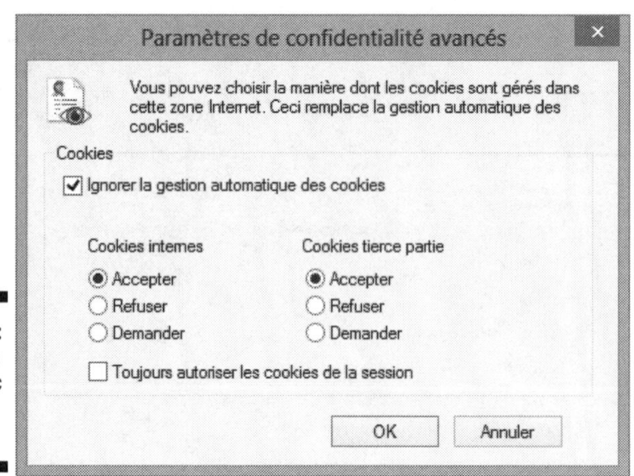

Figure 16.24 : Contrôle des cookies avec Internet Explorer.

- **Cookies internes :** vous choisissez d'accepter, de refuser ou vous souhaitez que l'on vous demande de choisir à chaque fois. Cette dernière option devient fatigante à la longue.
- **Cookies tierce partie :** ces *cookies* viennent d'ailleurs, c'est-à-dire pas uniquement du site Web autorisé. Donc, refusez-les !
- **Toujours autoriser les cookies de la session :** cette option laisse passer tous les *cookies* de session (type de *cookie* utilisé pour pister une unique occurrence de votre visite sur un site Web). Ces *cookies* sont couramment utilisés par des sites d'achats comme Amazon.fr.

Bloquer les fenêtres intempestives

Une des inventions dont nous nous serions bien passé est celle des fenêtres intempestives, ou *popups*, qui surgissent inopportunément sur votre écran. Certaines apparaissent immédiatement, d'autres sont masquées par votre fenêtre principale et vous les découvrez en la fermant. Le plus souvent, les *popups* sont des publicités. Vous serez heureux d'apprendre que Firefox et Internet Explorer peuvent bloquer la majorité d'entre eux.

Pas de popups chez Firefox

Cliquez sur Outils/Options, puis sur Contenu. Vous y découvrez une option qui bloque les *popups*, comme le montre la Figure 16.25.

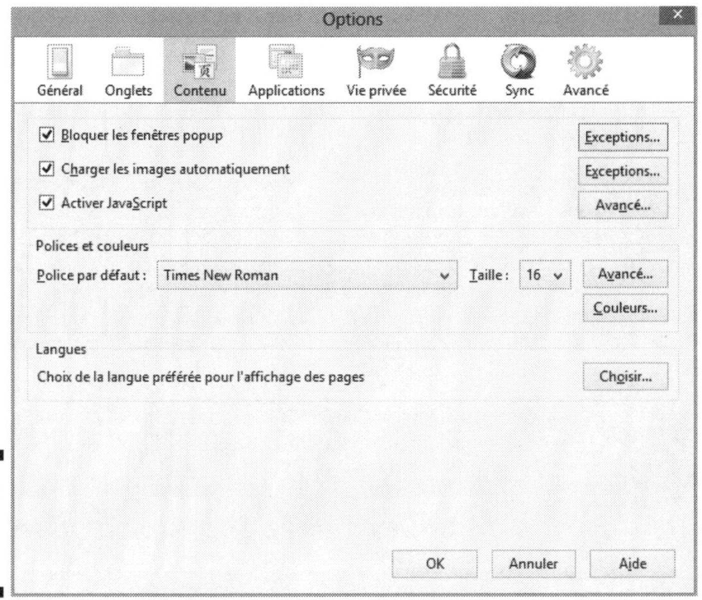

Figure 16.25 : Gestion des popups dans Firefox.

Le blocage des *popups* empêche certains sites Web de fonctionner. Certains sites d'achats affichent de petites fenêtres dans lesquelles vous devez taper vos informations de carte bancaire, par exemple. Firefox permet d'inclure dans les sites autorisés ceux pour lesquels le blocage ne doit pas s'opérer.

Dès qu'un site tente d'ouvrir un *popup*, un message apparaît en haut de la page Web. Il indique textuellement : « Firefox a empêché ce site d'ouvrir une fenêtre popup. » Cliquez sur le bouton Options de ce bandeau et choisissez l'une des options suivantes :

- **Autoriser les popups pour *nom du site*** place ce site dans la liste des sites dont les *popups* sont autorisés.
- **Modifier les options de blocage de popups** ouvre la boîte de dialogue Sites autorisés. Vous pouvez y modifier la liste des sites pour lesquels l'affichage des *popups* est autorisé.
- **Ne pas afficher ce message lorsque des popups sont bloqués.** Plutôt que d'être prévenu par un tel message lors de la tentative d'affichage de *popups*, une petite icône rouge (X) apparaît dans le coin inférieur droit de la fenêtre de Firefox. Cliquez dessus pour afficher les options de gestion du *popup*.

- **Afficher *adresse de la fenêtre popup*** affiche uniquement le *popup* qui vient d'être bloqué.

Pour fermer le message d'avertissement sans appliquer une option particulière, cliquez sur le bouton de fermeture (X) situé dans son coin supérieur droit.

En informatique, il y a toujours des parades. Au fur et à mesure que les navigateurs Web ont appris à bloquer les *popups*, des petits malins ont trouvé d'autres astuces pour les afficher malgré tout. Si vous êtes confronté à ce problème, installez l'extension gratuite de Firefox qui se nomme Adblock. Vous la trouverez sur le site `https://addons.mozilla.org/fr/firefox/`. Là, cliquez sur le bouton Ajouter à Firefox du module Adblock Plus. Dans la boîte de dialogue qui s'affiche, cliquez sur Installer maintenant.

Si vous ne trouvez pas Adblock, tapez ce nom dans le champ Recherche de modules, puis cliquez sur la flèche affichée à droite.

Plus de popups chez Internet Explorer

Les versions récentes d'Internet Explorer intègrent elles aussi un bloqueur de fenêtres intempestives.

Chaque fois qu'un *popup* tente de s'afficher, Internet Explorer affiche un message qui ressemble à celui de Firefox. Cliquez dessus pour y trouver des options similaires. Cliquez sur Outils/Bloqueur de fenêtres contextuelles/Activer le bloqueur de fenêtres contextuelles (Figure 16.26).

Les flux RSS

Un flux RSS (*Really Simple Syndication,* agrégation vraiment simple ou parfois *Rich Site Summary,* sommaire d'un site enrichi), ou fil RSS, est une fonctionnalité récente des navigateurs. Elle permet de diffuser à tout moment les mises à jour et nouvelles des sites d'information, ce qui permet de prendre connaissance de ces changements sans avoir à visiter le site lui-même.

Lorsqu'une page Web propose un abonnement à des flux RSS, une icône devient active dans le navigateur. Cliquer dessus vous permet d'afficher le (ou les) service(s) au(x)quel(s) il est possible de s'abonner, comme le présente la Figure 16.27.

Après avoir choisi une rubrique, une page Web propose de s'abonner – c'est généralement gratuit – au flux RSS. La procédure est des plus

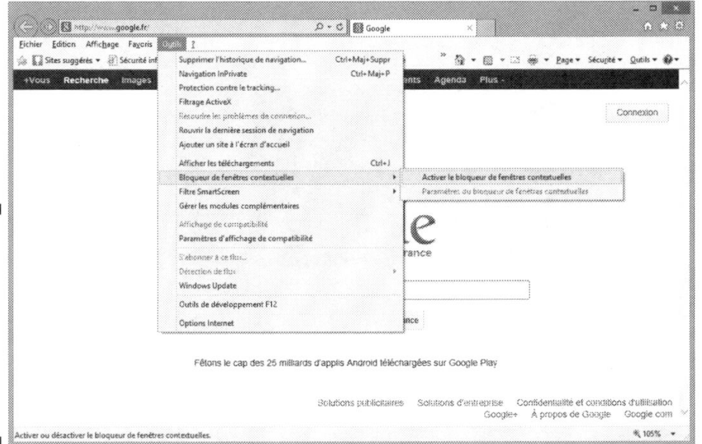

Figure 16.26 : Blocage et gestion des popups dans une page Web affichée par Internet Explorer 10.

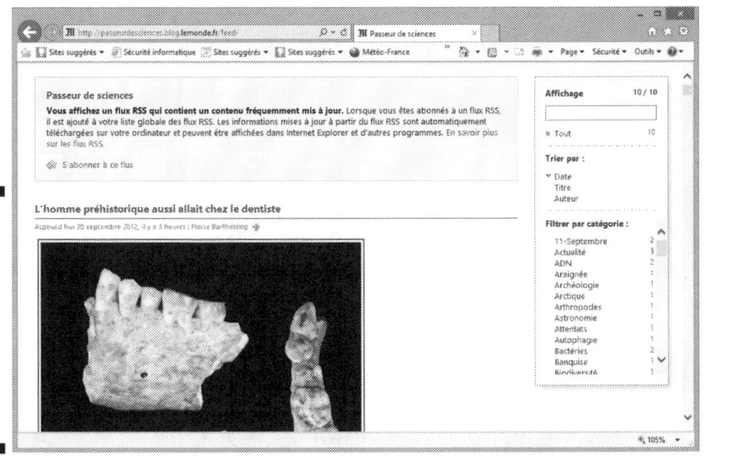

Figure 16.27 : Un quotidien propose souvent un flux RSS par rubrique. Ici, ceux du journal Le Monde.

simples, puisqu'elle consiste à cliquer sur le lien `S'abonner` et créer éventuellement un dossier auquel vous donnerez le nom du site, par exemple « Le Monde ».

Pour prendre connaissance d'un flux RSS dans Internet Explorer, cliquez sur le bouton Favoris, cliquez sur le bouton Flux (ou sur l'onglet Flux dans Internet Explorer 10) puis sélectionnez le flux RSS que vous désirez consulter (Figure 16.28). Cliquez éventuellement sur le bouton Actualiser ce flux, à droite de celui que vous venez de sélectionner, pour obtenir les informations les plus récentes.

Figure 16.28 : Accédez à tout moment à vos flux RSS.

Les flux sélectionnés apparaissent sous forme de liens dans une page Web. Si un flux RSS est constitué de plusieurs rubriques, comme c'est le cas dans l'exemple (rubriques Médias, Sciences, technologies, *etc.* du journal *Le Monde*), chacune est affichée dans un onglet distinct. Cliquez sur la flèche, à droite de la date et de l'heure, pour accéder à l'article complet.

Le volet Windows contient un gadget qui affiche en permanence les flux RSS. Pour ne pas être submergé par un déferlement de nouvelles, cliquez sur le minuscule bouton en forme de clé plate, en haut à droite du gadget Flux RSS et, dans le menu Afficher ce flux, sélectionnez le flux à afficher.

Animez et faites chanter votre navigateur !

Des images dans une page Web ? C'est du passé ! Maintenant, on voit des animations, des banderoles qui clignotent et qui défilent, et on entend des musiquettes. Chaque mois, des nouveautés apparaissent dans ce domaine et les navigateurs ont bien du mal à rester dans la course. Vous pouvez étendre les fonctionnalités de votre navigateur avec des *plug-ins* qui sont de petits programmes (des assistants, aussi appelés *compléments*) qui viennent l'aider à exécuter certaines fonctions. Côté Internet Explorer, ce sont des *contrôles ActiveX* (anciennement appelés *contrôles OCX*) – autre forme de programmes annexes – qui volent au secours d'Internet Explorer.

Que peut faire un navigateur lorsqu'il rencontre de nouvelles informations dans une page Web ? Télécharger le *plug-in* approprié pour traiter ce nouveau type d'information. Les fans de *Star Trek* y verront une forme de vie parasitaire qui se colle à votre navigateur et accroît son intelligence.

Au palmarès des plug-ins

Voici quelques-uns des *plug-ins* les plus courants :

- **Flash Player :** lit des fichiers audio et vidéo ainsi que d'autres types d'animations. Flash Player est disponible à l'adresse `http://get.adobe.com/fr/flashplayer/`.
- **RealPlayer : r**eproduit les fichiers audio au fur et à mesure de leur téléchargement (d'autres programmes doivent attendre que le fichier audio soit complètement chargé avant de lancer sa reproduction). Vous trouverez une version gratuite du programme sur `http://fr.real.com/`.
- **QuickTime :** reproduit les animations permettant de les « jouer » au fur et à mesure de leur chargement (disponible sur `http://www.apple.com/fr/quicktime/`).
- **Adobe Reader :** affiche les fichiers Acrobat (au format PDF), formatés exactement de la façon prévue par l'auteur. On rencontre de très nombreux fichiers Acrobat bien utiles, notamment des formulaires administratifs. Il est disponible sur `http://www.adobe.com/fr/products/reader/`.

Comment utiliser des plug-ins avec un navigateur

Une fois que vous vous êtes procuré un *plug-in*, il faut le lancer, c'est-à-dire double-cliquer sur son nom de fichier dans l'Explorateur Windows afin de l'installer. Selon ses fonctionnalités, vous avez différents moyens de le tester. En général, choisissez un fichier que ce *plug-in* puisse lire et contentez-vous de regarder (ou d'écouter) ce qui se passe.

Chapitre 17

Les applications sociales : Courrier, Contacts, Calendrier et Messages

Dans ce chapitre :

- Intégration de vos comptes.
- Configuration du courrier.
- Envoi et réception de fichiers et de photos.
- Gestion des contacts.
- Mise en œuvre du calendrier.
- Dialogue avec la messagerie instantanée.

Grâce à la mémoire permanente d'Internet, vos amis et connaissances ne disparaissent jamais ; les vieux copains d'université, les relations d'affaires et même vos anciens rivaux de l'école primaire vous attendent en ligne. Internet a créé un vaste réseau social à partir des informations et de divers messages échangés sur les sites Web.

Windows 8 vous aide à rester en contact avec les amis que vous aimez et à éviter ceux qui vous sont indifférents ; pour gérer votre vie sociale en ligne, il met à votre disposition une suite d'applications de réseaux sociaux interconnectés ; ce sont : Courrier, Contacts, Calendrier et Messages. Vous n'aurez aucune peine à deviner quelle application fait quoi !

Ces applications travaillent ensemble, ce qui simplifie considérablement la corvée de suivi des contacts et des rendez-vous. Par exemple, si vous associez Windows 8 à votre compte Facebook, les informations de vos amis Facebook seront automatiquement intégrées dans l'application Contacts, les rendez-vous seront ajoutés dans l'application Calendrier, et votre application Messages sera prête à dialoguer en direct.

Ce chapitre décrit les applications Windows 8 liées aux réseaux sociaux et particulièrement avec Facebook, Google, Twitter et LinkedIn. Il explique comment les mettre en œuvre, les maintenir actives et si le besoin s'en fait sentir, les mettre en sommeil lorsque vous croulez sous la charge d'informations.

Ajout de vos comptes sociaux à Windows 8

Pendant des années, vous avez entendu cette litanie : « Ne divulguez jamais votre nom d'utilisateur et votre mot de passe » et à présent, il semble que Windows 8 veuille briser cette règle !

Lorsque vous ouvrez une des applications Contacts, Courrier ou Messages, il est probable que Windows 8 vous demande de saisir votre nom de compte et votre mot de passe Facebook, Google, Twitter, LinkedIn, Hotmail, *etc.*

Ne craignez rien, si Microsoft et les autres réseaux ont accepté de partager vos informations, cela ne se fera effectivement que si vous l'acceptez. Si par exemple, vous autorisez Windows à se connecter à votre réseau social Facebook, celui-ci partagera vos informations avec l'application Contacts de Windows 8.

Cette mise en commun de vos données personnelles vous permettra un gain de temps énorme puisque lorsque les comptes sont associés sous Windows 8, l'ordinateur importe les informations relatives à vos amis, et les stocke dans vos applications.

Pour associer Windows 8 à votre vie sociale en ligne, procédez de la manière suivante :

1. **À partir de l'écran d'accueil, ouvrez l'application Courrier.**

   L'écran d'accueil avec ses vignettes apparait au démarrage de votre ordinateur ; il a été présenté au Chapitre 2. Si vous ne le voyez pas, vous pouvez le récupérer en suivant ces étapes :

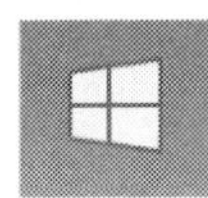

- **Souris** : déplacez le pointeur de la souris dans l'angle supérieur droit ou dans l'angle inférieur gauche pour faire apparaître la barre des charmes et cliquez sur l'icône Accueil.
- **Clavier** : appuyez sur la touche Windows.

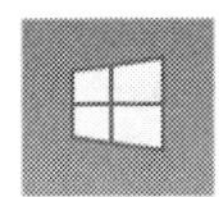

- **Écran tactile** : faites glisser votre doigt de l'angle supérieur droit vers l'intérieur de l'écran pour faire apparaître la barre des charmes, puis appuyez sur l'icône Accueil.

Cliquez sur la vignette Courrier pour ouvrir l'application. Si vous n'avez pas encore créé un compte Microsoft, un message apparaît, vous rappelant que vous devez le faire (le Chapitre 2 explique comment vous connecter avec un compte Microsoft).

Lorsque l'application Courrier est exécutée pour la première fois, l'écran affiche généralement un message de bienvenue, comme le montre la Figure 17.1. L'application vous propose également de contribuer à l'amélioration du produit en transmettant les éventuels messages d'erreur à Microsoft.

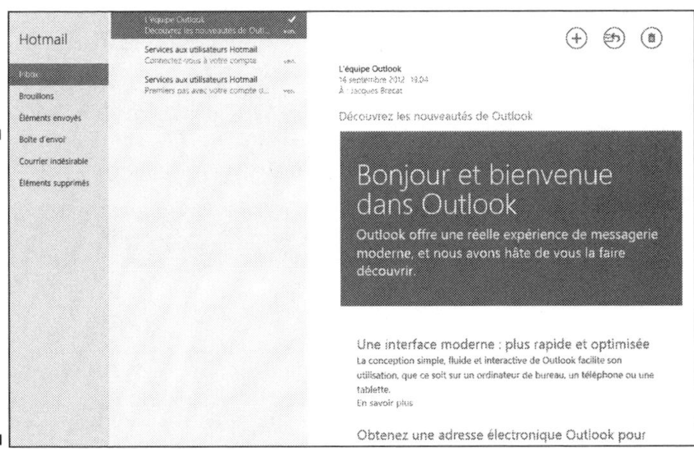

Figure 17.1 : L'application Courrier permet d'accéder très simplement aux comptes de messagerie Google, Hotmail et Exchange.

2. **Ajoutez de nouveaux comptes à l'application Courrier.**

   Pour ajouter des comptes, activez la barre des charmes, cliquez sur l'icône Paramètres puis sur Comptes ; dans la fenêtre Comptes, choisissez Ajouter un compte. L'application propose les messageries Hotmail, Outlook, Google et Autre compte.

   Par exemple, pour ajouter un compte Google, cliquez sur son icône, Windows 8 affiche une fenêtre sécurisée dans laquelle il vous invite à entrer votre adresse de messagerie Gmail, votre mot de passe, à indiquer si vous souhaitez inclure vos contacts et calendriers Google puis à cliquer sur Connecter pour valider l'accès au compte.

Répétez les étapes précédentes pour les autres comptes que vous désirez partager sous Windows 8.

Nous expliquerons ultérieurement dans ce chapitre comment ajouter des comptes de messagerie autres que Hotmail, Outlook et Google.

3. **Revenez à l'écran d'accueil et cliquez sur la vignette Contacts puis entrez vos autres comptes.**

   Cette application vous donne l'opportunité de rester en contact avec vos amis. Pour y parvenir, cliquez sur la vignette Contacts de l'écran d'accueil ; lorsque l'application Contacts s'ouvre, vous pouvez voir les caractéristiques de vos amis répertoriés dans les carnets d'adresses associés aux comptes de messagerie que vous avez déclarés à l'Étape 1.

   Connectez-vous aux services Facebook, Twitter, Exchange, LinkedIn, etc., en saisissant vos noms d'utilisateur et mots de passe pour ces comptes ; cela augmentera la liste de vos contacts.

   Par exemple, pour ajouter vos identifiants Facebook, cliquez son icône ; une fenêtre apparaît (voir la Figure 17.2) dans laquelle vous devez entrer votre identifiant et mot de passe Facebook.

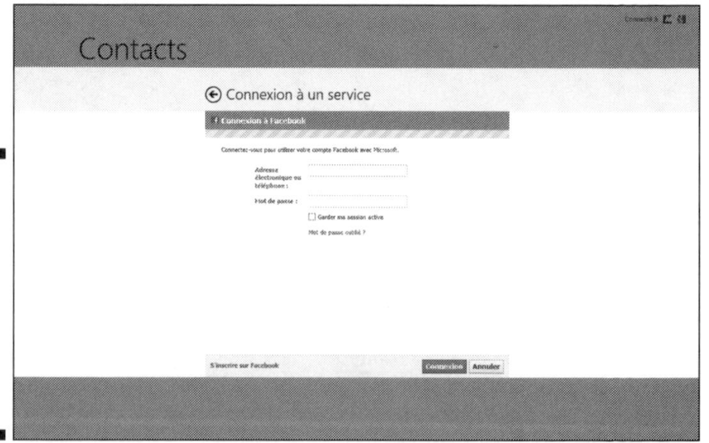

Figure 17.2 : Entrez votre identifiant et mot de passe Facebook pour importer vos amis dans l'application Contacts.

Après que vous avez ajouté vos comptes, Windows 8 récupère automatiquement vos messages dans vos différentes messagerie *via* votre l'application Courrier, puis met à jour les informations relatives à vos amis dans l'application Contacts, et enfin ajoute tous vos rendez-vous dans l'application Calendrier.

Bien que fournir de la sorte vos noms de comptes et mots de passe à Windows 8 risque de vous sembler effrayant, vous en tirerez les avantages suivants :

Suppression de comptes sociaux sous Windows 8

Si votre application Contacts est un peu trop « chargée » avec les 2 835 comptes que vous suivez sur Twitter, vous pouvez en supprimer. En fait, vous pouvez retirer tout ou partie des comptes sociaux que vous avez ajoutés à Windows 8.

Pour supprimer un compte, procédez de la manière suivante :

1. **Ouvrez l'application contenant les comptes que vous souhaitez supprimer, soit Courrier, soit Contacts.**
2. **Activez la barre des charmes et cliquez sur l'icône Paramètres.**
3. **Cliquez sur Comptes dans le volet Paramètres, puis sur le nom du compte que vous voulez supprimer.**

   Un nouveau volet affiche la configuration du compte choisi ; vous avez la posibillité de modifier ou suprimer le compte.
4. **Cliquez sur le bouton Supprimer le compte en bas du volet.**

   Pour certains comptes, l'Étape 4 conduit à une autre zone de paramètres. Si par exemple, vous souhaitez supprimer Facebook de l'application Contacts, l'Étape 4 propose de gérer le compte en ligne et, directement à partir de l'application Facebook, de choisir exactement quels types d'informations vous souhaitez partager avec l'application Contacts ; vous avez aussi la possibilité de supprimer complètement le lien de connexion.

   Lorsque vous supprimez un compte en suivant ces étapes, vous annulez toute interaction avec celui-ci. Par exemple, si vous avez supprimé le compte Facebook, tous vos amis Facebook disparaîtront de l'application Contacts ; il en sera de même pour leurs anniversaires et tout événements noté dans l'application Calendrier. Cependant votre compte sur Facebook demeure intact, il arrête tout simplement le partage d'informations avec les applications Windows 8.

Si vous changez d'avis au sujet de la rupture des liens, pas de problème ! Revenez aux étapes décrites au début de ce chapitre et déclarez à nouveau le ou les comptes.

- Lorsque vous voudrez accéder aux applications Facebook, Twitter ou LinkedIn et aux messageries Google, Hotmail, Outlook ou Windows Live, vous n'aurez plus besoin d'entrer votre nom de compte et votre mot de passe, vous serez automatiquement connecté.
- Les applications Windows 8 s'interconnectent très bien avec les applications et les programmes d'autres sociétés. Par exemple, si un ami veut chatter avec vous à partir de Facebook, l'application Messages de Windows 8 s'ouvre automatiquement, vous permettant de converser. Vous n'avez pas besoin d'ouvrir l'outil de Facebook et d'accéder à la messagerie instantanée.
- Vous pouvez voir directement à partir de l'application Contacts les messages et les photos de vos amis Facebook, Twitter, LinkedIn. Plus besoin de faire le tour de tous vos réseaux sociaux pour avoir des nouvelles du monde.

- Cependant, si vous n'appréciez pas les fonctionnalités de ces nouvelles applications Windows 8, vous pouvez les ignorer et passer votre temps sur le bureau de Windows 8. À partir de là, vous pourrez accéder à Facebook et à vos autres applications à partir du navigateur, comme vous l'avez toujours fait.

Comprendre l'application Courrier

Contrairement à Windows 7, Windows 8 est livré avec une application intégrée de gestion de courrier. Non seulement vous pouvez lire et écrire gratuitement votre courrier, mais vous pouvez vérifier l'orthographe avant de l'envoyer.

L'application Courrier est considérée comme une *application dynamique* puisqu'elle met à jour automatiquement la vignette Courrier de l'écran d'accueil en fonction du contenu de la boîte à lettre. Un coup d'œil à la vignette Courrier indique rapidement les noms des derniers expéditeurs et les sujets de vos derniers messages.

Cependant, comme la plupart des applications gratuite, l'application Courrier impose certaines contraintes :

- Vous devez posséder un compte Microsoft pour accéder aux applications Courrier, Contacts groupés, Calendrier et Messages. Le Chapitre 2 décrit la méthode pour créer un compte Microsoft gratuit.
- L'application Courrier ne fonctionne qu'avec les comptes Hotmail, Windows Live, Outlook et Gmail de Google. Elle fonctionne

également avec les comptes Exchange, mais ceux qui nécessitent des serveurs particuliers que l'on ne trouve habituellement que dans les grandes entreprises, pas dans les installations domestiques.

Si vous avez besoin d'ajouter un autre type de compte de messagerie, vous devez le faire sous Internet Explorer à partir du bureau Windows. Cela est décrit plus loin dans ce chapitre, dans la section « Ajout d'autres comptes de messagerie dans l'application Courrier ».

La suite de cette section décrit comment accéder aux menus cachés de l'application Courrier, ainsi que la façon d'envoyer et de recevoir des messages et des fichiers.

Déplacement dans l'application Courrier : l'affichage principal, les menus et les comptes

Pour démarrer l'application Courrier, affichez l'écran d'accueil en tapant la touche Windows de votre clavier puis cliquez sur la vignette Courrier. L'application Courrier apparaît immédiatement sur l'écran, comme le montre la Figure 17.3.

L'application Courrier affiche la liste des comptes de messagerie déclarés dans la partie inférieure du volet de droite. Par exemple, la Figure 17.3, indique un compte Hotmail au-dessus d'un compte Google (Gmail). Si vous n'avez configuré qu'un seul compte, vous n'en voyez qu'un dans la liste.

Pour voir les messages d'un compte particulier, cliquez sur son nom dans la liste des comptes disponibles. La Figure 17.3 affiche les messages reçus par le compte Hotmail ; son nom est indiqué en haut du volet et il apparaît en surbrillance dans la liste des comptes déclarés.

Sous le nom du compte en cours, l'application Courrier liste les dossiers principaux :

- **Boîte de réception (Inbox)** : c'est le dossier qui est affiché par défaut au démarrage de l'application Courrier ; il contient les messages reçus par le compte en cours. L'application Courrier vérifie automatiquement la présence de nouveaux messages sur le serveur ; cependant, si vous vous lassez d'attente, cliquez sur l'icône Synchroniser, à gauche dans la barre de menus inférieure. Tout courrier en attente est immédiatement chargé. L'activation des menus de l'application Courrier est traitée plus loin dans cette section.

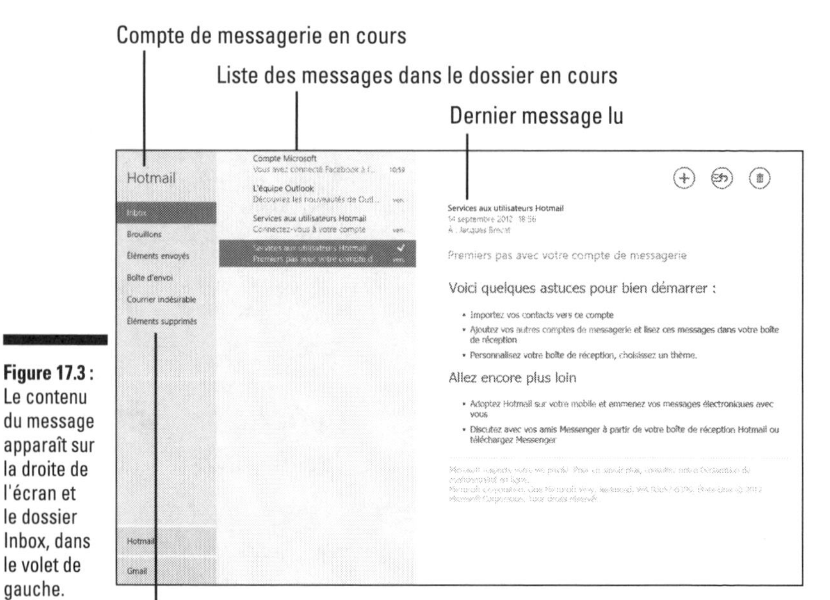

Figure 17.3 : Le contenu du message apparaît sur la droite de l'écran et le dossier Inbox, dans le volet de gauche.

Ajout d'autres comptes de messagerie dans l'application Courrier

L'application Courrier ne gère que les messages des comptes Hotmail, Outlook ou Gmail. Pour ajouter d'autres comptes, vous devez utiliser Internet Explorer à partir du Bureau Windows 8 et les déclarer dans le compte Hotmail (`www. hotmail. com`) ou Gmail (`www.gmail.com`).

À partir du client de messagerie sous internet Explorer, ouvrez le menu Options et recherchez le sous-menu qui vous permettra la gestion de messages d'autres comptes de messagerie.

Vous devrez ensuite indiquer l'adresse de messagerie et le mot de passe.

Lorsque votre compte Hotmail ou Gmail aura importé les messages de vos autres comptes, l'ensemble de ces derniers sera accessible à partir de l'application Courrier.

- **Brouillons** : si vous n'avez rédigé qu'une partie d'un mail et si vous souhaitez le terminer ultérieurement, cliquez sur l'icône Enregistrer le brouillon, à gauche de la barre de menus inférieure. L'activation des menus de la marge inférieure est détaillée un peu plus loin dans cette section.

- **Boîte d'envoi** : lorsque vous envoyez ou répondez à un message, l'application Courrier tente immédiatement de se connecter à l'Internet et l'envoyer. Si l'application ne peut pas accéder à l'Internet, le message est conservé dans le dossier Boîte d'envoi. Dès que la connexion à l'Internet est rétablie, cliquez sur l'icône Synchroniser dans la barre de menus inférieure pour envoyer le courrier en attente.

- **Éléments envoyés** : une copie de chaque message envoyé est stockée dans ce dossier. Pour supprimer un message, sélectionnez-le puis cliquez sur l'icône de la corbeille en haut à droite de l'écran.
- **Courrier indésirable** : l'application Courrier détecte le courrier potentiellement indésirable et le déplace dans ce dossier. Consultez-le de temps en temps pour vous assurer que rien ne s'y trouve par erreur.

- **Éléments supprimés** : le dossier Éléments supprimés sert de corbeille à l'application Courrier, ce qui vous permet de récupérer les messages supprimés par erreur. Pour supprimer définitivement un message du dossier Éléments supprimés, sélectionnez-le et cliquez sur l'icône de la corbeille.

Pour visualiser le contenu d'un dossier, cliquez-le pour y accéder, puis pour consulter un message particulier cliquez-le ; son contenu s'affiche à droite de l'écran.

Si vous avez créé des dossiers dans votre compte Gmail, ceux-ci sont automatiquement listés dans l'application.

Mais où sont les menus de l'application Courrier ? Comme toutes les applications de l'écran d'accueil, l'application Courrier dissimule ses menus dans la marge inférieure de l'écran. Voici quelques astuces pour activer la barre inférieure de menus à partir d'une application Windows.

Pour activer la barre de menus inférieure à partir de n'importe quelle application, exécutez l'une des options suivantes :

- **Souris** : un clic droit sur une partie vide à l'intérieur de l'application.

- **Clavier** : appuyez sur les touches Windows + Z.
- **Écran tactile** : à partir du bas de l'écran, faites glisser votre doigt vers le haut.

Lorsque la barre de menus inférieure apparaît au bas de l'écran, comme le montre la Figure 17.4, elle révèle des icônes pour vous aider à manœuvrer à travers l'application.

Retour au dossier précédent

Barre de menus inférieure

Figure 17.4 : La barre de menus inférieure que l'on retrouve dans toutes les applications de l'écran Accueil.

Composition et envoi d'un message

Lorsque vous êtes prêt à envoyer un message électronique, exécutez les étapes suivantes pour composer votre lettre et la déposer dans la boîte aux lettres électronique, puis l'envoyer dans l'espace virtuel de votre destinataire :

1. **À partir de l'écran d'accueil, ouvrez l'application Courrier et cliquez sur l'icône Nouveau (représentée par un signe plus) en haut à droite de l'écran.**

   Une fenêtre Nouveau message, vide, apparaît.

Si vous avez configuré plus d'un compte de messagerie dans l'application Courrier, choisissez le compte à activer pour envoyer le courrier en cliquant sur la flèche dirigée vers le bas, en haut du volet de gauche.

2. **Entrez l'adresse de messagerie du destinataire dans le champ À.**

Ce dont vous avez besoin pour envoyer un message ?

Pour envoyer un message avec l'application Courrier, vous avez besoin de :

- **Un compte Microsoft** : vous devez créer ce compte de messagerie avant de lancer l'application Courrier (consultez le Chapitre 2 pour plus d'informations).
- **Un compte de messagerie** : votre compte Microsoft pourra servir de compte de messagerie si vous utilisez déjà un compte Live, Hotmail ou Outlook. La plupart des FAI (fournisseurs d'accès Internet, traités dans le Chapitre 9) fournissent une adresse de messagerie avec l'accès à l'Internet, mais elle ne sera pas accessible à partir de l'application Courrier.
- **L'adresse de messagerie de vos correspondants** : pour les adresses de vos amis, il suffit de leur demander ou de les importer à partir des applications Facebook, Twitter, LinkedIn ou autre, comme cela est indiqué dans la section "Ajout de vos comptes sociaux à Windows 8" dans ce chapitre. Une adresse se compose d'un nom d'utilisateur (qui ressemble parfois au vrai nom de la personne parfois précédé par son prénom), suivi par le signe @, puis du nom du fournisseur d'accès Internet de votre contact. Par exemple, l'adresse de messagerie de l'utilisateur Georges Brecat hébergé par Free pourrait être `georges.brecat@free.fr`. Contrairement à votre bureau de poste local, l'adresse de messagerie ne tolère pas les fautes d'orthographe. La précision est un must !
- **Votre message** : c'est là que vous vous faites plaisir : la rédaction de votre lettre. Après avoir entré l'adresse de la personne, l'objet puis le texte du message, cliquez sur le bouton Envoyer. L'application Courrier achemine votre message dans la bonne direction.

Si vous avez mal orthographié une partie d'une adresse de messagerie, votre message est renvoyé dans votre boîte de réception, avec un message assez déroutant indiquant qu'il n'a pas pu être distribué. Vérifiez l'adresse, corrigez-la et essayez à nouveau d'envoyer le message. S'il vous est encore retourné, décrochez le téléphone et demandez au destinataire de vous confirmer son adresse messagerie.

Dès que vous commencez à saisir les premières lettres, l'application Courrier scanne votre liste d'adresses dans l'application Contacts et affiche sous la zone À, une liste de correspondances éventuelles. Si l'adresse de votre destinataire se trouve dans la liste, cliquez-la ; l'application Courrier ajoute automatiquement l'adresse.

Pour envoyer un message à plusieurs personnes, cliquez sur le signe plus à droite du champ À. L'application Contacts démarre et affiche la liste des adresses de messagerie de vos contacts. Cliquez sur le nom - ou les noms - des personnes à qui vous souhaitez envoyer votre message, puis cliquez sur le bouton Ajouter. Le champ À affiche la liste des adresses comme si vous les aviez tapées à la main.

3. **Cliquez dans le champ Ajouter un objet et indiquez le sujet.**

   Bien que facultatif, l'objet permet aux destinataires d'avoir une idée sur le contenu du mail et de trier leur courrier (voir la Figure 17.5).

4. **Saisissez le texte de votre message dans la zone vide sous la ligne Objet.**

   Vous n'êtes pas limité pour la taille du message et au fur et à mesure de la frappe, si vous orthographiez mal un mot, l'application Courrier le souligne en rouge. Pour le corriger, faites un clic droit sur le mot souligné et choisissez la bonne orthographe dans le menu qui apparaît, comme le montre la Figure 17.5.

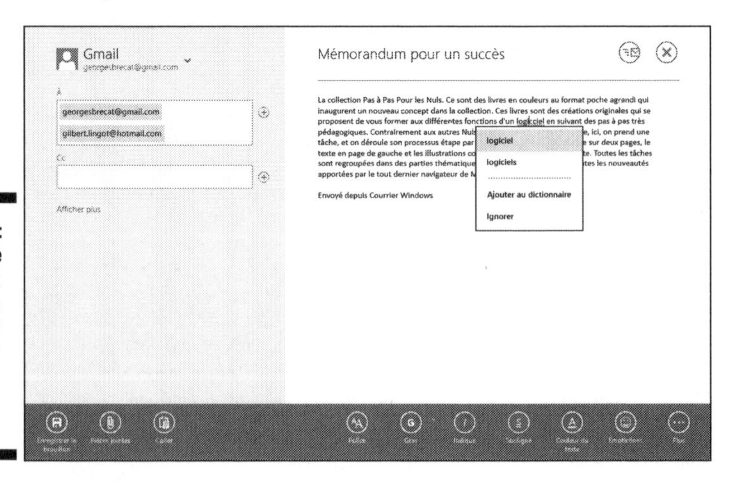

Figure 17.5 : Entrez votre message et profitez des bienfaits du vérificateur d'orthographe intégré.

Vous pouvez également modifier la mise forme à partir de la barre de menus inférieure. Pour la faire apparaître en bas de l'écran, faites un clic droit dans l'application ou bien tapez les touches Windows + Z. Vous pouvez également glisser votre doigt vers le haut à partir d'une tablette. La Figure 17.5 montre la barre de menus inférieure avec les icônes de mise en forme dans la partie droite.

5. **Si vous le souhaitez, ajoutez des fichiers ou des photos à votre message.**

   La section « Envoi et réception de fichiers avec la messagerie » indique comment associer des fichiers à vos messages. En attendant, si vous êtes un peu téméraire, cliquez sur l'icône Pièces jointes à gauche de la barre de menus inférieure.

   La plupart des FAI ne permettent pas d'envoyer des fichiers de plus de 5 Mo, ce qui exclut pratiquement tous les films et n'autorise que l'envoi de quelques fichiers contenant de la musique ou des photos.

6. **Cliquez sur le bouton Envoyer dans l'angle supérieur droit de l'écran.**

   L'application Courrier transfère votre message par le biais de l'Internet jusqu'à la boîte vocale de votre ami. Selon le débit de votre connexion Internet et les capacités des serveurs de messagerie, le courrier peut arriver au bout de quelques secondes, mais parfois de quelques jours ; la moyenne étant de quelques minutes.

   Si vous *ne voulez pas* envoyer le message, cliquez sur le bouton Fermer, dans l'angle supérieur droit de l'écran. Dans le menu déroulant qui apparaît, choisissez Supprimer le brouillon pour supprimer le message ou Enregistrer le brouillon pour en conserver une copie dans le dossier Brouillons pour un traitement ultérieur.

Lecture d'un message reçu

Lorsque votre ordinateur est connecté à l'Internet, l'écran d'accueil de Windows vous alerte dès qu'un nouveau message est arrivé. La vignette de l'application Courrier se met à jour automatiquement pour afficher l'expéditeur et l'objet des derniers messages non lus.

Pour lire un message ou y répondre, exécutez les étapes suivantes :

1. **Cliquez sur la vignette Courrier à partir de l'écran d'accueil.**

   L'application Courrier s'ouvre et affiche la boîte de réception comme le montre la Figure 17.3. Les messages sont répertoriés de manière chronologique, le dernier arrivé est affiché en haut de la liste.

Pour trouver rapidement un message particulier, activez le volet de recherche à partir de la barre des charmes en appuyant sur les touches Windows + Q et puis entrez le nom de l'expéditeur ou un mot clé dans la zone de recherche. Vous pouvez également rechercher des messages directement à partir du volet de recherche de l'écran d'accueil, comme cela est expliqué dans le Chapitre 7.

2. **Cliquez sur le message que vous souhaitez lire.**

   Le corps du message est affiché dans la partie droite de la fenêtre.

3. **Une fois que vous avez lu le message, plusieurs possibilités s'offrent à vous ; chacune étant accessible à partir des boutons situés au-dessus du message :**

   - **Ne rien faire** : vous êtes indécis ? Ne faites rien ; le message sera simplement conservé dans la boîte de réception.

   - **Répondre** : cliquez sur le bouton Répondre dans la partie supérieure droite et choisissez Répondre dans le menu déroulant. Une nouvelle fenêtre apparaît, dans laquelle vous saisissez votre réponse. La fenêtre est semblable à celle dans laquelle vous rédigez un message, avec quelques différences : elle comporte le nom du destinataire et le sujet. En outre, le message d'origine est généralement conservé au bas de votre réponse.

   - **Répondre à tous** : certains courriers sont adressés simultanément à plusieurs personnes. Si vous voyez plusieurs destinataires dans un message, vous pouvez répondre à l'ensemble des destinataires en cliquant sur Répondre et en choisissant Répondre à tous dans le menu déroulant.

   - **Transférer** : si vous souhaitez envoyer le message à un autre destinataire, cliquez sur Répondre et choisissez Transférer dans le menu déroulant.

   - **Supprimer** : cliquez sur le bouton Supprimer pour déplacer le message dans le dossier Éléments supprimés. Les messages supprimés sont conservés dans ce dossier. Pour les supprimer définitivement, accédez au dossier Éléments supprimés, sélectionnez tous les messages et cliquez sur le bouton Supprimer.

Pour imprimer le message en cours, activez la barre des charmes, cliquez sur l'icône Périphériques, sélectionnez votre imprimante dans la liste des périphériques, puis cliquez sur le bouton Imprimer.

L'application Courrier est un client de messagerie de base ; si vous avez besoin d'une application plus performante, vous pouvez revenir aux clients de messagerie spécifiques à vos messageries. À partir d'Internet Explorer, accédez à Hotmail (`www.hotmail.com`) ou Google (`www.gmail.fr`) et gérez vos messages à partir de cette interface.

Si jamais vous recevez un message suspect venant d'une banque, de eBay ou de tout autre site impliquant un compte bancaire, ne cliquez surtout pas sur les liens proposés par le message. Des sites d'hameçonnage envoient des messages qui tentent de récupérer les comptes et les mots de passe des utilisateurs en leur présentant par exemple, une interface de connexion en tous points semblable à celle de leur banque. L'hameçonnage ou *phishing* est traité plus en détails dans le Chapitre 11.

Envoi et réception de fichiers avec la messagerie

Comme quelques places de cinéma glissées dans une enveloppe avec une lettre, une pièce jointe est un fichier qui se greffe sur un message électronique. Vous pouvez envoyer ou recevoir tout type de fichier en pièce jointe.

Cette section décrit comment à la fois envoyer et recevoir un fichier *via* l'application Courrier.

Enregistrer une pièce jointe reçue avec un courrier

Lorsqu'une pièce jointe est associée à un message, elle est représentée par un rectangle en haut du message dans lequel le nom du fichier est indiqué avec sur la gauche une icône représentant un trombone.

Pour enregistrer le ou les fichiers joints, exécutez les étapes suivantes :

1. **Cliquez sur le rectangle contenant le nom du fichier et l'icône du trombone.**

Jusqu'à présent, seuls le nom du fichier et sa taille étaient indiqués dans une couleur pastel ; cette action valide le téléchargement effectif du fichier. Lorsque le téléchargement est terminé, le rectangle pastel se transforme en un rectangle de couleur plus soutenue.

2. **Cliquez à nouveau sur le rectangle et choisissez Enregistrer dans le menu déroulant.**

   La pièce jointe sera copiée dans un dossier de votre ordinateur.

3. **Sélectionnez le dossier dans lequel le fichier sera copié.**

   Le sélecteur de dossiers de Windows 8 apparaît, comme le montre la Figure 17.6.

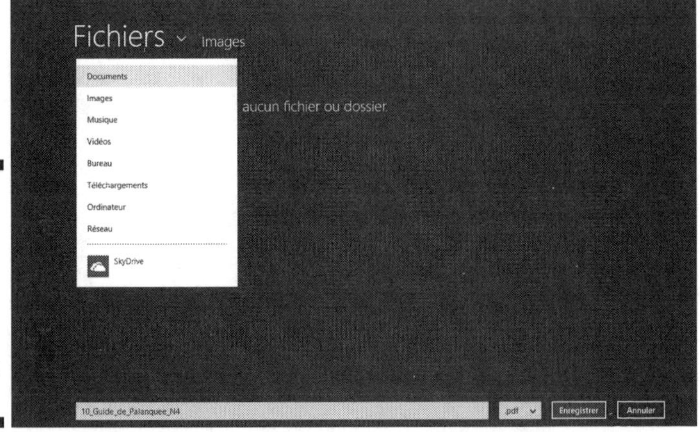

Figure 17.6 : Pour enregistrer un fichier, choisissez un dossier puis cliquez sur le bouton Enregistrer.

4. **Cliquez sur la flèche à droite du mot Fichiers puis choisissez la bibliothèque qui recevra le fichier : Documents, Images, Musique, Vidéos, etc.**

   La sauvegarde du fichier dans une des quatre bibliothèques est la meilleure méthode pour le retrouver plus tard sans problèmes. Les fichiers, dossiers et bibliothèques sont traités dans le Chapitre 5.

5. **Cliquez sur le bouton Enregistrer en bas à droite de l'écran.**

Le fichier est copié dans la bibliothèque de votre choix.

Lorsque le fichier est enregistré, l'application Courrier revient à l'écran principal. Vous pouvez remarquer que le fichier joint est toujours associé au courrier. En effet, le fichier joint a été sauvegardé mais il reste associé au message d'origine dans l'application de messagerie. Ce fonctionnement est pratique parce que si vous supprimez accidentellement le fichier enregistré, vous pourrez toujours revenir au message d'origine et enregistrer le fichier à nouveau.

L'anti-virus intégré à Windows 8, Windows Defender, analyse automatiquement le courrier électronique et les pièces jointes au fur et à mesure de leur arrivée. Windows Defender est présenté dans le Chapitre 11.

Envoi d'un fichier en pièce jointe

L'envoi d'un fichier par l'application Courrier fonctionne un peu comme l'enregistrement d'un fichier joint, mais en sens inverse : au lieu d'enregistrer un fichier dans un dossier ou une bibliothèque à partir d'un message, vous sélectionnez un fichier dans un dossier ou une bibliothèque et vous l'associez à un message.

Pour envoyer un fichier en pièce jointe dans l'application Courrier, procédez de la manière suivante :

1. **Ouvrez l'application Courrier et créez un nouveau message, comme décrit précédemment dans ce chapitre.**
2. **Faites un clic droit pour afficher la barre de menus inférieure et cliquez sur le bouton Pièces jointes en bas à gauche.**

   La fenêtre sélecteur de dossiers de Windows 8 apparaît comme sur la Figure 17.6.
3. **Déplacez-vous jusqu'au dossier contenant le fichier que vous souhaitez envoyer.**

   Cliquez sur la flèche à droite du mot Fichiers et sélectionnez la bibliothèque puis le dossier contenant le fichier (voir la Figure 17.6). La plupart des fichiers sont stockés dans les bibliothèques Documents, Images, Musique et Vidéos (les bibliothèques sont présentées dans le Chapitre 5).

   Cliquez sur le nom d'un dossier pour voir les fichiers qu'il contient. Si ce n'est pas le bon dossier, cliquez sur le lien Monter pour revenir en arrière et déplacez-vous dans un autre dossier.
4. **Cliquez sur les noms des fichiers que vous souhaitez envoyer puis cliquez sur le bouton Joindre.**

   Si vous avez sélectionné trop de fichiers, il suffit de cliquer à nouveau sur les noms des fichiers non désirés pour les désélectionner. Lorsque vous cliquez sur le bouton Joindre, l'application Courrier ajoute le ou les fichiers à votre message.

Retrouver du courrier perdu

Il arrive fréquemment qu'un message important disparaisse dans une pile de dossiers et de fichiers. Pour le récupérer, la méthode est la même, quelle que soit l'application sous Windows 8. Commencez par activer la fenêtre Rechercher puis, sous l'application Courrier, cliquez sur le compte de messagerie contenant le message que vous souhaitez retrouver et procédez de la manière suivante :

- **Souris** : pointez l'angle suprérieur droit ou inférieur droit de l'écran ; lorsque la barre des charmes apparaît, cliquez sur l'icône Rechercher.
- **Clavier** : appuyez sur les touches Windows + Q.
- **Écran tactile** : faites glisser votre doigt du bord droit de l'écran vers l'intérieur et appuyez sur l'icône Rechercher.

Lorsque la fenêtre de recherche apparaît, tapez un mot ou un nom, puis appuyez sur Entrée pour accéder à l'élément recherché.

Remarque : si vous avez déclaré plus d'un compte dans l'application Courrier, vous devez rechercher dans chaque compte séparément.

5. **Cliquez sur le bouton Envoyer.**

   Votre courrier est envoyé à son destinataire.

Gestion de vos relations dans l'application Contacts

Lorsque vous avez permis à Windows 8 de s'interconnecter avec vos réseaux sociaux en ligne, comme cela a été décrit dans la première section de ce chapitre, vous avez idéalement stocké dans l'application Contacts les informations en ligne relatives à vos amis de Facebook, de Twitter et d'autres réseaux.

Pour voir toutes vos relations dans l'application Contacts, cliquez sur la vignette Contacts dans l'écran d'accueil. L'application s'affiche sur l'écran et répertorie tous vos amis en ligne, comme le montre la Figure 17.7.

L'application Contacts synchronise automatiquement les informations avec vos réseaux sociaux. Par exemple, la suppression ou l'ajout d'un contact Facebook est immédiatement mise à jour dans l'application Contacts.

Soyez informé des mises à jour de vos amis

Pour vous amuser un peu avec l'application Contacts, cliquez sur la rubrique « Quoi de neuf ? », en bas à gauche de la fenêtre (voir la Figure 17.7). L'application répertorie les dernières mises à jour de vos amis, qu'ils soient publiés sur Facebook, Twitter, LinkedIn ou tout autre réseau social que vous avez ajouté.

La page « Quoi de neuf ? » représente un instantané des informations des médias sociaux ; elle est mise à jour et gelée lors de l'ouverture de l'application. Si vous n'y trouvez pas suffisamment d'informations, ni de nouvelles fraiches, c'est que vous ne suivez pas assez de contacts sur Facebook, Twitter, *etc.*

Vous pouvez également consulter les mises à jour d'une personne en particulier en cliquant sur son nom. Les informations le concernant sont affichées à gauche et ses dernières mises à jour à droite.

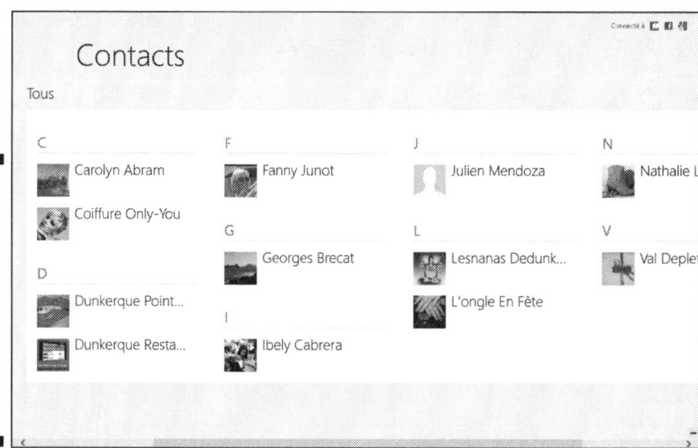

Figure 17.7 : L'application Contacts affiche automatiquement vos amis répertoriés dans vos réseaux sociaux.

Cependant, vos amis qui ne partagent pas leur vie en ligne *via* les réseaux sociaux n'apparaitront pas dans l'application Contacts. Il en sera de même pour vos amis Facebook qui souhaitent conserver des informations confidentielles et qui ne veulent pas les partager avec d'autres programmes.

Cela signifie que vous devrez modifier manuellement certaines entrées des Contacts. Cette section explique la marche à suivre pour faire face aux constantes évolutions des réseaux sociaux.

Ajout de contacts

Bien que l'application Contacts gère automatiquement les évolutions de votre carnet d'adresses, vous pouvez facilement ajouter des personnes suivant l'ancienne manière, en le faisant à la main !

Pour ajouter une personne à l'application Contacts, ce qui la fera apparaître dans les applications Courrier et Messages, procédez de la manière suivante :

1. **À partir de l'écran d'accueil, cliquez sur la vignette Contacts.**

2. **Faites un clic droit dans une partie vide de l'application pour afficher la barre de menus inférieure. Puis cliquez sur l'icône Nouveau en bas à droite de l'écran.**

   Un formulaire Nouveau contact vierge apparaît.

3. **Remplissez le formulaire Nouveau contact.**

   Le nom des champs (voir la Figure 17.8) tels que Prénom, Nom, Courrier électronique, Adresse, *etc.*, se passent d'explication. Cliquez sur le bouton Autres informations pour ajouter des éléments comme la fonction, le site Web, *etc.*

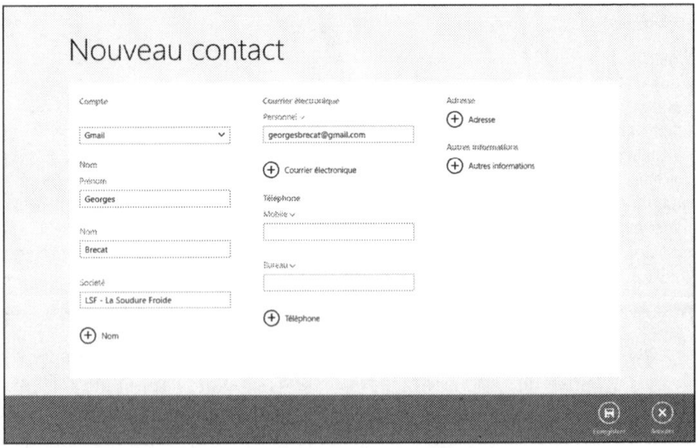

Figure 17.8 : Remplissez les champs puis cliquez sur Enregistrer pour ajouter le nouveau contact.

   Si vous avez déclaré plusieurs comptes de messagerie dans votre application Courrier, le renseignement du champ Compte risque d'être délicat. En effet, vous devez indiquer dans ce champ auquel de vos comptes de messagerie sera affecté ce nouveau contact.

La réponse s'articule principalement autour de votre téléphone portable. Choisissez votre compte Google (Gmail) si vous utilisez un téléphone Androïd, de sorte que ce nouveau contact apparaisse dans la liste des contacts de votre téléphone Androïd.

Choisissez le compte Microsoft si vous utilisez un téléphone Microsoft, pour les mêmes raisons que précédemment.

4. **Cliquez sur le bouton Enregistrer.**

L'application Contacts enregistre les nouvelles informations. Si vous repérez une erreur, ou si vous souhaitez y apporter des modifications consultez la section suivante.

Suppression ou modification de contacts

Il peut arriver que vous ayez perdu de vue un de vos contacts, ou bien que son numéro de téléphone ait changé. Voici comment supprimer ou modifier un contact :

1. **À partir de l'écran d'accueil cliquez sur la vignette Contacts.**

   L'application Contacts apparaît sur l'écran comme le montre la Figure 17.7.

2. **Cliquez sur un contact.**

   La page du contact apparaît en plein écran.

3. **Faites un clic droit sur une zone vide pour activer la barre de menus inférieure.**

   Elle apparaît comme une marge horizontale en bas de l'écran.

4. **Cliquez sur le bouton Supprimer pour supprimer le contact ou sur le bouton Modifier pour mettre à jour les informations, puis cliquez sur Enregistrer.**

   L'activation du bouton Supprimer supprime définitivement le contact. Le bouton Supprimer n'est proposé que pour les contacts qui ont été ajoutés *à la main*. S'ils ont été importés à partir de Facebook ou d'un autre site de médias sociaux en ligne, vous devez les supprimer à partir du site d'origine ; avec la commande Retirer de la liste d'amis pour Facebook ou Ne plus suivre pour Twitter.

En cliquant sur Modifier vous accédez à un écran semblable à celui de la Figure 17.8, vous pouvez alors mettre à jour ou supprimer toute information. Cliquez ensuite sur Enregistrer pour valider les modifications.

Le bouton Épingler à l'écran d'accueil ajoute la vignette du contact sur la droite de l'écran d'accueil ; vous avez ainsi ses coordonnées sous la main et vous êtes au courant de ses dernières mises à jour.

Pour envoyer rapidement un message à une relation de votre application Contacts, cliquez sur son nom et, lorsque ses informations apparaissent, cliquez sur le bouton Envoyer un message électronique. L'application Courrier démarre avec une fenêtre Nouveau message et le champ d'adresse pré-rempli ; il ne vous reste plus qu'à spécifier l'objet, saisir votre message et à cliquer sur Envoyer. Cette astuce ne fonctionne que si l'adresse de messagerie du contact est renseignée.

Il peut arriver que certains de vos amis apparaissent plusieurs fois dans l'application Contacts. Cela arrive, par exemple, si vous suivez un ami Facebook sur Twitter ou s'il est identifié comme contact dans LinkedIn. Malheureusement, l'application Contacts n'offre pas de moyen de les combiner dans un seul compte, vous devrez faire avec !

Gestion des rendez-vous dans le calendrier

Après avoir entré vos comptes de réseaux sociaux tels que Facebook et Google, comme cela est décrit dans la première section de ce chapitre, vous avez déjà, sans le savoir, mis à jour l'application Calendrier avec les rendez-vous saisis par vous et vos amis en ligne.

L'application Calendrier affiche, par exemple, les anniversaires de vos amis Facebook, s'ils ont choisi de partager cette information. Vous pouvez également retrouver les rendez-vous que vous avez définis dans le calendrier de Google ; c'est un avantage très pratique pour les possesseurs de téléphones Androïd.

Pour voir vos rendez-vous, cliquez sur la vignette Calendrier à partir de l'écran d'accueil ; l'application Calendrier apparaît comme le montre la Figure 17.9.

Très peu de gens consultent tous leurs rendez-vous en ligne ; cependant, vous aurez parfois besoin d'en modifier certains, d'en ajouter de nouveaux ou de supprimer ceux auxquels vous ne pourrez pas participer. Cette section explique comment maintenir vos rendez-vous à jour.

L'application Calendrier s'ouvre pour afficher une vue mensuelle (voir la Figure 17.9). Pour passer à d'autres vues, faites un clic droit dans l'application pour activer la barre de menus inférieure, puis cliquez sur le bouton de votre choix, Jour, Semaine ou Mois.

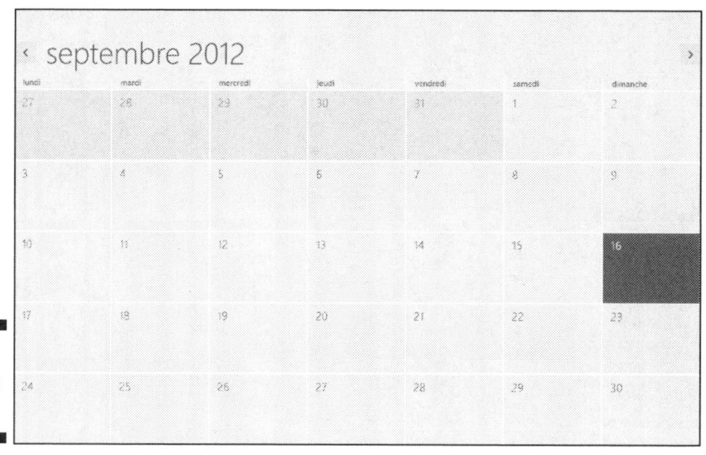

Figure 17.9 : L'application Calendrier .

Quel que soit le mode de visualisation, vous pouvez parcourir les rendez-vous en cliquant sur les petites flèches situées près des angles supérieurs de l'écran. Cliquez sur la flèche droite pour avancer dans le temps, cliquez sur la flèche gauche pour revenir en arrière.

L'application Calendrier rassemble toutes les informations relatives aux agendas de vos réseaux sociaux en ligne. Cependant, vous pouvez toujours ajouter ou modifier des rendez manuellement si vous le souhaitez.

Pour ajouter un rendez-vous à l'application Calendrier, procédez de la manière suivante :

1. **À partir de l'écran d'accueil, cliquez sur la vignette Calendrier.**

   Le calendrier apparaît, comme celui présenté précédemment dans la Figure 17.9.

2. **Activez la barre de menus inférieure, puis cliquez sur l'icône Nouveau.**

   L'activation de la barre de menus inférieure a été expliquée à plusieurs reprises dans ce chapitre ; vous devez faire un clic droit n'importe où dans la fenêtre Calendrier.

3. **Remplissez le formulaire Détails.**

   Comme le montre la Figure 17.10, les noms des champs rendent les choix auto-explicatifs.

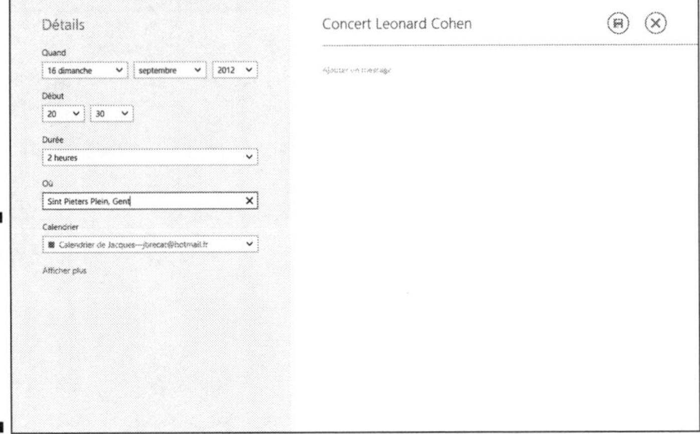

Figure 17.10 : Renseignez la date de rendez-vous, l'heure de début, la durée, etc.

   Si vous avez déclaré plusieurs comptes de messagerie dans votre application Courrier, le renseignement du champ Calendrier risque d'être délicat. En effet, vous devez indiquer dans ce champ auquel de vos comptes de messagerie sera affecté ce nouveau rendez-vous.

   Comme avec l'application Contacts, la réponse s'articule principalement autour de votre téléphone portable. Choisissez votre compte Google (Gmail) si vous utilisez un téléphone Androïd, de sorte que ce nouveau rendez-vous apparaisse dans le calendrier de votre téléphone Androïd. Choisissez Microsoft si vous possédez un téléphone Microsoft.

   Les applications développées par Microsoft ne se coordonnent pas bien, voire pas du tout, avec les produits Apple !

4. **Cliquez sur le bouton Enregistrer ce rendez-vous.**

L'application Calendrier ajoute le nouveau rendez-vous au Calendrier Windows 8, ainsi qu'au compte que vous avez sélectionné à l'Étape 3.

Pour supprimer ou modifier un rendez-vous, ouvrez-le dans le Calendrier, puis cliquez sur le bouton Supprimer le rendez-vous pour le supprimer ; si vous voulez le modifier, faites les modifications et cliquez sur le bouton Enregistrer ce rendez-vous pour valider la mise à jour.

Chatter via la messagerie instantanée

Depuis des décennies, les applications de messagerie instantanée permettent d'échanger en ligne avec tous vos amis. Contrairement au courrier électronique, la messagerie instantanée gère les dialogues en temps réel ; en général, l'écran affiche deux boîtes, une pour la réception et la lecture et l'autre pour l'écriture et l'expédition.

Les applications de messagerie engendrent autant de sentiments d'amour que de sentiments de haine. Certaines personnes apprécient le confort et l'intimité apportés par le contact avec des amis lointains ; d'autres ne supportent pas de se sentir coincées comme dans un ascenseur et contraintes de faire la conversation.

Que l'on aime ou que l'on déteste, l'application Messages gère les conversations, qu'elles soient de la plus haute importance ou qu'il s'agisse d'un simple bavardage. Et même si vos amis utilisent des services ou des programmes de messagerie différents, l'application Messages vous permettra de dialoguer avec eux.

Pour commencer à philosopher avec vos amis en ligne, procédez de la manière suivante :

1. **À partir de l'écran d'accueil, cliquez sur la vignette Messages.**

   L'application de messagerie s'affiche, comme le montre la Figure 17.11.

2. **Cliquez sur le bouton Nouveau message.**

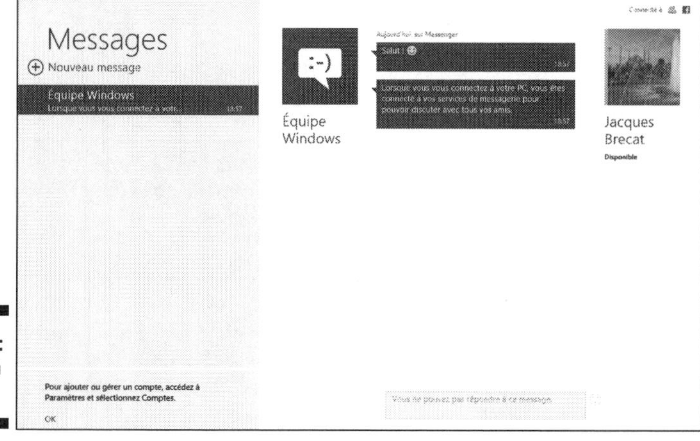

Figure 17.11 : L'application Messages.

Celui-ci se trouve dans l'angle supérieur gauche de la fenêtre ; il permet de voir ceux de vos amis qui sont en ligne et disponibles dans leur propre programme de messagerie instantanée. Si vous ne retrouvez pas une personne, il se peut qu'elle ne soit pas en ligne ou qu'elle ne soit pas mentionnée dans votre application Contacts.

3. **Cliquez sur la personne avec qui vous voulez discuter.**

   Lorsque la fenêtre de dialogue apparaît, commencez à saisir votre texte comme le montre la Figure 17.12. Votre ami recevra instantanément votre message, que ce soit sur Facebook, un téléphone portable ou tout autre système.

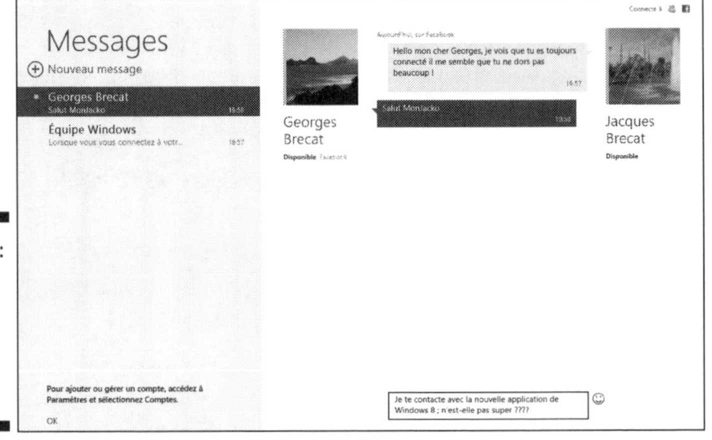

Figure 17.12 : Saisissez votre message et appuyez sur Entrée pour l'envoyer.

Dès que vous avez appuyé sur la touche Entrée, votre message apparaît dans le programme de messagerie de votre correspondant. C'est tout !

La prochaine fois que vous démarrerez l'application Messages, votre conversation sera toujours là, en l'état, et si vous le souhaitez, vous pourrez la poursuivre.

Bien que l'usage de l'application Messages soit intuitif, voici quelques informations complémentaires :

- Pour supprimer une conversation, faites un clic droit à l'intérieur de l'application Messages pour accéder à la barre de menus inférieure, puis cliquez sur l'icône Supprimer en bas à droite.

- Si vous ne voulez pas être dérangé pendant un certain temps, cliquez sur le bouton Statut en bas à gauche de la barre de menus inférieure et choisissez Invisible. Vous n'apparaîtrez plus comme disponible dans les programmes de messagerie de vos amis. Pour réapparaître dans le cercle de vos amis, cliquez sur l'icône Statut et sélectionnez Disponible.

- L'application Messages fonctionne mieux si vous attendez la réponse au message que vous venez d'envoyer avant d'expédier le suivant. Si vous envoyez les messages à une cadence trop rapide, la conversation risque d'être décousue ; un peu comme une conférence de presse où tout le monde pose ses questions en même temps.

Sixième partie

Les Dix Commandements

"Julien, très honnêtement je ne crois pas qu'il soit possible d'éviter un embrasement du foin avec le Pare-feu Windows."

Dans cette partie...

Aucun livre Pour les Nuls ne serait complet sans cette dernière partie... Bien sûr, les Dix Commandements ne sont pas toujours exactement égaux à dix, mais c'est l'idée générale.

Vous allez tout d'abord trouver ici dix choses que vous allez certainement haïr dans Windows 8. Et nous allons voir comment s'en débarrasser ou tout simplement les oublier.

Nous aborderons ensuite une série de conseils destinés aux possesseurs de tablettes et de portables. Vous y verrez ainsi comment configurer le comportement de votre portable quand vous refermez son couvercle, ou encore comment activer le mode Avion au moment où vous allez décoller. Et c'est à ce moment-là aussi qu'il est très utile de savoir comment se connecter à un réseau sans fil ou configurer un fuseau horaire.

Chapitre 18

Dix choses que vous allez haïr dans Windows 8 (et comment vous en débarrasser)

Dans ce chapitre :

- Éviter l'écran d'accueil.
- Éviter le bureau.
- Éviter les messages de l'écran de verrouillage.
- Retrouver la barre des tâches de Windows 8.
- Trouver votre version de Windows.
- Capturer des copies d'écran.

Windows 8 pourrait être parfait si seulement… (*ajoutez ici votre propre liste de récriminations*).

Si vous pensez (ou dites) ce genre de phrase au moins une ou deux fois par jour, lisez ce chapitre. Vous y trouverez une liste de défauts sur lesquels tout le monde s'accorde (sauf sans doute les gens de chez Microsoft), ainsi que des solutions pour améliorer la situation.

Je veux éviter l'écran d'accueil !

Si vous trouvez l'écran d'accueil plus envahissant et pénible que pratique, voici comment vous pouvez y échapper pour rester le plus longtemps possible avec votre bureau.

Retrouver le bouton Démarrer

Si vous faites par exemple une rechercher sur Google pour essayer de savoir si et comment il est possible de trouver le bouton Démarrer des versions précédentes de Windows, vous constaterez que plusieurs programmes vous proposent ce genre de service. Ainsi, ViSoft de Lee-Soft (`lee-soft.com/visoft`) vous redonne un bouton Démarrer, quoi que pas totalement identique à ce que vous connaissiez par le passé, tout en conservant l'écran d'accueil si vous souhaitez tout de même pouvoir le retrouver (voir Figure 18.1).

Si vous voulez le meilleur des deux mondes, bureau *et* applications, vous pouvez aussi essayer Start8 de la société Stardock (`www.stardock.com/products/start8`). Start8 restaure le bouton Démarrer à sa place habituelle. Mais en cliquant dessus, vous accédez à un écran d'accueil vous montrant des icônes pour *toutes* vos applications et *tous* vos programmes.

J'évoque d'autres tactiques pour éviter l'écran d'accueil dans le Chapitre 3.

Quand l'écran d'accueil réapparaît sans prévenir...

L'écran d'accueil et le bureau ne sont pas des entités séparées. Les deux interagissent en permanence, et un clic mal placé sur le bureau peut vous renvoyer sans coup férir vers l'écran d'accueil et ses vignettes rectangulaires.

Quelle que soit la tactique mise en place pour échapper à l'écran d'accueil, vous risquez fort de le voir réapparaître dans différentes situations :

- **Ajout d'un compte utilisateur :** le Panneau de configuration du bureau vous permet de gérer les comptes d'utilisateurs. Vous pouvez transformer un compte Standard en compte Administrateur, ou l'inverse, changer son nom, et même le supprimer complètement. Mais si vous avez besoin d'*ajouter* un nouveau

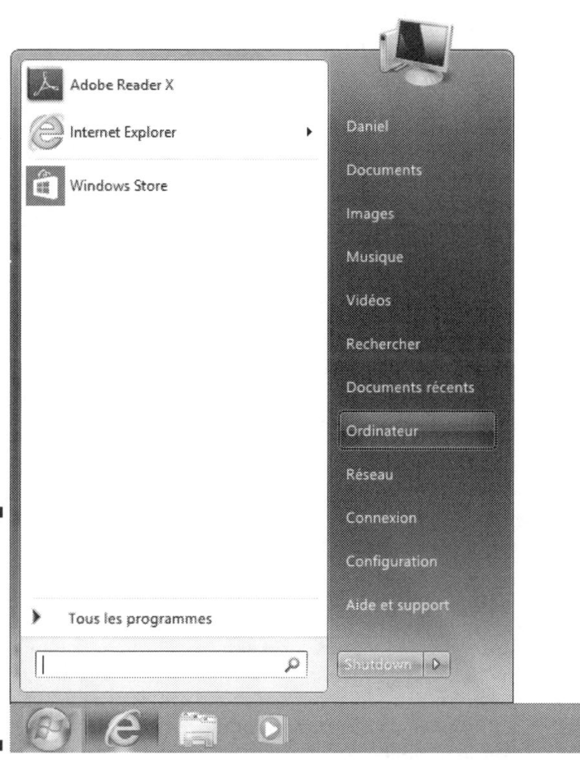

Figure 18.1 : Plusieurs programmes redonnent un bouton Démarrer à la barre des tâches.

compte, ou même tout simplement de changer l'image associée à votre propre compte, vous revenez à la page Paramètres du PC de l'écran d'accueil pour terminer le travail.

- **Jouer un fichier de musique ou afficher une photo :** dans ce cas, Windows 8 est configuré pour utiliser automatiquement l'écran d'accueil. Ouvrez une photo ou un fichier MP3, et vous vous trouvez transporté dans l'une des applications Photos ou Musique de l'écran d'accueil. Vous pouvez alors vous reporter par exemple aux Chapitres 13 et 14, où j'explique comment activer par défaut la Visionneuse de photos Windows dans un cas, et le Lecteur Windows Media dans l'autre.

- **En cas de problème sérieux :** même si l'écran d'accueil est une chose assez fourre-tout et promotionnelle, il contient deux des outils les plus puissants pour résoudre les problèmes les plus graves rencontrés avec Windows 8. Le premier permet d'actualiser les fichiers de Windows sans perdre les vôtres, et le second sert à le réinstaller totalement. Ces deux outils sont les sauveurs suprêmes lorsque tout le reste a échoué. Mais vous ne pouvez absolument pas y accéder depuis le bureau.

En résumé, même si vous redonnez un bouton Démarrer à la barre des tâches du bureau, vous n'arriverez jamais à vous débarrasser totalement de l'écran d'accueil. C'est dit !

Je veux éviter le bureau !

Sur une tablette, il est plutôt pratique de travailler essentiellement avec l'écran d'accueil, ses grandes vignettes et autres icônes sur lesquelles il est facile de taper d'un doigt. Les possesseurs de smartphones connaissent cela depuis des années. Et des tas d'applications, couvrant tous les domaines, se servent largement de cette technique.

La taille des écrans dont disposent les tablettes facilite la lecture de magazines et de livres, et même de pages Web. Mais rester collé uniquement à l'écran d'accueil et à son monde d'applications peut être plus difficile qu'on pourrait le penser. Même si vous essayez à tout prix d'éviter le bureau et ses contrôles de la taille d'une tête d'épingle, vous allez le voir surgir dans diverses situations :

- **Cliquer sur la vignette Bureau :** cette application vous envoie tout de suite sur le bureau ! Si vous ne voulez plus voir cette vignette (ou une autre d'ailleurs), cliquez *droit* dessus pour révéler la barre des applications, puis cliquez sur l'icône Détacher de l'écran d'accueil. En cas de regret, cliquez droit sur le fond de l'écran d'accueil, puis sur l'icône Toutes les applications. Le bureau devrait se trouver dans la première colonne. Cliquez droit dessus, et choisissez Épingler à l'écran d'accueil.
- **Naviguer dans les fichiers :** l'écran d'accueil n'est pas assez sophistiqué pour naviguer dans vos fichiers. Dès que vous branchez par exemple un disque dur externe ou une clé USB, c'est l'Explorateur de fichiers du bureau qui va apparaître pour que vous puissiez en voir le contenu.
- **Gérer un compte d'utilisateur :** vous pouvez créer de nouveaux comptes à partir de l'écran d'accueil, mais vous avez besoin du bureau dès lors qu'il s'agit de les modifier ou de les supprimer.

- **Regarder des animations Flash :** la version d'Internet Explorer accessible depuis l'écran d'accueil gère tout à fait correctement la plupart des sites Web. Mais il peut arriver qu'il soit incapable de jouer des vidéos au format Adobe Flash. Dans ce cas, cliquez droit sur une partie libre (sans aucun lien) de la page Web, de manière à révéler la barre d'outils. Cliquez sur l'icône Outils de page, et choisissez dans la liste d'options Afficher sur le bureau. C'est la version « normale » d'Internet Explorer qui va se charger de finir le travail.

- **Gérer les périphériques :** la page Paramètres du PC de l'écran d'accueil liste les périphériques connectés à votre ordinateur. Mais il ne montre que leurs noms. Pour configurer quoi que ce soit, ou simplement pour avoir plus d'informations sur tel ou tel matériel, vous *devez* passer par le Panneau de configuration du bureau.
- **Gérer les fichiers :** l'écran d'accueil vous permet facilement de visualiser vos photos ou encore d'écouter de la musique. Fort bien. Mais *changer* quoi que ce soit dans ces fichiers (pour simplement les renommer, les copier ou les déplacer) *implique* un détour par le bureau. Et cela vaut également, par exemple, si vous voulez tout bêtement savoir à quelle date une photo a été prise…

En résumé, l'écran d'accueil est suffisant pour faire des choses simples. Mais dès que le niveau s'élève un peu, le bureau reprend le dessus.

Si vous en avez assez de faire sans cesse le voyage aller/retour pour effectuer certains tâches, voyez dans la boutique Windows Store, ou en faisant une recherche sur le Web, s'il n'existe pas une application capable de faire le même travail. La boutique Microsoft croît au fil du temps, et les développeurs d'applications ont une imagination sans limites. Vous finirez bien par trouver des programmes qui vous permettront d'invoquer moins souvent le bureau.

Par contre, les possesseurs de tablettes devraient se procurer une souris Bluetooth pour faciliter leur existence quand il n'est pas possible d'échapper au bureau.

Windows me fait signe tout le temps

Windows 8, soucieux d'économiser l'énergie, noircit normalement l'écran quand il constate que vous n'avez pas touché à votre clavier ou à votre souris pendant plusieurs minutes. Quand vous revenez devant votre ordinateur et que vous appuyez sur une touche, vous vous retrouvez devant l'écran de verrouillage. Ce qui signifie que vous devez une fois de plus saisir votre mot de passe pour reprendre votre session.

Certaines personnes préfèrent ce niveau de sécurité supplémentaire. Si l'écran de verrouillage revient parce que vous avez passé un peu trop de temps à aller boire votre café, vous êtes protégé. Personne ne peut venir lire vos messages pendant que vous n'êtes pas là.

Par contre, d'autres personnes n'apprécient pas trop cette sollicitude. Tout ce qu'ils veulent, c'est reprendre rapidement leur travail. Voyons donc comment réconcilier les deux camps.

Si vous ne voulez *jamais* voir l'écran de verrouillage, il suffit de créer un seul compte d'utilisateur sans mot de passe. Bien sûr, cela défait toutes les sécurités proposées par Windows, mais si vous êtes seul chez vous à vous servir de l'ordinateur, c'est peut-être plus pratique.

Pour éviter que Windows ne vous demande votre mot de passe chaque fois qu'il se réveille, suivez ces étapes :

1. **Cliquez droit dans le coin inférieur gauche du bureau, et choisissez dans le menu qui s'affiche la commande Options d'alimentation**

2. **Dans le volet de gauche de la fenêtre qui apparaît, cliquez sur Demander un mot de passe pour sortir de veille.**

   Bon nombre des options de la fenêtre qui s'affiche sont grisées, donc inaccessibles.

3. **Cliquez sur l'option appelée Modifier des paramètres actuellement non disponibles.**

4. **Faites défiler le contenu de la fenêtre pour localiser l'option qui indique Ne pas exiger un mot de passe. Cochez la case qui se trouve devant, puis cliquez sur le bouton Enregistrer les modifications.**

Windows va devenir plus accessible. Lorsque votre ordinateur va se réveiller après quelques temps de sommeil, vous allez retrouver votre écran tel qu'il était lorsque vous l'avez abandonné, et vous n'aurez plus à saisir votre mot de passe.

Bien sûr, Windows est du coup moins sûr. N'importe qui pourrait maintenant accéder à votre PC pendant votre absence et accéder à tous vos fichiers.

Pour revenir au mode par défaut, plus contraignant mais aussi plus protecteur, suivez la même procédure. Cette fois, lors de l'Étape 5, cochez l'option Exiger un mot de passe (recommandé). Enregistrez ensuite les modifications.

Ma barre des tâches disparaît !

La barre des tâches du bureau est un grand classique de Windows depuis bien longtemps. Sa place normale, c'est en bas de l'écran, et elle vous donne un accès direct aux programmes qui y sont épinglés ainsi qu'à diverses icônes système. Mais il arrive qu'elle disparaisse ou change de place inopinément.

Si la barre des tâches se retrouve sur un côté ou tout en haut de l'écran, essayez de l'attraper par son milieu. Autrement dit, cliquez quelque part sur son fond, puis faites-la glisser vers le bas de l'écran. Elle devrait bondir vers cette nouvelle position. Il ne vous reste plus qu'à relâcher le bouton de la souris.

Voici d'autres conseils pour éviter que votre barre des tâches ne vous joue des tours :

- Pour que la barre des tâches ne puisse plus s'échapper, cliquez droit sur un emplacement vide de son bandeau. Dans le menu qui s'affiche, activez l'option Verrouiller la barre des tâches. N'oubliez cependant pas que vous devrez recommencer la même opération, cette fois pour la déverrouiller, si vous voulez modifier son comportement.
- Si la barre des tâches se replie sur elle-même lorsque le pointeur de la souris s'en éloigne, désactivez la fonction responsable de cette attitude fuyante. Cliquez droit sur une partie vide de la barre des tâches, et choisissez dans le menu qui s'affiche la commande Propriétés. Dans la boîte de dialogue qui apparaît, cliquez sur la case Masquer automatiquement la barre des tâches, de manière à la décocher (vous pouvez aussi faire l'inverse, bien sûr). Cliquez sur le bouton OK pour confirmer.

Je n'arrive pas à aligner mes fenêtres sur l'écran

Avec son arsenal d'outils pour sélectionner, glisser et déposer, Windows simplifie la copie ou le transfert d'informations d'une fenêtre à une autre. Vous pouvez par exemple faire glisser une adresse d'une liste de contacts jusque sur votre traitement de texte lorsque vous rédigez un courrier.

Mais l'idéal pour ce genre d'opération, c'est de pouvoir disposer côte à côte les deux fenêtres dont vous avez besoin : l'une servant d'origine, et l'autre de destination.

Pour aligner vos fenêtres, Windows vous propose une méthode simple :

1. **Faites glisser la barre de titre de la première fenêtre jusqu'au bord gauche ou droit de l'écran.**

   Lorsque le pointeur de la souris atteint un côté, la fenêtre se redimensionne d'elle-même pour occuper la moitié de l'écran.

2. **Faites maintenant glisser la barre de titre de l'autre fenêtre vers le bord opposé de l'écran.**

   Lorsque le pointeur de la souris atteint le côté opposé, la fenêtre se redimensionne d'elle-même pour occuper l'autre moitié de l'écran.

Vous pouvez aussi minimiser toutes les fenêtres, sauf les deux que vous voulez aligner. Ensuite, cliquez droit sur une partie vide de la barre des tâches, et choisissez dans le menu l'option Afficher les fenêtres côte à côte. Le résultat est exactement le même.

Essayez les deux méthodes pour voir celle que vous préférez.

Il ne veut rien me laisser faire si je ne suis pas Administrateur !

Windows 8 ne plaisante pas quand il s'agit de savoir qui a le droit de faire quoi avec votre ordinateur. Son propriétaire (vous, normalement) possède un compte de niveau Administrateur. Et celui-ci délègue certains droits d'utilisation à d'autres personnes par le biais de comptes de niveau Standard. Cela signifie quoi ? Et bien, que seul un administrateur a le droit d'exécuter les actions suivantes :

- Installer des programmes et du matériel.
- Créer ou modifier les comptes des autres personnes.
- Lancer une connexion Internet.
- Ajouter certains matériels, comme un appareil photo numérique ou un lecteur MP3.
- Effectuer des tâches qui affectent les autres utilisateurs du PC.

Par nature, les titulaires d'un compte Standard sont limités à des activités plus basiques, comme :

- Exécuter des programmes déjà installés.

- Changer l'image de leur compte ainsi que leur mot de passe.

Le compte appelé Invité, quant à lui, est destiné uniquement à un visiteur occasionnel qui aurait juste besoin de voir quelque chose sur le Web, ou d'accéder à son compte Facebook, ou voir ses e-mails, ou encore lancer tel ou tel programme ne présentant pas de danger pour l'ordinateur. Mais il ne peut pas pour cela *lancer* une connexion Internet. Celle-ci doit déjà être active, ce qui est bien sûr le cas avec l'ADSL ou la fibre optique.

Si Windows affiche un message qui explique que seul un administrateur a le droit de faire une certaine chose sur le PC, il y a deux options : ou bien trouver ce fameux administrateur et lui demander d'entrer son mot de passe (s'il le souhaite !), ou bien le convaincre de vous déléguer ses pouvoirs en créant pour vous un compte Administrateur. Ce qui n'est pas recommandé.

Je ne sais pas quelle est ma version de Windows

Depuis ses débuts en 1985, Windows a connu une bonne dizaine de versions, et de variantes à l'intérieur de celles-ci. Laquelle est donc installée sur votre ordinateur ?

Pour le savoir, cliquez droit dans le coin inférieur gauche de votre bureau. Dans le menu qui s'affiche, choisissez l'option Système. Lorsque la fenêtre Système apparaît, regardez ce qui est écrit en haut et vous aurez la réponse. Par exemple : Windows 8 suivi d'une mention comme Pro ou encore Entreprise.

Les différentes versions de Windows 8 sont décrites dans le Chapitre 1.

Ma touche d'impression d'écran ne marche pas !

Contrairement à ce que son nom semble indiquer, la touche d'impression d'écran (Impr Ecran, ou bien encore PrtSc, pour Print Screen en anglais, et donc Imprimer Écran en français) n'édite ni une copie de l'écran, ni le contenu d'une fenêtre, sur du papier. En fait, elle transfère une image de ce que contient l'écran vers la mémoire de Windows, plus précisément vers son *presse-papiers*.

Vous pouvez ensuite coller cette image dans un programme graphique, tel que Paint, afin de l'imprimer pour de vrai, ou encore la coller dans un traitement de texte si vous écrivez un livre d'informatique...

Petite nouveauté de Windows 8... Il est maintenant possible de copier le contenu de l'écran et de l'enregistrer dans un fichier graphique en appuyant en même temps sur la touche Windows et sur la touche Impr écran.

Ceci demande à Windows de prendre un cliché de ce qu'affiche actuellement votre écran, et de l'enregistrer dans votre bibliothèque Images sous le nom « Capture d'écran » suivi d'un numéro d'ordre (vous retrouvez ce fichier dans un sous-dossier appelé judicieusement Captures d'écran). Le fichier est stocké dans le format PNG, reconnu par le programme Paint et bien d'autres.

Vous pourrez alors imprimer votre capture d'écran, ou vous en servir pour l'insérer dans un document, et même la transmettre par e-mail à un technicien s'efforçant de résoudre votre problème.

Chapitre 19

Dix astuces (environ) pour les ordinateurs portables et les tablettes

Dans ce chapitre :

- Activer le mode Avion.
- Se connecter à un nouveau réseau sans fil.
- Désactiver la rotation automatique de l'écran sur une tablette.
- Choisir ce qui se passe quand vous refermez le capot de votre ordinateur portable.
- S'adapter aux fuseaux horaires.

Pour l'essentiel, le contenu de ce livre s'applique aussi bien aux PC de bureau qu'aux ordinateurs portables et aux tablettes. Mais Windows 8 réserve quelques réglages exclusivement destinés aux systèmes portables ou transportables. Si c'est votre cas et si vous êtes pressé, ces quelques pages sont pour vous.

Activer le mode Avion

La plupart des gens *aiment* emporter avec eux leur PC portable ou leur tablette lorsqu'ils prennent l'avion. C'est pratique pour regarder des films, jouer, et même pour travailler entre deux escales…

Mais la plupart des compagnies aériennes vous demandent de stopper votre connexion sans fil, ce qui vaut d'ailleurs aussi pour les smartphones. Connu depuis longtemps sur ceux-ci, voici donc le *Mode Avion* qui débarque dans Windows 8.

Pour activer ce Mode Avion sur un appareil portable, suivez ces étapes :

1. **Ouvrez la barre d'icônes et cliquez sur Paramètres.**

   Sur un ordinateur portable, il suffit d'appuyer sur la combinaison de touches Windows+I. Sur une tablette, effleurez l'écran à partir de son bord droit, puis tapez sur l'icône Paramètres.

   Le volet des Paramètres va s'afficher.

2. **Cliquez ou tapez sur l'icône de votre connexion sans fil.**

3. **Faites glisser vers la droite le curseur qui se trouve sous l'intitulé Mode Avion (voir Figure 19.1).**

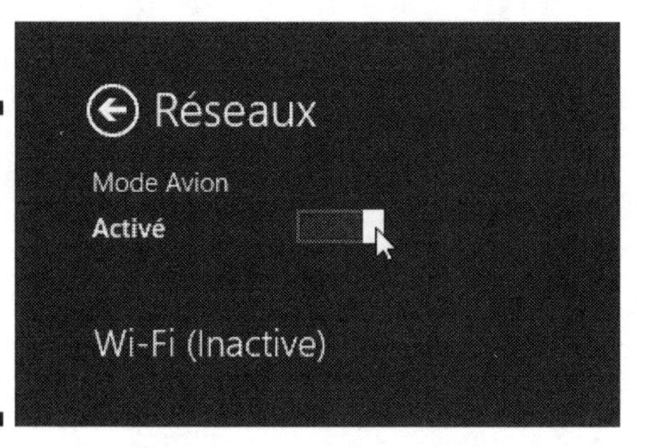

Figure 19.1 : Passez en Mode Avion en faisant simplement glisser un curseur vers la droite.

   Votre PC (ou votre tablette) est immédiatement placé dans ce mode. Sa connexion sans fil se désactive, et l'icône du volet prend l'aspect d'un petit avion pour vous rappeler le mode courant.

Pour annuler le Mode Avion et se reconnecter à l'Internet, reprenez les étapes ci-dessus, mais cette fois en cliquant ou tapant sur l'icône symbolisant un avion, puis en faisant glisser le curseur vers la gauche.

Le Mode Avion vous permet d'être en conformité avec les exigences (légitimes) de la sécurité aérienne. Mais, en plus, il économise votre batterie. D'ailleurs, rien ne vous interdit d'utiliser cette technique lorsque vous n'avez pas besoin d'accéder à l'Internet.

Le Mode Avion désactive votre connexion Internet et ce qui va avec, par exemple la géolocalisation et autres fonctionnalités. Plus largement, il coupe les ondes radio émises par votre appareil sans fil.

Se connecter à un réseau Internet sans fil

Chaque fois que vous vous connectez avec succès à un réseau sans fil, Windows 8 mémorise ces réglages de manière à ce que vous n'ayez pas besoin de les reprendre la fois suivante. Par contre, vous ne pouvez pas échapper à la procédure de connexion lorsque vous voulez accéder à un tel réseau pour la première fois.

Pour effectuer une connexion sans fil voici les étapes à suivre :

1. **Activez si nécessaire l'adaptateur réseau sans fil de votre appareil portable.**

   Certains PC portables possèdent un petit commutateur sur leur boîtier. D'autres laissent activées en permanence les communications sans fil. Bien entendu, vous devrez désactiver le cas échéant le Mode Avion (voir la section précédente).

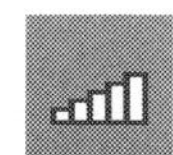

2. **Depuis le bureau, cliquez vers la droite de la barre des tâches sur l'icône de réseau (en partant de l'écran d'accueil, vous devez ouvrir la barre d'icônes, puis cliquer sur Paramètres et enfin sur l'icône de votre connexion réseau).**

   Au bout de quelques instants, Windows va afficher la liste de tous les réseaux sans fil qu'il détecte dans le voisinage.

3. **Cliquez sur le nom du réseau sans fil auquel vous voulez accéder, puis sur le bouton Connecter.**

   Dans certains cas, par exemple si un réseau public se trouve à portée de signal, il se peut que la connexion Internet s'active immédiatement. Mais bien souvent, vous devez entrer des informations complémentaires. Passez alors à l'Étape 4.

4. **Entrez la clé de sécurité du réseau auquel vous voulez vous connecter.**

   Certains réseaux ne veulent pas dire leur nom pour des raisons de sécurité. Vous devez en plus connaître celui-ci. Mais c'est vraisemblablement une information que personne ne vous donnera (ou que vous connaissez déjà si vous appartenez à cette confrérie secrète).

Méfiez-vous aussi des réseaux publics qui n'annoncent pas clairement la couleur. En règle générale, un « bon » réseau public a été installé par un fournisseur d'accès Internet ou de téléphonie mobile, et vous devrez avoir un compte chez lui pour y accéder. Il peut aussi s'agir d'une borne Wi-Fi proposée dans un café ou encore un hôtel, et vous devez donc demander un code en tant que client.

Lorsque vous cliquez sur le bouton Connecter, Windows finit par annoncer (si tout s'est bien passé) que la connexion est établie. N'oubliez pas de cocher la case Connexion automatique pour gagner du temps la prochaine fois que vous serez à nouveau à portée de ce réseau sans fil.

Désactiver la rotation de l'écran de votre tablette

La plupart des tablettes Windows sont conçues pour être tenues horizontalement. Mais si vous faites tourner l'écran, l'affichage devient automatiquement vertical. Dans ce cas, votre écran d'accueil, votre bureau, votre programme ou encore votre page Web, deviennent longs et étroits, au lieu d'être larges et minces.

Cette rotation automatique est pratique si vous vous servez par exemple de la tablette comme liseuse, puisqu'elle vous permet de voir les pages comme dans un livre imprimé. Mais elle peut devenir désagréable quand elle se déclenche inopinément, ou bien lorsque vous regardez des photos ou une vidéo.

La plupart des tablettes ont un bouton de verrouillage de la rotation sur un de leurs côtés, souvent à proximité du bouton de marche/arrêt. Un appui bloque l'orientation, un autre la déverrouille.

Si votre tablette ne dispose pas de ce genre de dispositif, ou si vous ne le trouvez pas, vous pouvez procéder autrement en faisant appel à Windows lui-même :

1. **Depuis l'écran d'accueil, activez votre bureau en cliquant sur sa vignette.**

2. **Cliquez droit sur une partie vide de l'arrière-plan du bureau. Dans le menu qui s'affiche, choisissez l'option Résolution d'écran.**

3. **Vous devriez trouver une option activant la rotation automatique de l'affichage.**

Quand cette case est cochée, cela signifie que la rotation automatique de l'écran est activée. Décochez-la, et l'affichage sera figé selon l'orientation actuelle de votre tablette.

Reprenez les mêmes étapes lorsque vous voulez modifier ce réglage.

Choisir ce qui se passe lorsque vous refermez le capot de votre ordinateur portable

Refermer le capot de votre ordinateur portable veut dire que vous faites une coupure dans votre travail ou vos activités. Mais pour combien de temps ? Pour une simple pause ? Pour la nuit ? Jusqu'à ce que vous soyez sorti du métro ? C'est à vous de décider, et Windows 8 vous permet de définir avec précision le comportement que doit avoir votre ordinateur portable quand vous refermez son capot.

Pour cela, suivez ces étapes :

1. **Depuis le bureau, cliquez droit dans le coin inférieur gauche de l'écran. Dans le menu qui s'affiche, choisissez la commande Options d'alimentation.**

2. **Dans le volet de gauche de la fenêtre qui apparaît, cliquez sur le lien Choisir l'action qui suit la fermeture du capot.**

   Windows propose plusieurs options, selon que l'ordinateur portable est branché sur le courant ou qu'il fonctionne sur sa batterie : Ne rien faire, Veille, Mettre en veille prolongée et Arrêter (voir Figure 19.2).

   En règle générale, il est préférable de retenir le mode Veille, car cela permet de placer l'ordinateur dans un état d'hibernation (et surtout de faible consommation électrique) tout en le laissant se réveiller rapidement le moment venu, de manière à retrouver au plus vite votre travail ou quoi que ce soit d'autre. De plus, si vous le laissez branché sur le secteur toute une nuit dans cet état, vous trouverez votre batterie en pleine forme le lendemain matin.

La différence entre Veille et Veille prolongée peut ne pas sembler évidente au premier abord. Précisons donc cela. Dans le mode Veille, les données de Windows sont simplement conservées en mémoire. La consommation est basse, le réveil rapide, mais vous perdrez ces données si la batterie vient à lâcher. Dans le mode Veille prolongée, les données sont d'abord enregistrées sur le disque dur. La consommation est ensuite encore plus

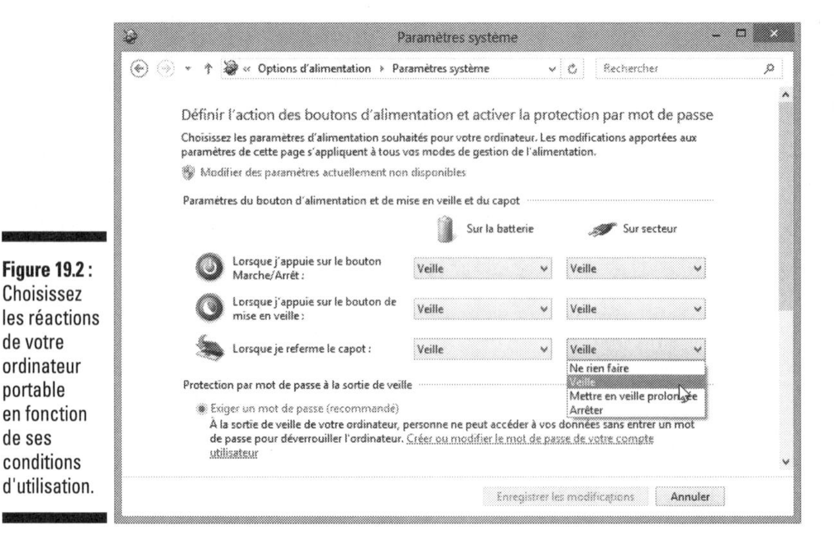

Figure 19.2 : Choisissez les réactions de votre ordinateur portable en fonction de ses conditions d'utilisation.

basse, le réveil bien sûr moins rapide, et vous serez beaucoup moins dépendant du niveau de charge de la batterie. En résumé : la veille, c'est très bien si vous ne partez pas trop longtemps et/ou si vous rechargez la batterie sur le secteur pendant ce temps-là, la veille prolongée c'est parfait si le portable ne sera pas utilisé trop vite et que vous n'avez rien pour mettre votre batterie en charge.

3. **Il ne vous reste plus qu'à cliquer sur le bouton Enregistrer les modifications.**

Changer de fuseau horaire

Les PC de bureau ne bougent pas, ce qui facilite certains réglages. Par exemple, vous entrez une fois votre pays, et si nécessaire votre position, et Windows 8 ajuste immédiatement le fuseau horaire, les symboles monétaires, et autres valeurs qui varient de par le vaste monde.

Mais la joie de voyager avec un ordinateur portable ou une tablette peut être tempérée par l'agonie qui s'annonce quand il faut expliquer à la chose où on se trouve exactement.

Si vous changez de lieu ou de pays, et en particulier de fuseau horaire, suivez ces étapes :

1. **Depuis le bureau, cliquez sur l'affichage de la date et de l'heure, à droite de la barre des tâches.**

   Un calendrier et une horloge s'affichent dans une petite fenêtre.

2. **Cliquez sur le lien Modifier les paramètres de la date et de l'heure.**

   La boîte de dialogue Date et heure apparaît.

3. **Cliquez sur le bouton Changer de fuseau horaire. Servez-vous de la liste Fuseau horaire pour redéfinir votre position, puis cliquez deux fois sur OK.**

Si vous passez souvent d'un fuseau horaire à un autre, pensez à vous servir de l'onglet Horloges supplémentaires dans la boîte de dialogue Date et heure. Vous pouvez y ajouter une seconde, voire une troisième, horloge basée sur un fuseau horaire différent. Ceci vous permet donc d'afficher jusqu'à trois horloges différentes, par exemple si vous voulez savoir quelle heure il est à Paris, à Caracas et à Séoul. Il vous suffira alors de laisser planer le pointeur de la souris sur l'horloge de la barre des tâches pour afficher successivement ces informations.

Sauvegardez votre portable avant de voyager !

Pour effectuer des sauvegardes la procédure est exactement la même pour un ordinateur portable que pour un PC de bureau. N'oubliez donc pas d'effectuer une sauvegarde avant de quitter votre domicile ou votre bureau. Les voleurs s'intéressent bien plus aux matériels qui bougent qu'à ceux qui restent à la même place... Un portable peut être remplacé, mais pas les données qu'il contient. Ne l'oubliez jamais.

Et laissez vos sauvegardes bien au chaud chez vous, pas dans la sacoche de votre ordinateur portable. Si on vous vole cette sacoche avec son contenu, vous aurez tout perdu *deux fois*.

Index

M

Q

R

S

T

U

V